Le tricot facile

Le tricot facile

l'art du point mousse

Sally Mellville
Photos: Alexis Xenakis

- Plus de 50 projets
- Les techniques pour les réaliser
- Plus de 450 photos et schémas
- De nombreux trucs et conseils

Traduit de l'américain par Mélissa Lemieux

Photos : Alexis Yiorgos Xenakis
Styliste mode : Rick Mondragon
Styliste photo : Bev Nimon
Illustrations techniques : Jay Reeve et Carol Skallerud

Catalogage avant publication de Bibliothèque et Archives Canada

Mellville, Sally
Le tricot facile : l'art du point mousse

Traduction de: The Knitting Experience. Book 1: The Knit Stitch

1. Tricot – Modèles. 2. Tricot. I. Titre.

TT820.M4414 2005 746.43'2041 C2005-941654-8

Pour en savoir davantage sur nos publications,
visitez notre site : **www.edhomme.com**
Autres sites à visiter : www.edjour.com
www.edtypo.com • www.edvlb.com
www.edhexagone.com • www.edutilis.com

08-05

L'ouvrage original a été publié
par XRX, Inc.,
sous le titre *The Knitting Experience. Book 1: The Knit Stitch*

Dépôt légal : 3e trimestre 2005
Bibliothèque nationale du Québec

ISBN 2-7619-2094-5

DISTRIBUTEURS EXCLUSIFS :

- Pour le Canada et les États-Unis :
MESSAGERIES ADP*
955, rue Amherst
Montréal, Québec H2L 3K4
Tél. : (514) 523-1182
Télécopieur : (450) 674-6237
* Filiale de Sogides ltée

- Pour la France et les autres pays :
INTERFORUM
Immeuble Paryseine, 3, Allée de la Seine
94854 Ivry Cedex
Tél. : 01 49 59 11 89/91
Télécopieur : 01 49 59 11 96
Commandes : Tél. : 02 38 32 71 00
Télécopieur : 02 38 32 71 28

- Pour la Suisse :
INTERFORUM SUISSE
Case postale 69 - 1701 Fribourg - Suisse
Tél. : (41-26) 460-80-60
Télécopieur : (41-26) 460-80-68
Internet : www.havas.ch
Email : office@havas.ch
DISTRIBUTION : OLF SA
Z.I. 3, Corminbœuf
Case postale 1061
CH-1701 FRIBOURG
Commandes : Tél. : (41-26) 467-53-33
Télécopieur : (41-26) 467-54-66
Email : commande@ofl.ch

- Pour la Belgique et le Luxembourg :
INTERFORUM BENELUX
Boulevard de l'Europe 117
B-1301 Wavre
Tél. : (010) 42-03-20
Télécopieur : (010) 41-20-24
http ://www.vups.be
Email : info@vups.be

Gouvernement du Québec – Programme de crédit d'impôt pour l'édition de livres – Gestion SODEC – www.sodec.gouv.qc.ca

Nous remercions le Conseil des Arts du Canada de l'aide accordée à notre programme de publication.

Nous reconnaissons l'aide financière du gouvernement du Canada par l'entremise du Programme d'aide au développement de l'industrie de l'édition (PADIÉ) pour nos activités d'édition.

TABLE DES MATIÈRES

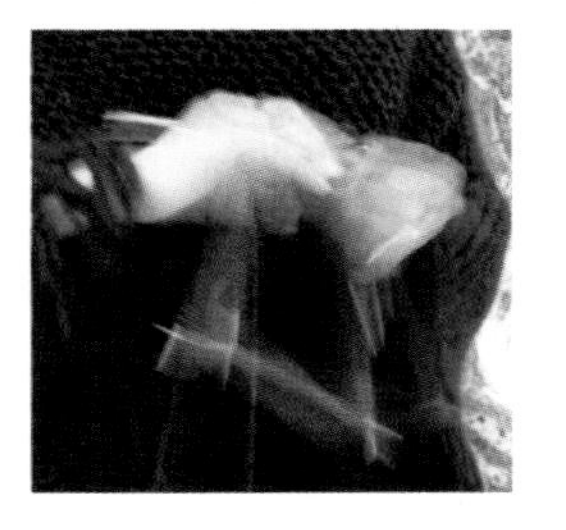

Quelle belle **JOURNÉE** !

Vous vous êtes procuré ce livre et vous vous apprêtez à le consulter. Vous êtes une personne intelligente et créative. Vous savez que le tricot est à la mode et qu'il est temps que vous vous y mettiez.

Je ne veux pas vous freiner, mais les étapes présentées à la page suivante suffiront à tenir en bride votre enthousiasme.

J'espère que vous apprécierez votre expérience et que la pratique du tricot enrichira votre vie. C'est certainement une potentialité, à en juger par ma propre expérience et par celle des étudiants à qui j'ai enseigné cet art.

Tout au long de ce livre, je partagerai avec vous des réflexions sur ce que le tricot m'a apporté. Si vous ne lisez pas ces passages plus philosophiques, je n'en saurai rien, tout comme je ne saurai jamais si ma famille et mes amies écoutent vraiment mes radotages quand nous tricotons ensemble. Voilà une des particularités du tricot : vous pouvez être assis à tricoter, parfaitement heureux, tout en écoutant quelqu'un qui a grand besoin de parler.

Mais si vous lisez mes réflexions, sachez qu'il s'agit des pensées que j'aurais aimé partager avec vous si nous avions tricoté ensemble.

Si vous voulez un aperçu de ces pensées, et si vous avez besoin d'encouragements pour vous mettre à tricoter, reportez-vous à la page 25 : *Comment le tricot peut changer votre vie !* Sachez que cette activité sérieuse peut littéralement transformer votre conscience.

Comment **APPRENDRE** à tricoter

1 Examinez les photos des pages suivantes : elles montrent certaines pièces présentées dans ce livre. Choisissez un vêtement que vous adoreriez confectionner, puis reportez-vous à la page indiquée pour connaître le niveau de difficulté (sous le mot « Expérience »). En tant que novice, vous préférerez sans doute commencer par un « premier projet du débutant ».

2 Avant de vous atteler à la tâche, apprenez bien les notions de base (page 27). Pour ce faire, ne perdez pas trop de temps à vous procurer du matériel : empruntez des articles à quelqu'un ou n'achetez qu'une pelote de laine et une aiguille circulaire. Le meilleur choix serait un fil abordable, doux, de grosseur moyenne (dont la tension suggérée sur l'étiquette est d'environ 18 mailles/4 po (10 cm) et une aiguille circulaire de 4 ou 5 mm/É.-U. 6 ou 8 (de 20 à 24 po de long, ou de 51 à 61 cm).

3 Prenez le temps de lire le chapitre intitulé « Les choix » (page 15). Cela vous aidera à prendre les meilleures décisions pour respecter la couleur, le fil, les aiguilles et la taille du vêtement.

4 Lorsque vous vous sentez raisonnablement compétent, apportez votre modèle à la mercerie pour faire provision de matériel.

5 La section intitulée « Prêt à entreprendre un projet » (page 42) peut vous guider dans vos achats et la confection de votre modèle.

6 La section intitulée « Oups ! » (page 157) propose des solutions aux erreurs courantes.

7 Au besoin, un mentor (amie, propriétaire de la mercerie, etc.) peut apporter son aide : nous avons parfois besoin de voir une paire de mains en action pour comprendre une manœuvre.

Pages 66, 102

Pages 68, 130

Pages 135, 126, 90

Pages 130, 110

Page 130

Page 54

Page 135

Pages 56, 90

Page 90

Page 86

Pages 135, 150

Pages 66, 146, 90

Page 86

Pages 66, 110

Pages 66, 90

Pages 66, 126

Page 150

Les **10 DÉCOUVERTES** les plus importantes en tricot **SELON SALLY**

Certaines leçons de cet ouvrage ne débordent pas le cadre du tricot qui repose sur mes aiguilles, mais d'autres ont des conséquences plus profondes.

10 J'ai toujours un tricot facile sur des aiguilles et je l'apporte partout. (J'apporte toujours aussi une aiguille de secours, au cas où j'en perdrais une.)

9 Si ce n'est pas un lieu où je peux tricoter, ce n'est probablement pas un lieu où je veux être. (Même si j'ai été malade en auto durant mon enfance, je peux y tricoter tant que nous roulons en ligne droite sur un terrain plat... et que je ne conduis pas.)

8 Si je ne peux pas tricoter un peu chaque jour, il y a quelque chose qui cloche dans ma vie. (Cette prescription s'applique aussi au sommeil.)

7 Les professeurs sont partout. (Je serai éternellement reconnaissante à Della Kinghorn de m'avoir enseigné le port en crayon au club de golf de Sault-Sainte-Marie, l'été de mes dix-sept ans.)

6 Les étudiants sont plus importants que les professeurs. (Je n'apprends jamais si bien quelque chose que lorsque je l'enseigne.)

5 Les décisions prises dans la première heure sont cruciales pour le succès de l'entreprise. (Voir les sections suivantes, pages 16 à 23.)

4 Les erreurs nous donnent l'occasion d'apprendre et d'être créatifs : un choix de carrière peut en découler. (Dans mon cas, c'était une incapacité à régler la tension des modèles. J'ignorais qu'il fallait utiliser de plus fines aiguilles. Alors, à onze ans, j'ai commencé à concevoir mes propres modèles.)

3 La persévérance est précieuse. (Winston Churchill aurait dit : « La créativité, c'est de savoir passer d'une erreur à l'autre sans perdre son enthousiasme. »)

2 Même si la persévérance est précieuse et qu'il est agréable de terminer un travail, il arrive qu'une pièce nous déçoive. On peut alors la détricoter ou s'en défaire afin de poursuivre son chemin.

1 Le voyage est plus important que la destination.

Les choix

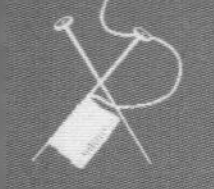

Il peut vous paraître étrange que le choix de la couleur soit si important, mais la couleur est un élément très puissant. Les recherches ont démontré que 80 % des gens tricotent un vêtement de la même couleur que celle du modèle. Donc, seulement 20 % des tricoteurs peuvent l'imaginer dans une couleur autre. Si vous faites partie de la majorité et que vous n'aimez pas la couleur du modèle, vous ne le tricoterez pas ! Ce qui prouve l'influence de la couleur... mais en même temps, vous passerez outre à de merveilleux vêtements.

Parfois, nous choisissons une couleur qui devrait nous avantager, mais, une fois terminé, le vêtement ne nous va pas. Quel est le problème ?

En fait, ce n'est peut-être pas tant une question de couleur qu'une question de fil. Est-il lustré ou mat ? Savez-vous lequel vous va le mieux ? Répondez à ces questions et choisissez le fil en conséquence.

Pour les vêtements montrés, la marque et le nom des fils apparaissent dans la légende.

Je ne peux pas vous demander de toujours acheter le fil le plus cher. Il y a bien sûr des fils coûteux — j'en ai utilisé dans ce livre — et des fils abordables, mais le prix ne correspond pas toujours à la qualité.

Cela dit, les fibres naturelles sont souvent plus chères que les fibres synthétiques, mais, généralement, elles résistent mieux à l'usure.

Les choix que nous faisons

Portez attention aux choix que vous faites au commencement d'un projet : la couleur, le fil, les aiguilles, la taille du vêtement. De ces décisions dépend le résultat des heures de tricot à venir. Ce chapitre a trait à ces décisions.

Dans un monde idéal, vous utiliseriez le fil, la couleur et les aiguilles recommandés dans le patron des modèles, vous sauriez quelle taille tricoter et vous obtiendriez exactement le vêtement illustré. Mais le monde n'est pas ainsi ; le tricot non plus. Parfois le fil recommandé n'est pas offert à la mercerie près de chez vous, ou vous préférez une autre couleur, ou la tension de votre fil est différente de celle du modéliste, ou encore votre taille ne correspond pas aux mesures standard.

Que faire ? Suivez les étapes suivantes.

Choisir une couleur

Le modèle que vous choisissez est montré dans une certaine couleur. **Ce n'est pas nécessairement la couleur que vous devez acheter.**

Pour les modèles de ce livre, j'ai peut-être choisi une couleur que je suis la seule à aimer. Ou une couleur qui s'harmonise avec les autres pièces du chapitre (avec lesquelles elle est photographiée). Ou encore, j'ai peut-être choisi une couleur que j'avais jusque-là négligée. «Oups ! je n'ai rien fait de bleu ; je serais mieux de tricoter quelque chose dans le bleu.» Voyez-vous à quel point tout cela est arbitraire ?

Pour passer outre à l'énorme influence de la couleur, faites une photocopie en noir et blanc du modèle. Si vous l'aimez, tricotez-le dans votre couleur préférée !

Choisir un fil

Le modèle que vous voulez faire sera montré dans un fil particulier. **Ce n'est pas nécessairement le fil que vous devez acheter.**

LA SUBSTITUTION DU FIL

Vous pouvez ne pas aimer le fil que j'ai choisi. Testez toujours le fil contre votre peau ; s'il n'est pas confortable, ne l'utilisez pas. Vous pourriez préférer dépenser moins d'argent, ou le fil suggéré pourrait ne pas être offert à la mercerie. Dans ce cas, votre marchand de fil sera heureux de vous suggérer d'autres possibilités.

Savoir substituer un fil à un autre fait partie du tricot.

LE TYPE DE FIL

Chaque modèle de ce livre vous indique le type de fil que vous devriez utiliser. Dans la colonne des éléments essentiels, vous lirez « Mélange de cotons », « Laine douce » ou « Fil de fantaisie ». Vous apprendrez assez facilement à trouver le type de fil suggéré — en le demandant, ou en touchant le fil et en vérifiant le contenu des fibres sur l'étiquette.

LE POIDS OU LA GROSSEUR DU FIL

Chaque modèle vous indique la grosseur du fil que vous devriez utiliser. Dans la colonne des éléments essentiels, vous trouverez un nombre et un ou deux mots (par exemple : « 4/fil moyen »). Mais si vous demandez un fil 4 moyen à la boutique, plusieurs marchands ne comprendront pas ce que vous voulez dire. De quoi s'agit-il ?

Ces nombres et ces termes font partie d'un nouveau système de classification des fils qui s'impose peu à peu dans le monde du tricot pour remédier au désordre et à la confusion. Voici ce qu'ils signifient :

• *Gros*

1 Très fin (fileté, chaînette, chaussette, layette, 1 fil)
2 Fin (sport, jacquard, layette)
3 Léger (double à tricoter, *designer*, léger peigné)
4 Moyen (peigné, afghan)
5 Gros (gonflant, artisanat, tweed, aran)
6 Très gros (supergonflant, mèche, à tapis, magpie)

Pour la grosseur du fil dont vous avez besoin, cherchez ces termes par lesquels on les désigne parfois. Examinez votre modèle pour les informations supplémentaires : l'échantillon de tension sur 4 po/10 cm et les aiguilles que j'ai utilisées.

Vous connaissez maintenant trois paramètres : le nom du fil, un échantillon de tension et un format d'aiguille. Au magasin, lisez bien les étiquettes. Ces informations, ou certaines d'entre elles, y seront.

Comprenez-vous maintenant pourquoi il y a tant de confusion au sujet de la grosseur des fils ? Certains termes apparaissent dans plusieurs catégories ! Pas étonnant qu'un système standardisé soit nécessaire.

L'échantillon de tension que vous verrez sur l'étiquette aura probablement trait à du point jersey. Nos échantillons de tension sont habituellement donnés pour du point mousse. Ne vous inquiétez pas de cette différence : cela n'affectera pas le travail que vous ferez pour les modèles de ce livre.

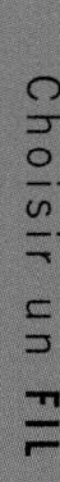

QUE FAIRE SI L'INFORMATION PERTINENTE N'EST PAS SUR L'ÉTIQUETTE ?

Voici un test efficace que vous pouvez utiliser pour comparer les fils.

1 Trouvez un fil de la bonne grosseur et un fil de grosseur inconnue.

2 Faites une boucle avec chaque fil pour qu'ils s'enchevêtrent l'un dans l'autre.

3 Tordez les fils en sens opposé. Tenez une extrémité entre vos dents (ou faites-la tenir par quelqu'un) et passez votre main à la jonction des fils. Si vous ne sentez aucune différence de volume, le fil inconnu est de la même grosseur que le fil bien identifié. Si vous sentez une différence, les fils sont différents.

Jusqu'à maintenant, vous évaluez un fil selon son type et sa grosseur. Avant d'acheter du fil, vous devez aussi savoir quelles aiguilles vous utiliserez et connaître la tension, la taille du vêtement et la quantité de fil nécessaire.

Même lorsque l'étiquette porte le nom, la tension de mailles ou le format des aiguilles que vous cherchez, vous devez tout de même vous méfier un peu.

Voici ce qu'il faut faire.

1. **Trouvez le fil utilisé pour le vêtement modèle.**
2. **Faites le test de substitution : comparez le fil utilisé avec celui que vous souhaitez acheter.**
3. **Si les fils sont semblables, vous avez trouvé un fil de même grosseur que celui utilisé pour le modèle.**

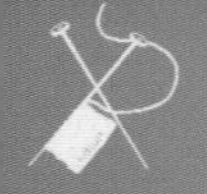

Les aiguilles circulaires ne servent pas seulement au tricot circulaire : je travaille à plat de larges pièces avec ces aiguilles. L'avantage est que vous ne pouvez laisser échapper vos aiguilles (et vos mailles) aussi facilement qu'avec des aiguilles classiques ou à deux pointes. Le désavantage est que le câble qui relie les pointes peut s'entortiller. Pour le détortiller, trempez-le dans l'eau très chaude, puis tirez pour le tendre.

Choisir des aiguilles

QUEL TYPE D'AIGUILLES ?

Il y a trois sortes d'aiguilles : classiques, circulaires, à deux pointes. Voici comment elles sont généralement utilisées.

On utilise les aiguilles classiques pour le tricot à plat, où l'on travaille un rang du côté endroit, tourne la pièce, et travaille un rang du côté envers ; les pièces d'un tel vêtement sont travaillées aller-retour et généralement cousues ensemble.

On peut utiliser les aiguilles circulaires pour le tricot à plat (en travaillant comme on le ferait avec des aiguilles classiques) ou pour des tricots circulaires avec lesquels on travaille en rond et qui ne requerront peut-être pas de coutures.

On utilise généralement les aiguilles à deux pointes pour de petits tricots circulaires, par exemple des chaussettes, des gants, des moufles ou des bonnets, que l'on tricote de façon ininterrompue (comme on le ferait avec des aiguilles circulaires). Ces aiguilles sont vendues en paquets de quatre ou de cinq. Nous recommandons les paquets de cinq. Voir page 80 pour plus de détails sur l'usage des aiguilles à deux pointes.

La manière dont vous manœuvrerez votre fil, tiendrez vos aiguilles et soutiendrez votre tricot déterminera votre choix d'aiguilles. Pour savoir ce qui vous plaît, pratiquez avec tout ce que vous trouvez : les aiguilles d'une amie, celles du magasin de fil ou d'un trésor du grenier.

QUEL TYPE D'AIGUILLES POUR QUEL PROJET ?

Dans la plupart des modèles qui suivent, vous pourrez utiliser les aiguilles classiques ou circulaires ; vous verrez alors l'icone des aiguilles classiques. De même, lorsque vous devrez utiliser les aiguilles circulaires ou à deux pointes, vous verrez l'icone approprié.

DES AIGUILLES DE QUEL MATÉRIAU ?

Les aiguilles peuvent être en métal, en bois, en plastique, etc., et on ne peut prédire lesquelles sont les meilleures pour vous, pour votre style, pour le fil que vous choisirez, pour votre budget, pour les modèles que vous tricoterez. Certaines seront trop glissantes, trop affûtées, trop collantes, trop émoussées, mais d'autres seront parfaites. Vous en essaierez sans doute beaucoup avant de choisir celles qui vous conviendront.

QUEL FORMAT D'AIGUILLES ?

Le modèle vous indiquera les aiguilles que j'ai utilisées. **Ce format n'est pas nécessairement celui que vous devrez utiliser**. Il est convenable si vous tricotez à une tension pareille à la mienne.

Ajuster la tension

QU'EST-CE QUE LA TENSION ET POURQUOI EST-CE IMPORTANT ?

La tension est le rapport des mailles et des rangs avec une mesure standard recommandée par le modèle. Si vous tricotez le vêtement à cette tension, il aura les mesures du modèle ; si vous tricotez à une tension différente, la taille de votre vêtement sera différente.

Dans ce livre, l'information sur la tension se trouve dans la colonne des éléments essentiels.

La tension est mesurée sur 4 po/10 cm (elle est presque toujours mesurée de cette façon).

Le chiffre sous la grille indique le nombre de mailles que vous devriez avoir sur 4 po/10 cm. Ici, c'est 13 mailles.

Le chiffre à gauche de la grille représente le nombre de côtes (ou de rangs) que vous devriez avoir sur 4 po/10 cm. Ici, c'est 13 côtes. (Souvenez-vous que 1 côte = 2 rangs de tricot.)

Sous l'icone, on vous indique le point de tricot que vous devriez utiliser. Ici, la tension est mesurée pour *des mailles et des côtes au point mousse.*

Les points supplémentaires vous disent comment traiter la pièce avant de la mesurer. Ici, c'est *après la mise en forme.*

• Rapprochez-vous
• mailles et côtes au point mousse
• après la mise en forme

Comment savez-vous si vous êtes sur la bonne voie ? Vous faites un échantillon de tension.

QU'EST-CE QU'UN ÉCHANTILLON DE TENSION ?

Un échantillon est un bout de tricot d'essai. Pour vous assurer de reproduire la tension du modèle, faites un échantillon de tension avant de commencer votre vêtement.

Dans ce livre, vous verrez trois icones de tension. Voici comment les interpréter.

AJUSTEZ VOTRE TENSION ! Faites un échantillon de tension et ajustez-le comme le modèle, sinon vos pièces s'assembleront mal.

RAPPROCHEZ-VOUS Faites un échantillon qui se rapproche de la tension du modèle. Ces pièces n'exigent pas un ajustement rigoureusement exact.

Faites un échantillon de tension seulement pour vous assurer que vous vous rapprochez des tensions possibles pour ce modèle. Si vous tombez dans cet éventail, vous atteindrez des mesures proches de celles que nous donnons. Il s'agit de pièces pour lesquelles les grandeurs finales importent peu.

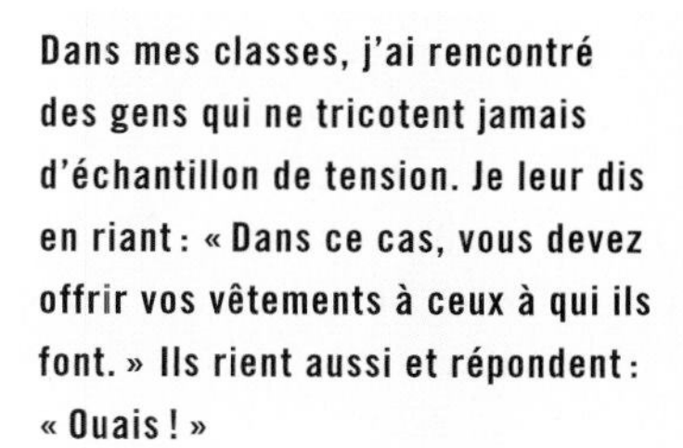

Dans mes classes, j'ai rencontré des gens qui ne tricotent jamais d'échantillon de tension. Je leur dis en riant : « Dans ce cas, vous devez offrir vos vêtements à ceux à qui ils font. » Ils rient aussi et répondent : « Ouais ! »

Si vous voulez courir ce risque, libre à vous. Par contre, si vous ne voulez pas de mauvaises surprises, prenez le temps de faire un échantillon.

1 Montez le nombre de mailles indiquées dans l'information sur la tension. (Si c'est 15 mailles, montez 15 mailles. Si c'est de 14 à 16 mailles, montez 16 mailles, soit le nombre le plus élevé de l'éventail des tensions possibles.)

2 En tricotant à l'endroit toutes les mailles de tous les rangs, travaillez le nombre de côtes indiquées dans les informations de tension. (Si c'est 12 côtes, travaillez 12 côtes/24 rangs. Si c'est de 11 à 13 côtes, travaillez 13 côtes/26 rangs, soit le nombre le plus élevé de l'éventail des tensions possibles.) Rabattez toutes les mailles.

3 Avant de mesurer la pièce, traitez-la comme l'indique le modèle. (S'il n'y a aucune instruction supplémentaire, ne faites rien.)

Vous n'arrivez pas aux mesures prescrites ? Ne désespérez pas ! On peut très bien tricoter un vêtement selon des mesures différentes. Et puis le fil peut faire la différence. Vous pourriez très bien tricoter à la tension suggérée avec de la laine, mais avoir de la difficulté avec des fils plus glissants.

Je vis au Canada et ici nous avons adopté le système métrique il y a longtemps, mais j'enseigne beaucoup aux États-Unis, alors je dois convertir les mesures. Et puis, je possède de nombreuses aiguilles de ma grand-mère, une Anglaise, ce qui ajoute à la confusion, d'autant que les Anglais ont aussi adopté le système métrique.

COMMENT FAIRE UN ÉCHANTILLON DE TENSION ?

Avant de commencer votre vêtement, prenez du fil pour faire une pièce d'essai.

Quel format d'aiguille utilisez-vous pour votre échantillon de tension ? Essayez d'abord avec les aiguilles que j'ai utilisées (voir la colonne des éléments essentiels) ou avec celles qui sont illustrées sur l'étiquette du fil.

Maintenant, suivez ces étapes. (Les indications valent pour des échantillons au point mousse. Pour les autres motifs, les règles changent ; demandez de l'aide.)

4 Mesurez la largeur de l'échantillon.

5 Mesurez la longueur de l'échantillon, sans inclure les rangs de montage et de terminaison.

VOUS ÊTES-VOUS ACCORDÉ À LA TENSION ?

Si l'on vous dit : « ACCORDEZ VOTRE TENSION ! », votre pièce devrait mesurer 4 po x 4 po/10 cm x 10 cm.

Si l'on vous dit : « RAPPROCHEZ-VOUS », votre pièce devrait mesurer de 3 ¾ po à 4 ¼ po/de 10 à 11 cm dans les deux sens.

Si un éventail de tensions possibles vous a été donné, votre pièce devrait mesurer de 3 ¾ à 4 ¾ po/de 10 à 12 cm dans les deux sens.

Si l'une de ces possibilités correspond à votre cas, votre travail est fait. Il s'agit du format d'aiguille que vous devez utiliser. Poursuivez avec « Choisir la taille d'un vêtement », à la page 21.

Êtes-vous en deçà des mesures prescrites ? Si oui, votre tricot est trop serré et vous devez refaire un échantillon avec de plus grosses aiguilles.

Êtes-vous au delà des mesures prescrites ? Si oui, votre tricot est trop lâche et vous devez refaire un échantillon avec de plus fines aiguilles.

QUE VEUT-ON DIRE PAR DES AIGUILLES « PLUS FINES » OU « PLUS GROSSES » ?

La longueur des aiguilles est mesurée en pouces (po) ou en centimètres (cm). Une aiguille circulaire peut atteindre 24 po/61 cm ; une aiguille classique, 14 po/36 cm ; une aiguille à deux pointes, 6 po/15 cm.

Quant à la grosseur, elle concerne le diamètre de l'aiguille, et son unité peut être une mesure ou tout simplement un nombre. Par exemple, une aiguille peut être une « 4,5 mm » ou simplement une « 7 ». La grosseur peut varier de 0000 à 15 et peut être exprimée par un nombre entier (4) ou une fraction (4,5).

D'après les systèmes métrique ou américain (É.-U.), plus l'unité est élevée, plus l'aiguille est grosse. Dans ces systèmes, une « 8 » ou une « 11 mm » sont de grosses aiguilles. À la page suivante, vous trouverez la conversion des valeurs des systèmes métrique et américain.

Si aucune valeur n'apparaît sur votre aiguille, vous pouvez utiliser une jauge (une règle percée de trous gradués) pour en déterminer la grosseur.

SI VOTRE ÉCHANTILLON NE CORRESPOND PAS À LA TENSION REQUISE, QUELLES AIGUILLES DEVEZ-VOUS PRENDRE ?

Si votre tension est très différente de celle prescrite, changez vos aiguilles pour d'autres beaucoup plus grosses ou plus fines (deux échelons ou plus). Si votre tension est légèrement différente de celle prescrite, essayez avec des aiguilles de la grosseur immédiatement supérieure ou inférieure.

Mais prenez garde : un point plus petit qu'un 8 américain est bien un 7, mais un point plus grand qu'un 10 américain est un 10 ½ ; un point plus petit qu'un 9 métrique est un 8, mais un point plus grand qu'un 4 métrique est un 4,5. La table de conversions est importante, ne la perdez jamais de vue.

QUAND VOTRE ÉCHANTILLON DE TENSION EST-IL TERMINÉ ?

Lorsque vous confectionnez une pièce de 4 po x 4 po/10 cm x 10 cm, ou qui convient à vos besoins (voir page précédente), votre échantillon de tension est terminé et vous savez quelles aiguilles utiliser.

Si, après quelques essais, vous obtenez le nombre de mailles recommandé, mais un nombre légèrement différent de rangs, utilisez les aiguilles avec lesquelles vous avez obtenu le bon nombre de mailles et ne vous préoccupez pas des rangs. On mesure la plupart des modèles de tricot selon le nombre de mailles et non selon les rangs. Rapprochez-vous autant que possible de la tension suggérée pour les rangs, en sachant que la tension des mailles importe davantage.

Grosseurs d'aiguille

Métrique	*É.-U.*
10	15
9	13
8	11
7,5	-
7	-
6,5	10 ½
6	10
5,5	9
5	8
4,5	7
4	6
3,75	5
3,5	4
3,25	3
3	-
2,75	2
2,25	1
2	0

Choisir la taille d'un vêtement

Vous saurez combien de fil acheter quand vous aurez déterminé la taille du vêtement.

Les vêtements qui suivent se font en différentes tailles : P, M, G, TG, TTG. Ces valeurs ont trait à la circonférence. Pour l'instant, ignorez les mesures de longueur.

TAILLES STANDARD

Quel est le rapport de ces valeurs avec la taille réelle du corps ? Elles sont basées sur les mesures standard de poitrine, indiquées ci-contre.

Cette information vous aide à connaître votre taille réelle. Mais nous ne portons habituellement pas des vêtements qui nous collent au corps. Quelle est donc la relation entre la taille réelle du corps et celle du vêtement fini ?

Mesures standard de poitrine

Taille	*Femmes*	*Hommes*
P	32 à 34 po (81 à 86 cm)	34 à 36 po (86 à 91 cm)
M	36 à 38 po (91 à 97 cm)	38 à 40 po (97 à 102 cm)
G	40 à 42 po (102 à 107 cm)	42 à 44 po (107 à 112 cm)
TG	44 à 46 po (112 à 117 cm)	46 à 48 po (117 à 122 cm)
TTG	48 à 50 po (122 à 127 cm)	50 à 52 po (127 à 132 cm)

Tailles	*Enfants*
0 à 3 mois	16 po/41 cm
6 mois	17 po/43 cm
12 mois	18 po/46 cm
2 à 4	21 à 23 po/53 à 58 cm
6 à 8	25 à 27 po/64 à 69 cm
10 à 12	28 à 30 po/71 à 76 cm

LES AJUSTEMENTS STANDARDISÉS

Il y a trois ajustements possibles dans ce livre. Voici une explication des icones qui apparaissent dans la colonne des éléments essentiels de chaque modèle.

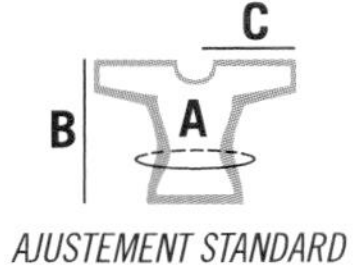

AJUSTEMENT STANDARD

Ajustement standard
Mesure réelle de la poitrine
+ 2 à 4 po/5 à 10 cm

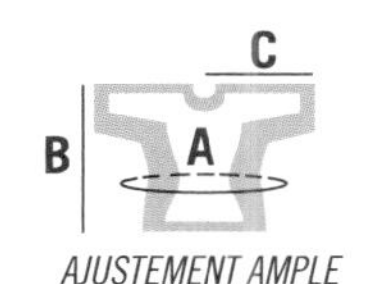

AJUSTEMENT AMPLE

Ajustement ample
Mesure réelle de la poitrine
+ 4 à 6 po/10 à 15 cm

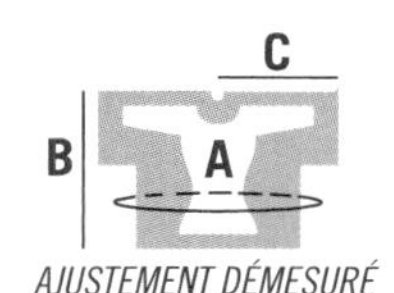

AJUSTEMENT DÉMESURÉ

Ajustement démesuré
Mesure réelle de la poitrine
+ 6 po/15 cm ou plus.

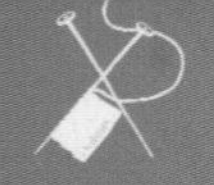

C

B A

AJUSTEMENT STANDARD

P (M, G, TG)
A 36 (40, 44, 47 ½) po/91 (102, 112, 121) cm
B 18 ½ (19, 19 ½, 20) po/47 (48, 50, 51) cm
C 30 po/76 cm

Le fait que ces vêtements sont conçus pour une grandeur moyenne explique pourquoi la longueur du dos est à peu près la même pour toutes les tailles. Si vous mesurez 5 pi 4 po (1,63 m), cela importe peu que vous soyez P ou TTG : vos épaules sont toujours à la même hauteur du sol.

Quant à la mesure du dos, du cou au poignet, sachez que l'envergure de vos bras est généralement égale à votre hauteur. Par exemple, si vous mesurez 5 pi 4 po (1,63 m), la mesure du dos, du cou au poignet, sera à peu près équivalente, peu importe la taille du vêtement.

Cela dit, vous remarquerez dans ces modèles une légère augmentation de la longueur des vêtements plus larges. C'est pour rétablir de bonnes proportions générales. Vous ne remarquerez aucune différence quant à la distance du cou au poignet : ce n'est pas nécessaire pour les vêtements au point mousse d'ajustement plus ample. Cependant, si vos bras sont nettement plus longs que la moyenne, rien ne vous empêche d'allonger les manches.

COMMENT INTERPRÉTER TOUTES CES INFORMATIONS ?

Les tailles P, M, G, TG, TTG apparaissent sous les icones d'ajustement. La plus petite est donnée en premier lieu, et les autres tailles suivent entre parenthèses, par ordre croissant. S'il n'y a qu'un seul chiffre, il s'applique à toutes les tailles.

Jetez un coup d'œil à l'icone d'ajustement, ci-contre. Les mesures du vêtement fini apparaissent dessous : A = mesure de la poitrine ; B = longueur du dos ; C = mesure du milieu du dos au poignet, au point le plus bas de la manche.

Si vous tricotez à la bonne tension, sans raccourcir ni allonger, vous atteindrez ces mesures.

AU SUJET DE LA HAUTEUR

Les vêtements de ce livre sont conçus pour s'ajuster à la taille moyenne des femmes (5 pi 4 po à 5 pi 6 po/1,63 à 1,68 m) et des hommes (5 pi 10 po à 6 pi/1,78 à 1,83 m). Si vous mesurez 2 po/5 cm de moins que la moyenne, soustrayez 1 po/ 2,5 cm là où le modèle dit « RACCOURCISSEZ ou ALLONGEZ ». Et si vous mesurez 4 po/10 cm de moins que la moyenne, soustrayez 2 po/5 cm. Par contre, si vous mesurez 2 po/5 cm de plus que la moyenne, ajoutez 1 po/2,5 cm partout où le modèle dit « RACCOURCISSEZ ou ALLONGEZ ». Et si vous mesurez 4 po/10 cm de plus que la moyenne, ajoutez 2 po/5 cm.

Acheter le fil

Chaque modèle suggère une certaine quantité de fil pour la taille qui vous intéresse. **Ce n'est pas nécessairement la quantité que vous devez acheter.**

COMBIEN DE FIL ACHÈTEREZ-VOUS ?

Dans la colonne des éléments essentiels apparaît la quantité de fil à acheter. Par exemple, pour les cinq tailles d'un chandail, « P (M, G, TG, TTG) », vous pourriez lire « 1000 (1200, 1400, 1600, 1800) verges/914 (1097, 1280, 1462, 1645) mètres ». Vous devez bien comprendre ces informations pour déterminer le nombre de pelotes nécessaires.

- Premièrement, choisissez votre taille, par exemple G, la troisième.
- Ensuite, déterminez le métrage recommandé pour la troisième taille. Pour notre exemple, G = 1400 verges (ou 1280 mètres).
- Examinez l'étiquette du fil qui vous intéresse et identifiez son métrage, par exemple 98 verges (ou 90 mètres).
- Avec une calculette, divisez le métrage dont vous avez besoin par celui du fil. Pour notre exemple : 1400 ÷ 98 = 14,29 (ou 1280 ÷ 90 = 14,22).
- Arrondissez au nombre entier supérieur, c'est-à-dire 15, ce qui vous indique le nombre de pelotes dont vous aurez besoin.

Mais si le quotient avait été 15,05 ? Auriez-vous acheté 15 ou 16 pelotes ? Et si vous aviez l'intention de raccourcir ou d'allonger ? Et si votre tension pour un rang était légèrement différente ? Et si notre estimation n'était pas parfaitement exacte ?

Une fois que vous avez calculé le nombre de pelotes dont vous avez besoin, demandez au marchand de vous réserver une pelote ou deux supplémentaires jusqu'à ce que vous ayez fini. Demandez si vous pouvez retourner ce que vous n'utiliserez pas (c'est généralement possible, dans une limite de temps raisonnable). S'il n'est pas possible de réserver ou de retourner du fil, achetez-en un peu plus. Ce que vous n'utiliserez pas ira dans votre boîte à fil (tout tricoteur sérieux en a une !).

Lorsque vous achetez des pelotes de fil, assurez-vous qu'elles proviennent du même lot de teinture.

QU'EST-CE QU'UN LOT DE TEINTURE ?

Un lot de teinture est un lot de fils teints en même temps : le lot est désigné par un numéro sur l'étiquette. Des lots différents d'une même couleur peuvent varier légèrement, ce qui serait visible sur le vêtement. Vérifiez le numéro du lot de teinture de tous les fils que vous achetez, pour être certain de leur origine commune.

Tous les tricoteurs ont déjà oublié de vérifier les lots de teinture ou ont été tentés d'acheter des lots de teinture qui ne correspondaient pas. Ne croyez pas que cela n'a pas d'importance. Des fils aux teintes légèrement différentes produiraient un résultat décevant. Donc, n'achetez pas de lots de teinture dépareillés.

Ramasser les fournitures

En plus du fil et des aiguilles, tous les tricoteurs devraient posséder :

- un mètre-ruban (pour mesurer la tension et votre tricot en cours) ;
- une aiguille à tapisserie — ou à laine — à bout arrondi (pour coudre) ;
- de petits ciseaux (pour couper le fil et tailler les bouts) ;
- des arrêts de mailles (pour tenir les mailles en attente — mais un bout de fil enfilé sur une aiguille à tapisserie et passé dans les mailles ferait l'affaire) ;
- des repères (à accrocher sur votre aiguille ou votre tricot, désignant une chose importante — mais parfois un trombone ou du fil peuvent convenir) ;
- un compte-rangs ;
- des protège-pointes (pour empêcher les mailles de tomber des aiguilles lorsque vous déposez le tricot — mais une bande élastique enroulée au bout de votre aiguille peut convenir) ;
- une calculette ;
- une jauge d'aiguille (pour calibrer des aiguilles de grosseur inconnue) ;
- des épingles à grosse tête qui ne rouillent pas.

Le fil se vend en pelote, en bobine ou en écheveau. Pour les deux premiers, il n'est pas nécessaire de faire quoi que ce soit — mais si vous tirez le fil du centre de la pelote plutôt que celui de l'extérieur, vous aurez moins d'enchevêtrements. Quant à l'écheveau, vous devrez l'enrouler en pelote avant de travailler. Pour ce faire, suspendez l'écheveau au dossier d'une chaise ou sur les mains de quelqu'un ou encore étendez-le sur vos genoux.

Vous trouverez une calculette au magasin de fil, mais ayez-en toujours une avec vous, pour le cas où vous découvririez du beau fil dans un lieu perdu.

Photocopier un modèle

C'est une bonne idée de photocopier un modèle : vous pourrez l'agrandir, encercler les nombres correspondants à la taille que vous faites, souligner des passages, noter des commentaires dans les marges, etc., choses que vous n'oseriez pas faire avec l'original.

Tenir un journal

Vous devriez commenter toutes vos expériences de tricot.

- Quel fil avez-vous utilisé ? (Conservez votre échantillon et attachez-y l'étiquette et quelques mètres de fil.)
- Avec quel format d'aiguilles avez-vous accordé votre tension ?
- Vous avez confectionné un vêtement de quelle taille ? (Copiez les schémas en notant les changements que vous avez faits.)
- Combien de pelotes avez-vous utilisé ?
- Comment avez-vous mis en forme votre vêtement ?
- Est-ce que les mesures ont changé après la mise en forme ?
- Vous avez fait le vêtement en combien de temps ?

Vous devriez aussi vous procurer un sac à tricot convenable. Trop de personnes transportent leurs affaires dans un sac d'épicerie ! Un peu de tenue, que diable !

Les tricoteurs détestent cette question : « Combien de temps cela a-t-il pris ? » Mais il est si agréable d'en connaître la réponse !

Comment le **TRICOT** peut **CHANGER** votre vie !

Le tricot est aujourd'hui appelé le « nouveau yoga ». Cette formule accrocheuse résume bien ce que nous aimons dans le tricot : la beauté du rythme, l'état méditatif qu'il engendre, l'esprit de communauté qu'il encourage. Mais lorsqu'on nous demande pourquoi nous tricotons, nous répondons souvent : « Parce que c'est agréable ! » Dans un monde voué à la productivité, c'est plutôt merveilleux de se donner la permission de faire quelque chose simplement parce que c'est agréable. Et puis nous pouvons toujours apporter avec nous cette chose si plaisante. N'est-ce pas merveilleux ? Attendre ne nous agace jamais. Nous ne nous battons pas contre le temps. Nous sommes plus patients, puisque nous pouvons toujours sortir notre tricot pour nous occuper, peu importe où nous sommes !

Cela dit, s'asseoir et tricoter en souriant pour transformer le monde en un lieu plus lumineux n'est pas la seule chose que nous faisons : consciemment ou non, nous stimulons aussi notre créativité, ce qui peut nous hisser à un autre niveau de conscience.

En effet, notre cerveau possède deux hémisphères aux fonctions différentes : le cerveau gauche est analytique, rationnel, et il gère le langage, les théories ; alors que le cerveau droit est celui de l'action, de l'intuition et de la créativité.

Dans notre société, le cerveau gauche domine, mais lorsque nous avons des problèmes à régler — pour lesquels les vieilles habitudes et les règles traditionnelles ne s'appliquent pas —, nous avons besoin du cerveau droit, plus inventif. Et nous excitons le cerveau droit en nous adonnant à des activités qui sont :

- physiquement répétitives ;
- mentalement peu exigeantes ;
- visuellement stimulantes.

Eh bien ! Voilà qui explique pourquoi mon esprit visite de si merveilleux endroits quand je tricote ; et pourquoi j'ai besoin de me consacrer quotidiennement à cette activité, à l'écart des rigueurs de notre civilisation dominée par le cerveau gauche.

Bien sûr, d'autres activités peuvent nous donner accès au cerveau droit : marcher, courir, peindre, sculpter, skier, coudre, nager, broder, jouer du piano, pagayer, pêcher, tisser. N'est-ce pas intéressant de constater que nous nous servons davantage de notre cerveau droit lorsque nous ne travaillons pas ?

En fait, nos plus profondes réflexions surviennent probablement quand nous pratiquons ces activités. Imaginez un monde où nous n'aurions que de tels passe-temps !

Du MONTAGE à la TERMINAISON

Je me souviens peu de mon apprentissage du tricot. Je sais seulement que j'avais sept ans et que je confectionnais une pièce rose au point mousse (point de base du tricot, obtenu en tricotant toutes les mailles à l'endroit). Et je revois ma mère penchée sur mon épaule, aux prises avec mon impatience d'atteindre les 10 cm requis avant de passer à une nouvelle pièce.

Il est excitant d'apprendre une chose nouvelle, et ce, à n'importe quel âge. Mais certains savoirs viennent avec l'expérience, et les voici.

Si vous vous sentez maladroit, cela ne signifie pas nécessairement que vous vous y prenez mal. Il faut du temps pour savoir comment tenir les aiguilles et le fil, pour maintenir une tension constante et pour se sentir à l'aise.

Quand on est tendu, on tricote souvent trop court. Les mailles peuvent être si serrées autour de l'aiguille qu'il peut être difficile de faire passer l'autre aiguille dans ces mailles. Le tricotage est alors plus difficile. Servez-vous un verre de vin ou une tasse de thé, mettez de la bonne musique ou tricotez avec des amis pour être plus décontracté.

L'une des choses que j'aime dans le tricot est que la gratification n'est pas instantanée. C'est une merveilleuse expérience que de se fixer un but et d'avoir la patience nécessaire pour l'atteindre, en anticipant le résultat tout au long du travail.

Cela dit, si vous n'aimez pas le projet auquel vous travaillez, mettez-le de côté et essayez autre chose. Vous apprendrez qu'il y a certains fils ou aiguilles, ou certains projets qui ne vous satisfont pas.

Enfin, sachez que vous pourriez trouver le tricot *trop* irrésistible. Si vous travaillez sans cesse durant des heures, les gestes répétitifs pourraient vous causer des problèmes. Mettez un minuteur à l'autre bout de la pièce et programmez-le à vingt minutes. Vous serez forcé de déposer régulièrement votre tricot pour traverser la pièce afin de programmer le minuteur pour une autre période de vingt minutes. (Si vous continuez à tricoter malgré l'alarme de l'appareil, faites-vous soigner ! Et consultez un physiothérapeute pour des exercices préventifs...)

Notions de base

Je suis droitière, alors je ne sais presque rien de la réalité des gauchers, mais ce qui suit provient de nombreuses discussions que j'ai eues avec des gauchers. Voici le fruit de leurs observations.

De par le monde, les modèles sont conçus pour que les mailles aillent de l'aiguille gauche à la droite. Tricoter en gaucher, ou tricoter « à reculons », signifie bouger les mailles dans la direction opposée à la direction habituelle.

La majorité des tricoteurs gauchers croient que c'est une erreur d'apprendre aux gauchers à tricoter à reculons. Selon eux, les gauchers peuvent préférer le port de la main gauche. Par exemple, dans un groupe formé de 10 % de gauchers, personne ne tricote à reculons. Et 90 % des gauchers de ce groupe portent le fil de la main gauche.

Cela dit, nous ne sommes pas tous constamment gauchers ou droitiers. Mais si vous êtes gaucher dans tous les domaines, vous pourriez devenir frustré au point de choisir de travailler à reculons. Si c'est le cas, ne laissez personne vous en dissuader. Travaillez comme il vous plaira et cela fera de vous un tricoteur merveilleusement intuitif.

Droitiers et gauchers

Voici mon opinion sur cette question fondamentale.

Le tricot est une activité qui exige l'usage des deux mains : nous faisons simplement la majorité du travail avec une main ou l'autre, selon notre habitude.

Pour ce faire, nous tenons une aiguille dans chaque main, mais une seule main tient le fil : le port de la main droite ou de la main gauche.

Seulement dans les premières étapes de l'apprentissage, je suggère que les droitiers utilisent le port de la main droite et les gauchers, le port de la main gauche (voir pages 30 à 33).

Dès que vous vous sentez à l'aise, essayez d'autres méthodes (page 34), puis choisissez ce qui vous convient le mieux.

Le montage des mailles

Au début de votre tricot, vous devez avoir une base de mailles sur votre aiguille. C'est ce qu'on appelle le « montage des mailles ».

Le montage avec le pouce

Cette méthode simple est parfois appelée « montage à un fil » ou « montage avec une aiguille ».

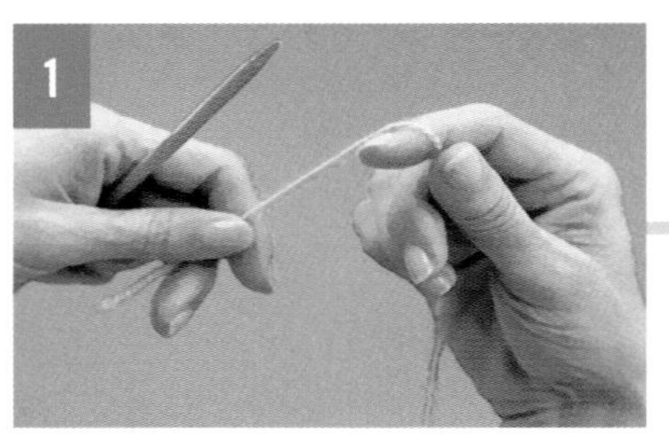

1 En tenant l'aiguille et le bout du fil de la main gauche, placez l'index droit sous le fil, en pointant vers vous.

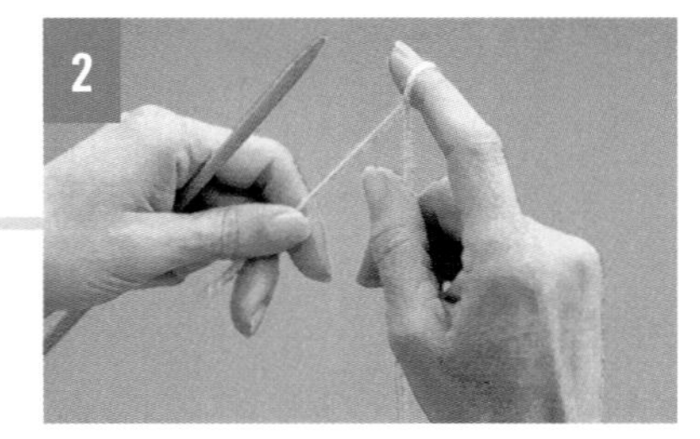

2 Allongez l'index pour pointer dans le sens contraire.

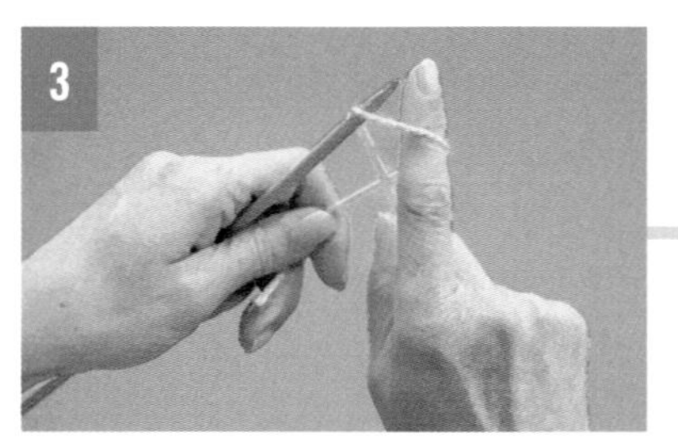

3 Insérez la pointe de l'aiguille sous le fil rabattu sur votre index.

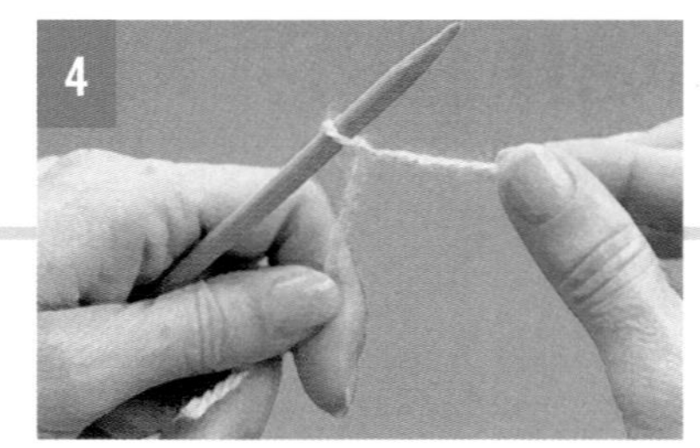

4 Retirez votre doigt et resserrez le fil pour former une maille. (Cette première maille de montage sera fixée quand vous en ferez une deuxième.)

Bout et fil

Le *bout* est l'une des deux extrémités d'une pelote. Ce bout pendant sera rattaché plus tard à la pièce.

Le *fil* est le reste de la pelote dont vous vous servez pour tricoter. Par commodité, on l'appelle souvent « fil de travail ».

Le bout est à gauche et le fil, à droite.

Si la pièce pour laquelle vous faites un montage est destinée à être cousue, laissez un bout suffisamment long pour effectuer cette couture. (Cela réduira le nombre de bouts à cacher plus tard.)

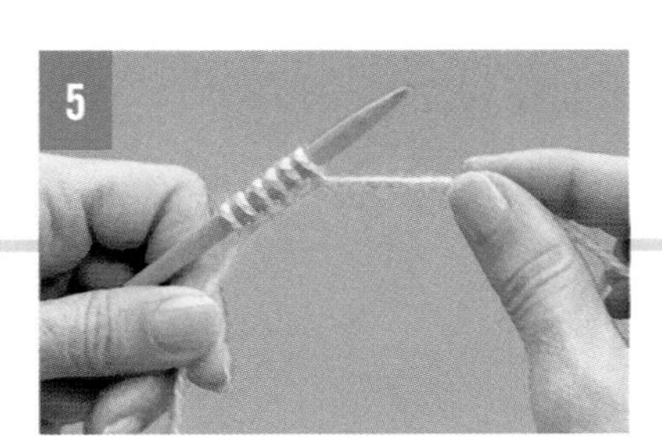

5 Répétez les étapes 1 à 4 jusqu'au moment où toutes les mailles seront enfilées sur l'aiguille gauche. Veillez à espacer également les mailles.

Le montage avec le pouce formera une spirale autour de l'aiguille, même après le tricotage d'un rang. Si vous tricotez des rangs aller-retour, ignorez cette spirale : elle disparaîtra. Par contre, ne l'ignorez pas si vous tricotez en rond : elle doit être redressée (voir page 81).

Pour ancrer votre montage avec le pouce, vous pouvez démarrer avec un nœud coulant (page 38).

Lors du montage avec le pouce, il faut savoir appliquer une tension optimale. Vous devez maintenir le fil assez tendu, mais sans trop serrer, sinon les mailles seraient difficiles à tricoter par la suite. Par contre, si vous ne tirez pas suffisamment, vous vous retrouverez avec de larges boucles pendantes au bas du tricot. Si cela se produisait, ne désespérez pas : cela peut s'arranger (voir page 158).

OUPS ! En tricotant le premier rang, une des mailles de montage est tombée de l'aiguille. Que dois-je faire ? Reportez-vous à la page 158.

Si vous n'aimez pas la méthode de montage avec le pouce, vous pouvez passer au montage tricoté (page 38), mais le montage avec le pouce sera plus facile à maîtriser quand vous aurez appris la maille endroit. Vous pouvez aussi passer au montage à deux fils (page 78).

Oups ! En tricotant le premier rang, une des mailles de montage est tombée de l'aiguille. Que dois-je faire ? Reportez-vous à la page 158.).

La maille endroit (m. end)

Une *maille* est une boucle de fil sur votre aiguille. En tricotant, vous apprendrez différentes sortes de mailles, mais le présent ouvrage est consacré principalement à la maille endroit.

Vous formez une *maille endroit* en enroulant le fil à l'aiguille droite, puis en le passant à travers une maille de l'aiguille gauche (voir ci-dessous).

Pour former la maille endroit, je suggère aux droitiers d'utiliser la main droite pour porter le fil (ci-dessous) ; et aux gauchers, la main gauche (page 32). Ces méthodes sont les plus faciles pour commencer. Ne vous inquiétez pas si vous vous sentez maladroit ou lent.

LE PORT DE LA MAIN DROITE

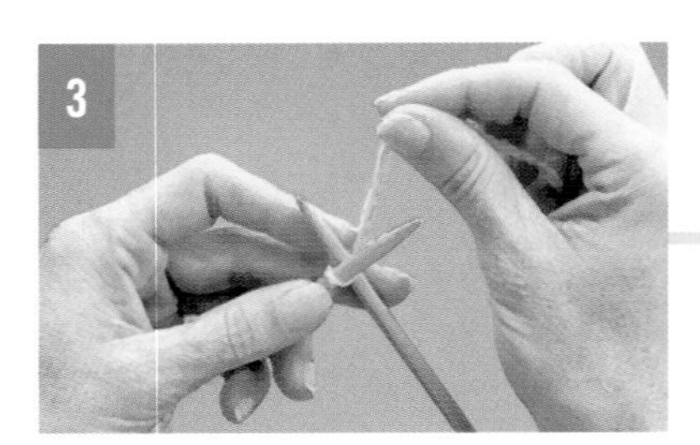

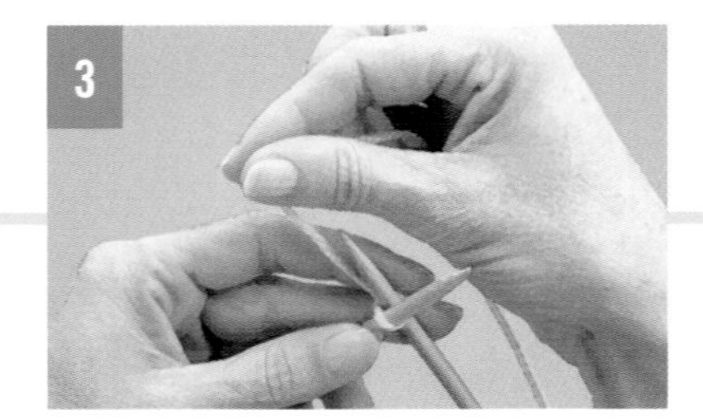

3 De la main droite, enroulez le fil par derrière, autour de l'aiguille droite...

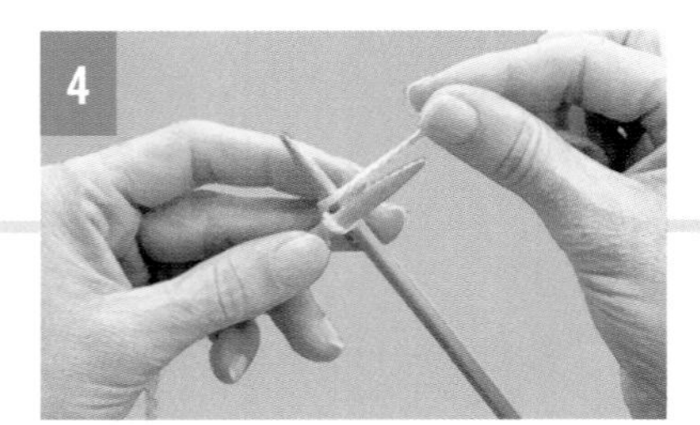

4 ... puis insérez-le entre les aiguilles.

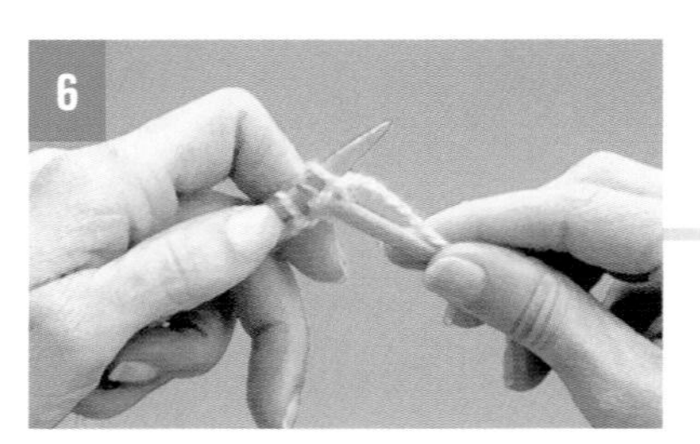

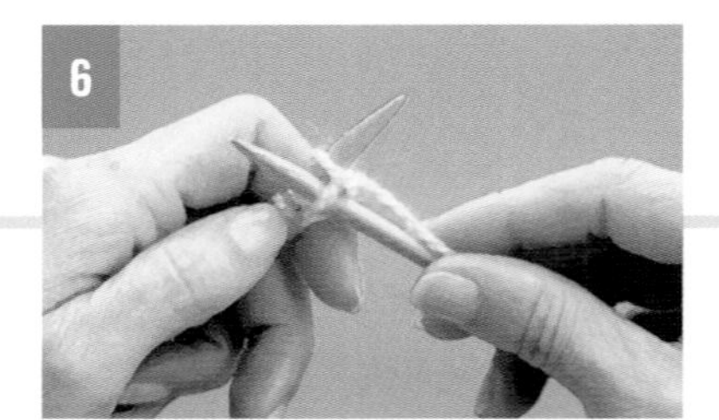

6 ... puis ramenez-la devant l'aiguille gauche, sans perdre la boucle, parce qu'il s'agit de votre nouvelle maille !

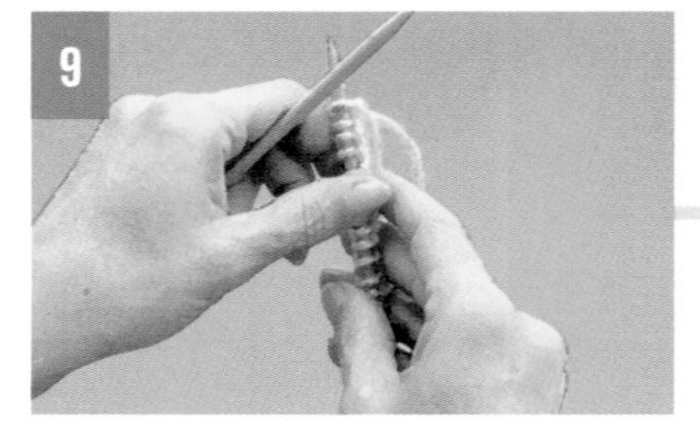

9 Pour commencer le rang suivant, tournez l'ouvrage...

1 Avec un certain nombre de mailles montées et le fil derrière les aiguilles, introduisez l'aiguille droite dans la première maille de l'aiguille gauche de façon que l'aiguille droite soit derrière l'aiguille gauche.

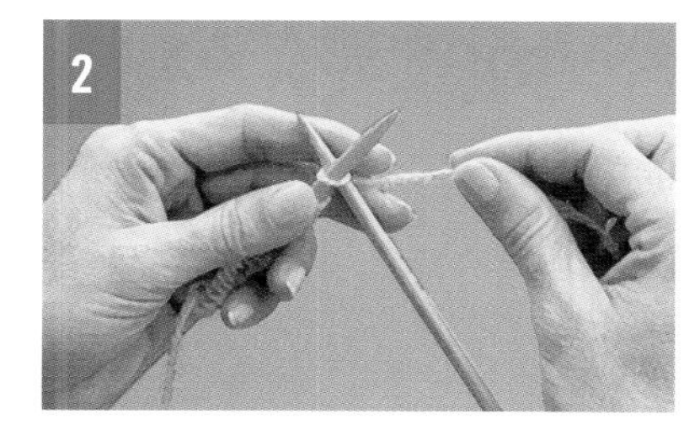

2 Tenez les deux aiguilles avec la main gauche et le fil avec la main droite.

Les ports de la main droite et de la main gauche ont souvent des noms différents selon les régions. Le port de la main droite est généralement appelé « méthode anglaise » ou « américaine », alors que le port de la main gauche est la « méthode continentale » ou « allemande ».

Les tricoteurs du monde entier utilisent les deux méthodes. Pour ma part, le nom de la méthode dépendra de ce que feront vos mains.

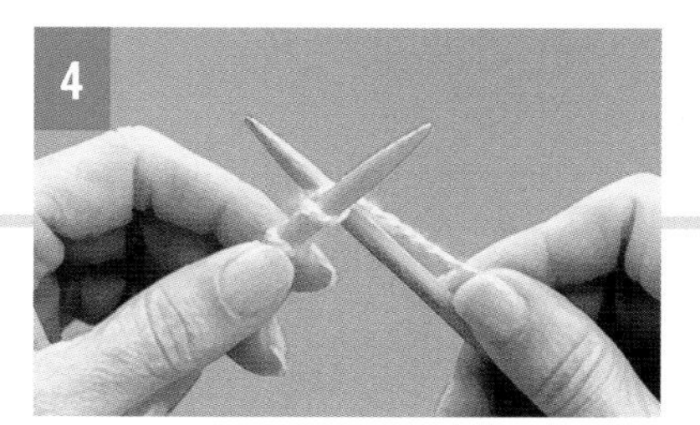

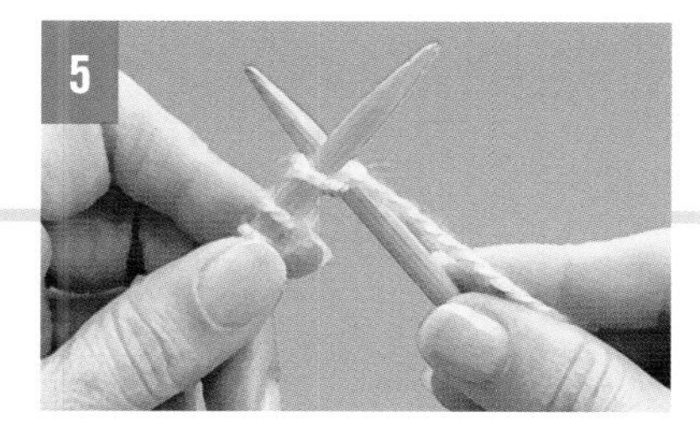

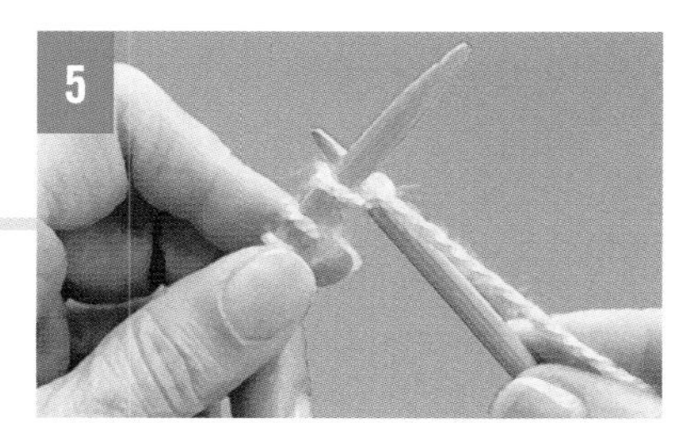

5 Tirez l'aiguille droite vers le bas...

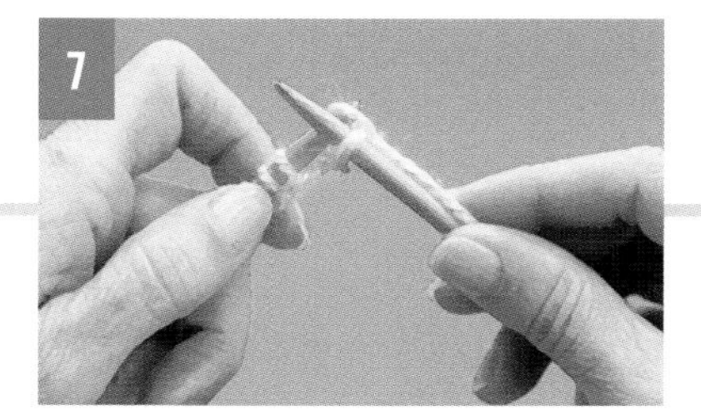

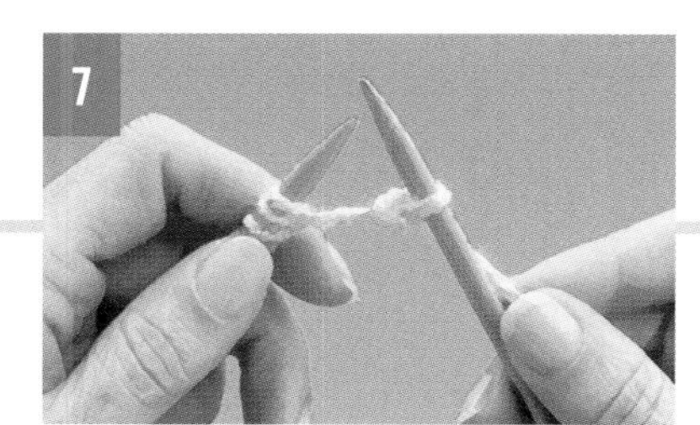

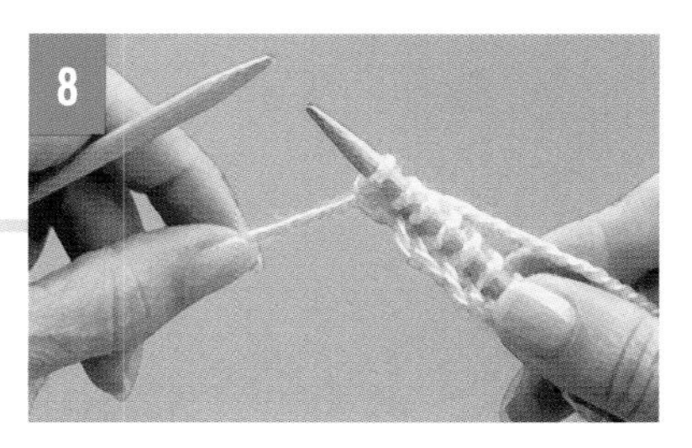

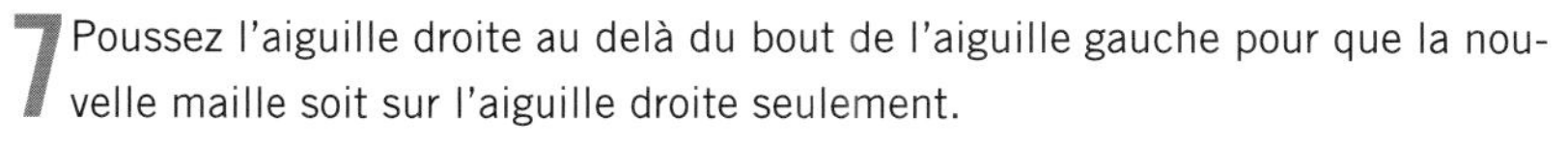

7 Poussez l'aiguille droite au delà du bout de l'aiguille gauche pour que la nouvelle maille soit sur l'aiguille droite seulement.

8 Répétez les étapes 1 à 7 jusqu'au moment où toutes les mailles sont sur l'aiguille droite. Si vous avez commencé par le montage avec le pouce, tirez le bout pour resserrer la dernière maille.

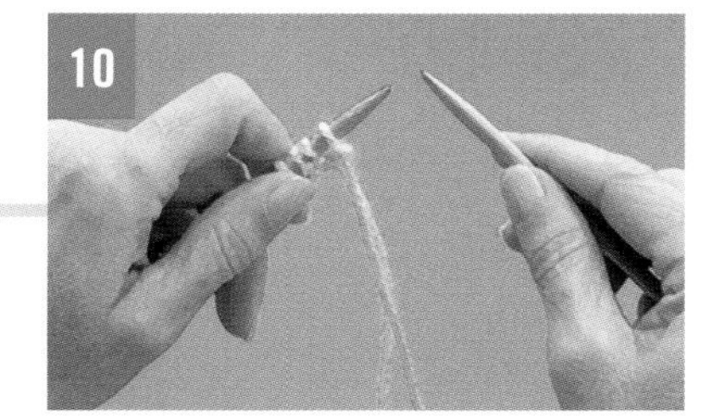

10 ... et saisissez de la main gauche l'aiguille avec les mailles. Pour tous les rangs suivants, répétez les étapes 1 à 9.

LE PORT DE LA MAIN GAUCHE

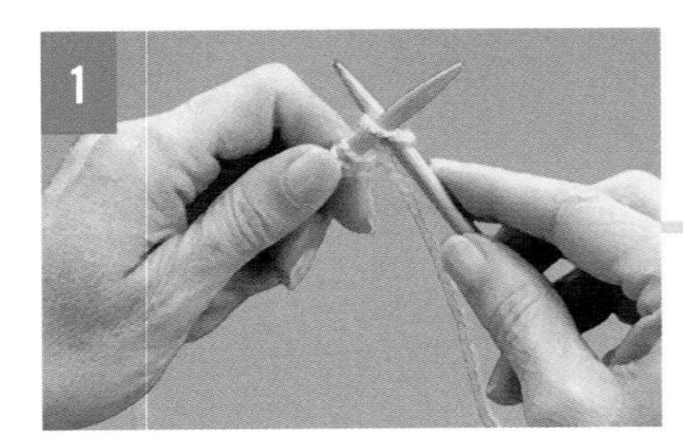

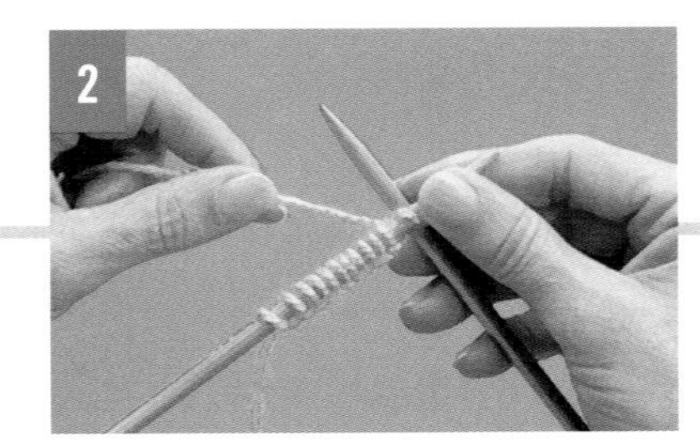

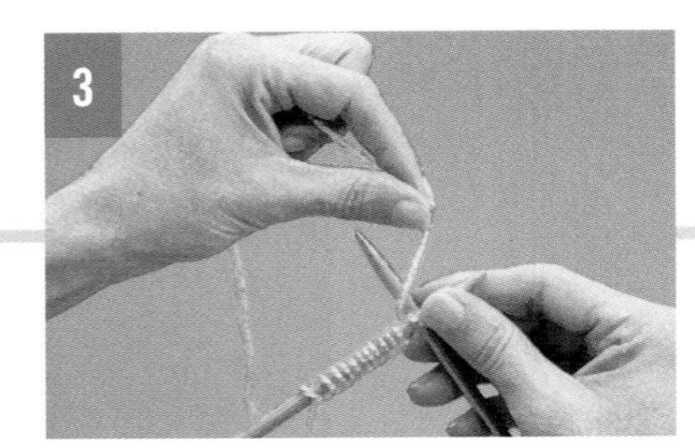

1 Avec un certain nombre de mailles déjà montées et le fil derrière les aiguilles, introduisez l'aiguille droite dans la première maille de l'aiguille gauche de façon que l'aiguille droite soit derrière l'aiguille gauche.

2 Tenez les deux aiguilles avec la main droite et le fil avec la main gauche.

3 De la main gauche, ramenez le fil à l'avant de l'aiguille droite...

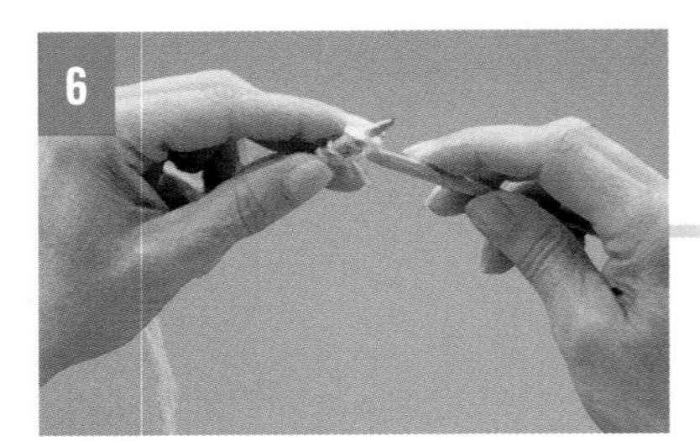

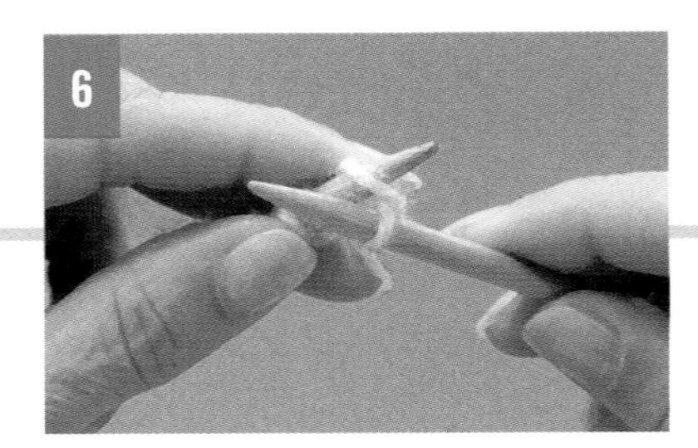

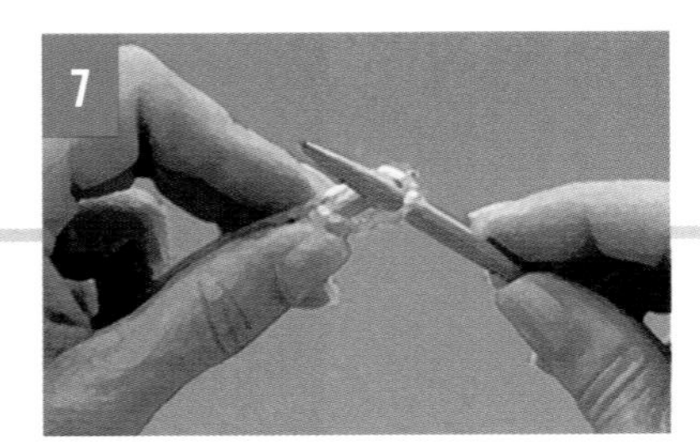

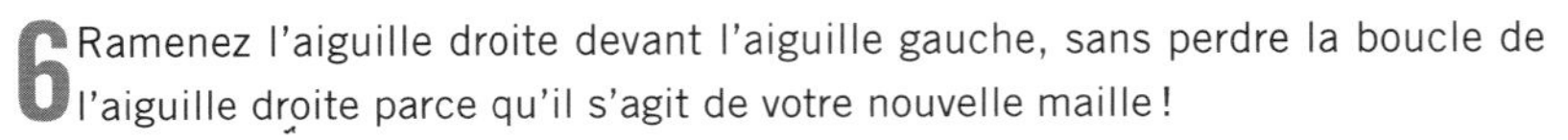

6 Ramenez l'aiguille droite devant l'aiguille gauche, sans perdre la boucle de l'aiguille droite parce qu'il s'agit de votre nouvelle maille !

7 Poussez l'aiguille droite au delà du bout de l'aiguille gauche pour que la nouvelle maille soit sur l'aiguille droite seulement.

Il est très important de vous souvenir qu'une côte au point mousse correspond à deux rangs de tricot.

Le point mousse

Le *point mousse* est le nom du motif produit lorsque vous tricotez à l'endroit chaque maille de chaque rang (par opposition au point à l'envers, glissé, ou à toute autre manipulation des mailles).

Au point mousse, une côte se forme tous les deux rangs et est facile à compter. Ainsi, nous parlerons dans ce livre du nombre de côtes plutôt que du nombre de rangs. Mais rappelez-vous que 1 côte = 2 rangs de point mousse.

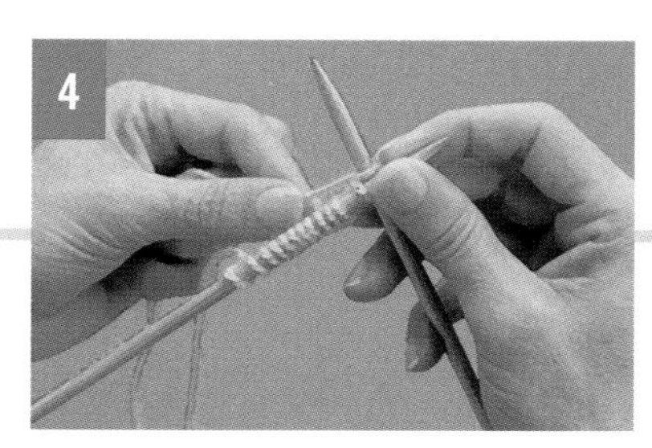

4... puis passez-le à l'arrière, autour de l'aiguille droite.

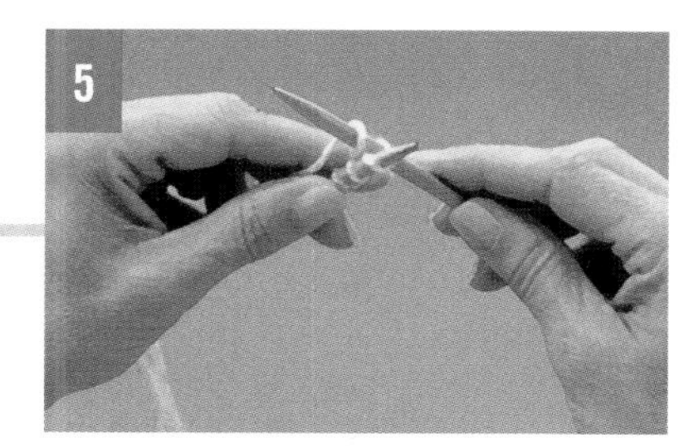

5 Tirez l'aiguille droite vers le bas.

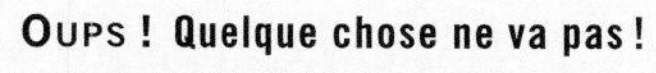

Oups ! Quelque chose ne va pas !

- **J'ai déposé mon tricot pour répondre au téléphone et je ne sais plus où j'en suis.**
- **J'ai échappé une maille.**
- **Pire, j'ai échappé une maille et elle s'est défaite.**
- **J'ai besoin de revenir sur ce rang.**
- **Oh ! J'ai besoin de revenir sur plusieurs rangs...**
- **Il y a un trou dans mon tricot.**

Ne désespérez pas ! Ces problèmes arrivent à tout le monde. Dans les pages 158 à 164, vous verrez comment il est facile de réparer ces erreurs !

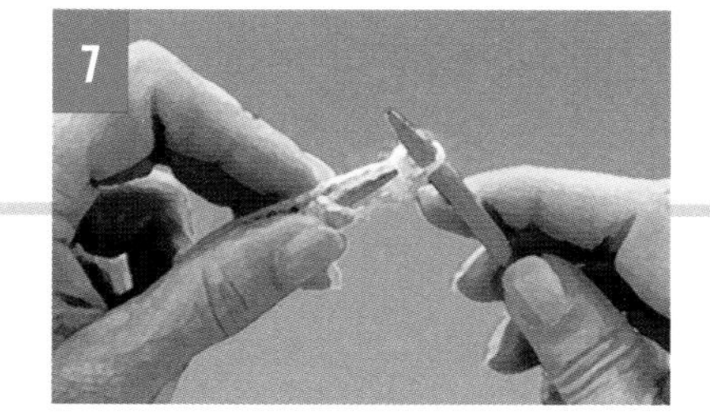

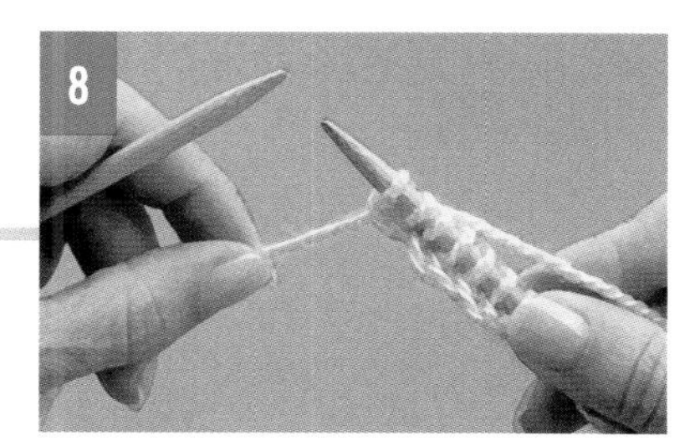

8 Répétez les étapes 1 à 7 jusqu'au moment où toutes les mailles sont sur l'aiguille droite. Si vous avez commencé par le montage avec le pouce, tirez le bout pour resserrer la dernière maille.

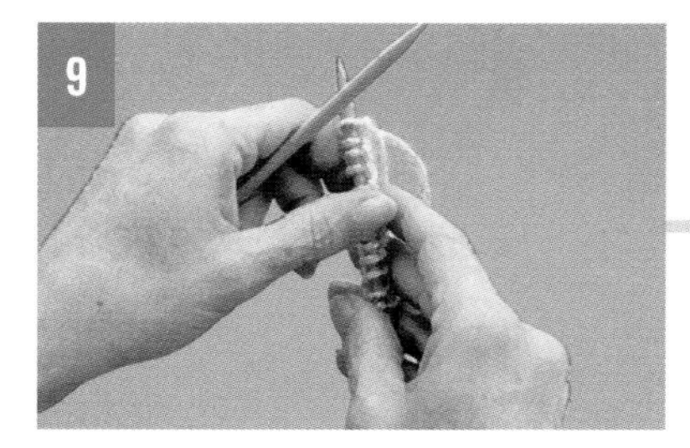

9 Pour commencer le rang suivant, tournez l'ouvrage...

10... et saisissez de la main gauche l'aiguille avec les mailles. Pour tous les rangs suivants, répétez les étapes 1 à 9.

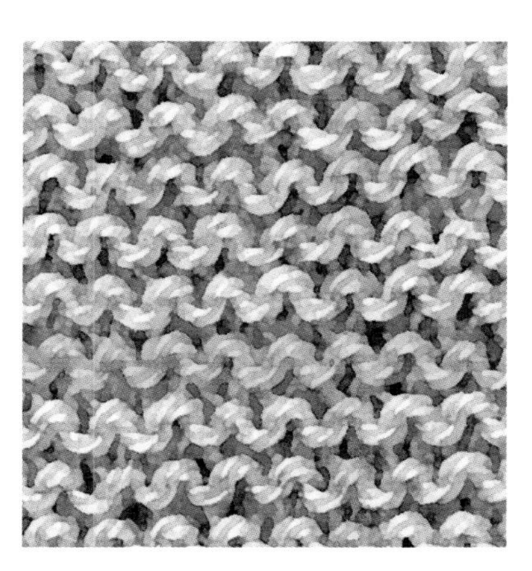

Voici l'apparence d'une étoffe faite au point mousse et comment reconnaître les mailles et les côtes. (La ligne horizontale est une côte de 8 mailles ; et la ligne verticale est une maille de 9 côtes.)

À mon avis, il est préférable de maîtriser plus d'une méthode pour tenir les aiguilles et porter le fil, au cas où les mouvements répétitifs causeraient des blessures. Vous pourriez alors passer d'une méthode à l'autre pour éviter de répéter exactement les mêmes gestes.

Manœuvrer le fil

Tricoter peut être lent et fastidieux (et peut même provoquer des crampes) si vous continuez tel que vous l'avez appris jusqu'à maintenant, c'est-à-dire si vous bougez la main entière chaque fois que vous créez une maille. Manœuvrer le fil entre les doigts est la première chose qu'il faut savoir faire pour tricoter aisément et efficacement. Les méthodes les plus courantes sont expliquées ci-dessous.

Peu importe la méthode, le fait d'enfiler le fil entre vos doigts peut vous aider :

- à maintenir une tension égale ;
- à minimiser vos mouvements.

POUR LE PORT DE LA MAIN DROITE

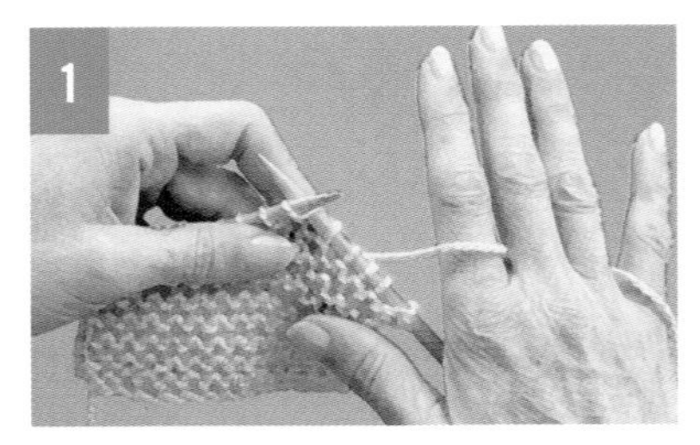

1 Introduisez l'aiguille droite dans la première maille de l'aiguille gauche, comme pour tricoter une maille endroit ; ceci ancre votre aiguille. Placez le petit doigt droit, puis l'index droit sous le fil (ci-dessus).

2 Enroulez le fil autour de l'index droit de façon qu'il y ait deux brins sur ce doigt. Le fil sur l'index repose sur la phalangette et un peu plus de 1 po (2,54 cm) de fil sépare l'index des aiguilles.

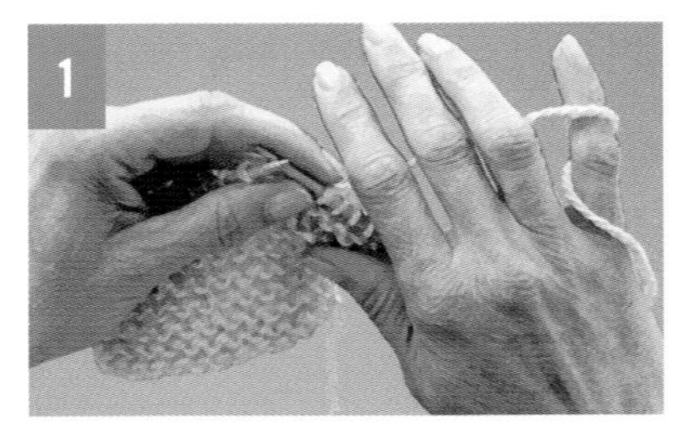

1 Une autre méthode consiste à enrouler le fil autour du petit doigt...

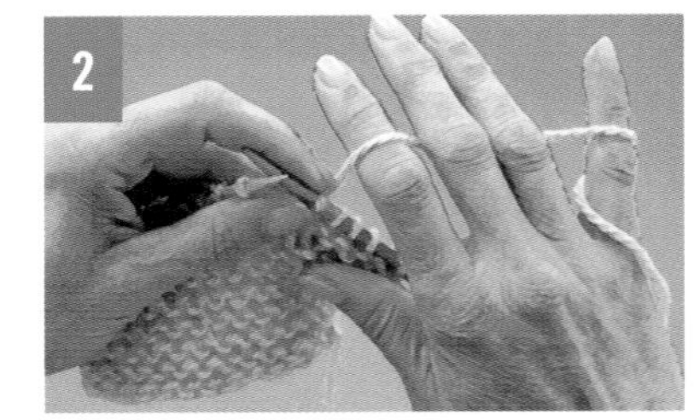

2 ... avant de placer l'index sous le fil.

Lorsque vous passerez d'une méthode à l'autre, du moins tout au début, vous pourriez obtenir un aspect différent pour chaque partie de votre tricot. Mais ces irrégularités importeront peu en ce qui a trait aux vêtements pour les débutants proposés dans ce livre.

POUR LE PORT DE LA MAIN GAUCHE

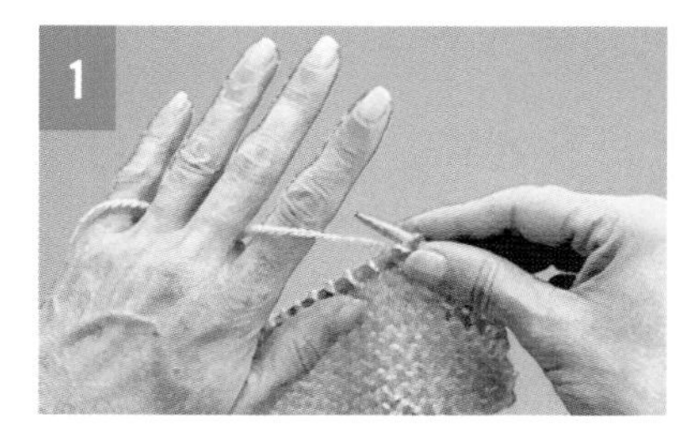

1 Introduisez l'aiguille droite dans la première maille de l'aiguille gauche, comme pour tricoter une maille endroit ; ceci ancre votre aiguille. Placez le petit doigt gauche, puis l'index gauche sous le fil (ci-dessus).

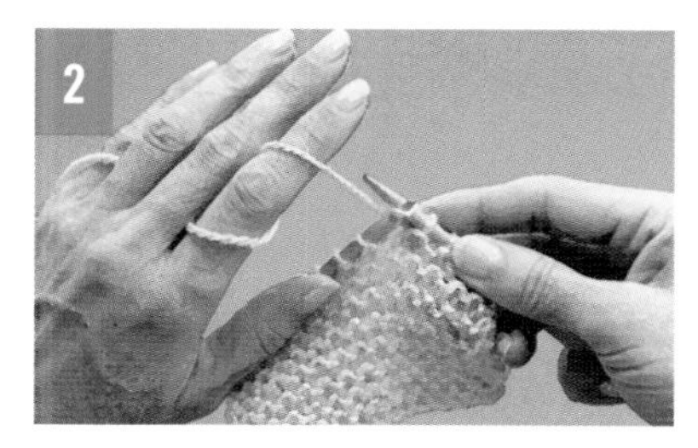

2 Enroulez le fil autour de l'index gauche de façon qu'il y ait deux brins sur ce doigt. Le fil sur l'index repose sur la phalangette et un peu plus de 1 po (2,54 cm) de fil sépare l'index des aiguilles.

1 Une autre méthode consiste à enrouler le fil autour du petit doigt de la main gauche...

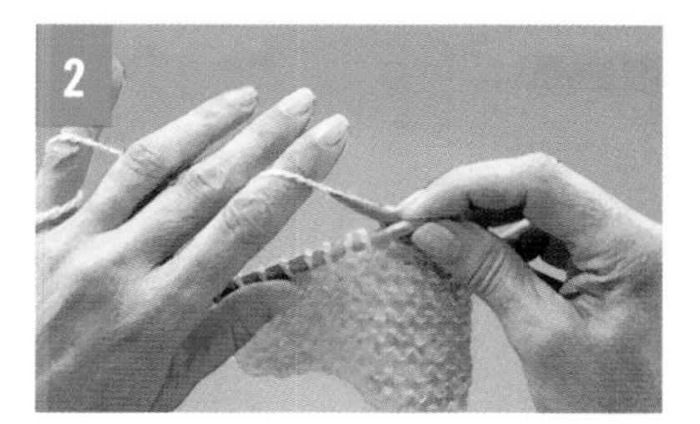

2 ... avant de placer l'index gauche sous le fil.

Tenir les aiguilles

L'étape suivante est d'apprendre à tenir les aiguilles. Les méthodes les plus courantes sont illustrées ci-dessous.

LE PORT PAR-DESSUS *POUR LA MAIN DROITE OU GAUCHE*

Chaque figure que vous avez vue jusqu'à maintenant montre le port par-dessus. C'est en quelque sorte ce que nous faisons naturellement.

Le port par-dessus avec le fil dans la main droite.

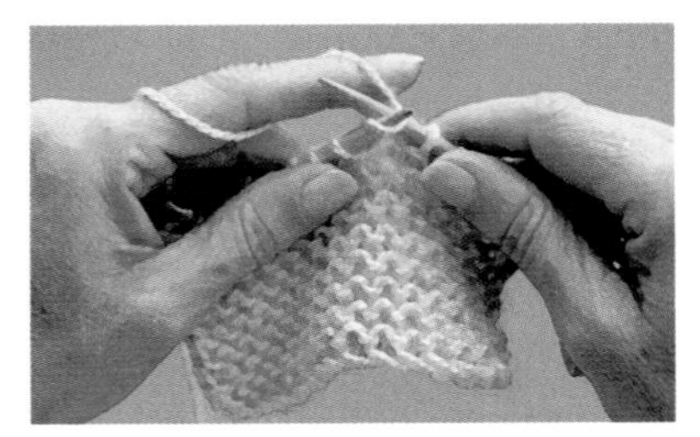

Le port par-dessus avec le fil dans la main gauche.

LE PORT EN CRAYON *POUR LA MAIN DROITE SEULEMENT*

Bien que nous sachions tous tenir un crayon, ce port peut exiger une certaine adaptation, mais il s'agit de ma méthode favorite pour tenir l'aiguille droite.

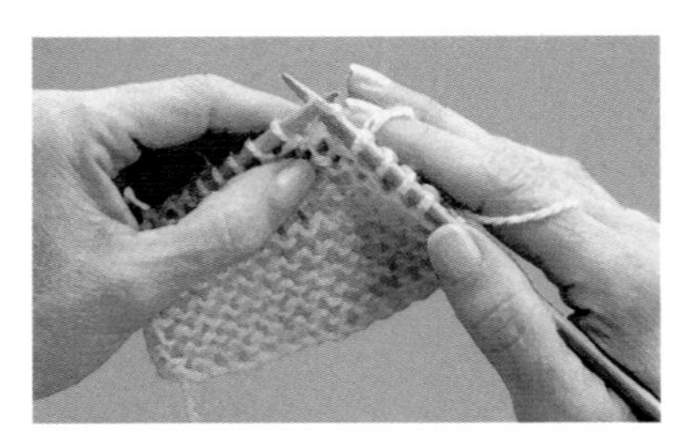

Tenez l'aiguille gauche avec le port par-dessus. Tenez l'aiguille droite dans le creux entre l'index et le pouce (un peu comme un crayon).

Comme le tricot s'accumule sur l'aiguille droite, le pouce droit doit se déplacer sous l'étoffe.

Le port de la main droite et de la main gauche

Maintenant, vous synthétisez le tout pour découvrir ce qui vous convient le mieux.

LE PORT DE LA MAIN DROITE

Ces photos montrent le port en crayon, mais les étapes sont les mêmes pour le port par-dessus.

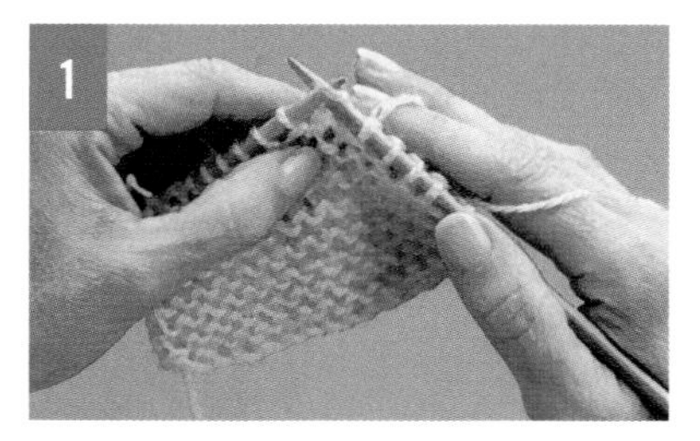

1 À partir de la position initiale…

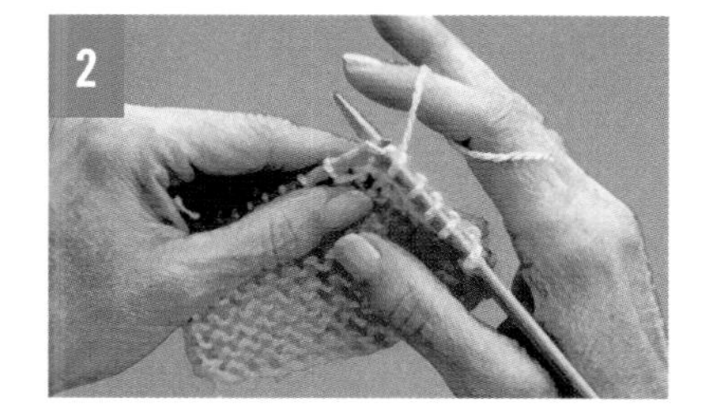

2 … glissez la main droite vers l'avant pour porter le fil autour de l'aiguille droite. Ouvrez l'espace entre le pouce et l'index selon un angle confortable.

LE PORT DE LA MAIN GAUCHE

Droitiers et gauchers peuvent utiliser le port de la main gauche.

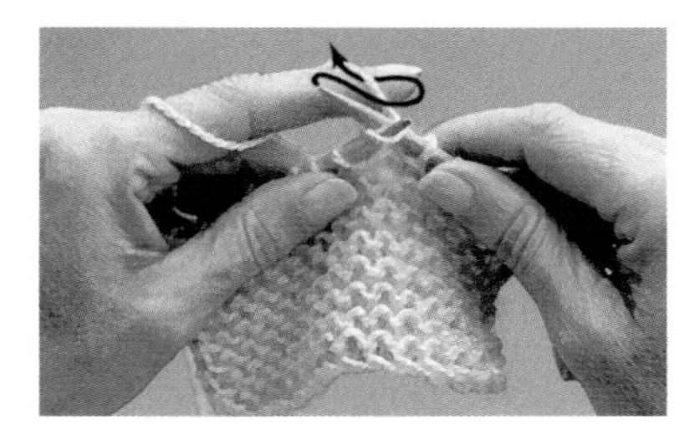

Les droitiers peuvent manœuvrer l'aiguille droite pour y enrouler le fil. La flèche indique le mouvement de l'aiguille.

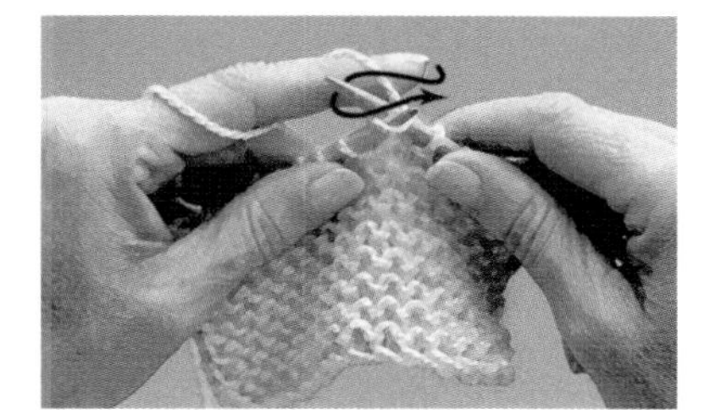

Les gauchers peuvent utiliser l'index gauche pour enrouler le fil autour de l'aiguille droite. La flèche indique le mouvement du doigt.

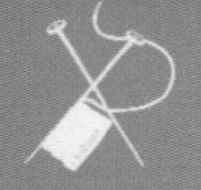

Le nœud coulant

Votre montage sur l'aiguille peut commencer par cette manœuvre : un nœud sur l'aiguille gauche à partir duquel s'amorce le montage des mailles. Pour le montage tricoté, le nœud coulant est nécessaire.

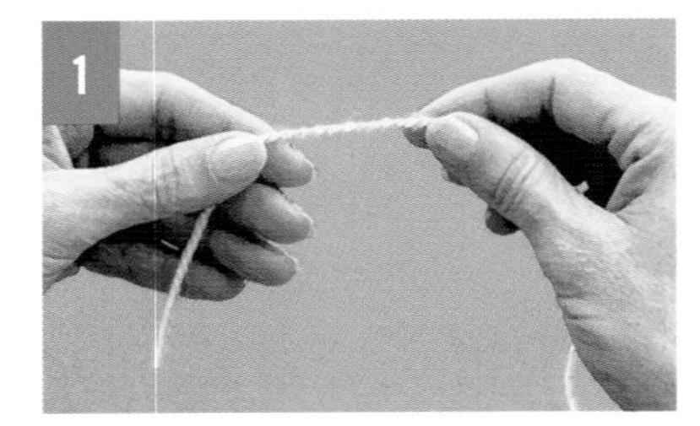

1 Tenez le bout dans la main gauche.

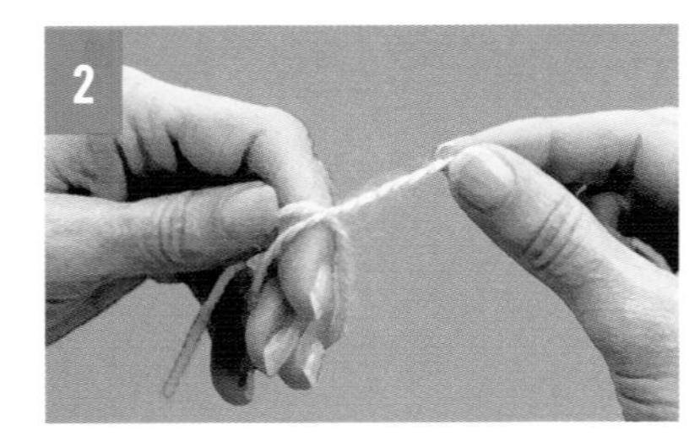

2 Enroulez le fil autour de deux ou trois doigts, en formant un cercle.

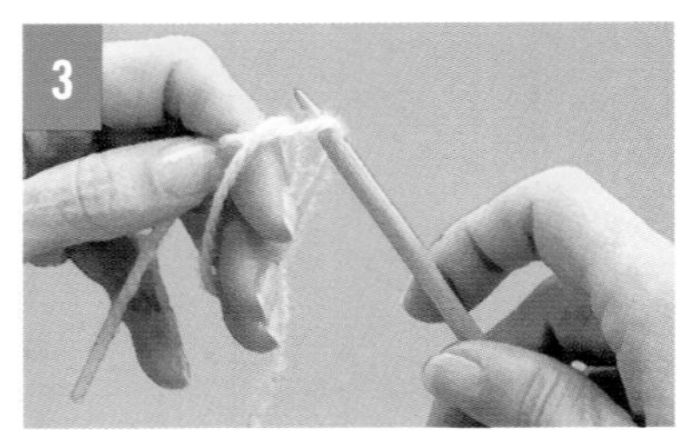

3 Insérez le bout de l'aiguille sous l'arrière du cercle.

Oups ! J'ai commencé le montage avec un nœud coulant, mais c'est laid et je voudrais l'arranger. Que dois-je faire ? Reportez-vous à la page 159.

Si la pièce pour laquelle vous faites un montage est destinée à être cousue, laissez un bout suffisamment long. Ceci réduira le nombre de bouts à cacher plus tard.

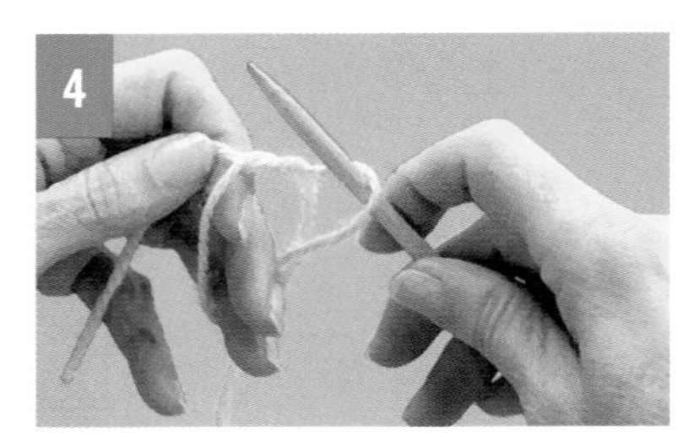

4 Tirez le fil au travers du cercle, en formant une boucle sur l'aiguille.

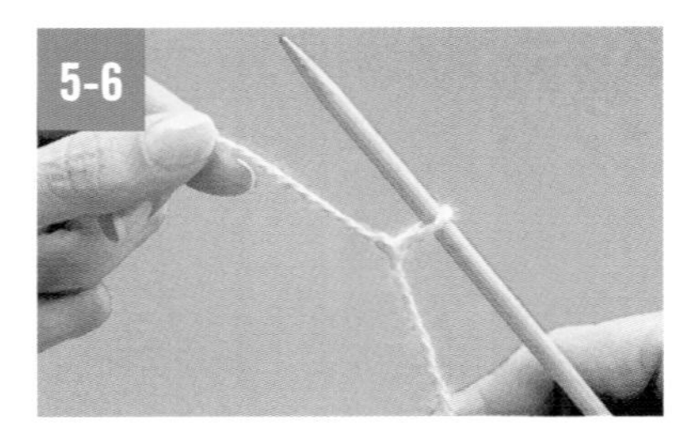

5 Retirez les doigts, puis tirez le bout et le fil pour resserrer (ci-dessus).

6 Placez l'aiguille dans la main gauche et procédez au montage des mailles

Le montage tricoté

Cette méthode donne une bordure plus ferme que la méthode avec le pouce. Maintenant que vous savez tricoter à l'endroit, vous la maîtriserez facilement.

1 Faites d'abord un nœud coulant sur l'aiguille gauche. Insérez l'aiguille droite dans le nœud comme pour tricoter une maille endroit.

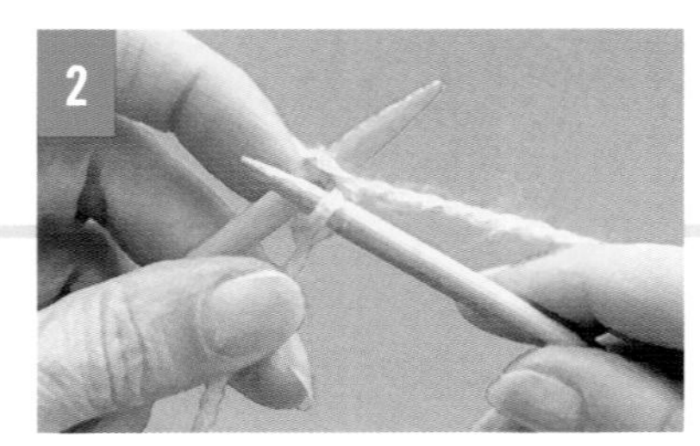

2 Retirez à travers une boucle comme pour tricoter une maille endroit.

Rabattre les mailles à la fin d'une pièce

À la fin de votre tricot, vous devez fermer les mailles. Cette méthode est appelée « terminaison », ou « rabat des mailles ».

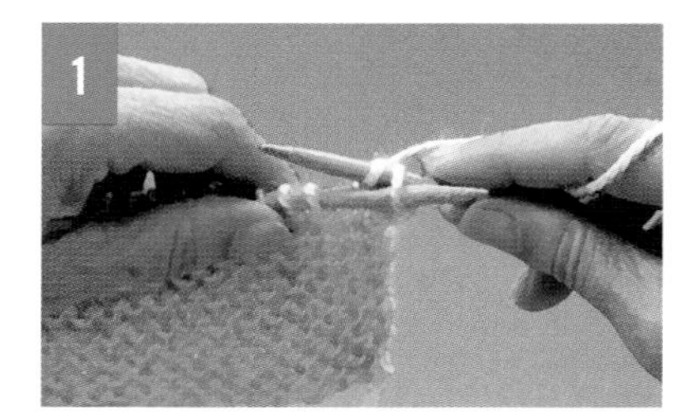

1 Travaillez deux mailles à l'endroit comme d'habitude. Insérez l'aiguille gauche dans la première maille sur l'aiguille droite, par-devant.

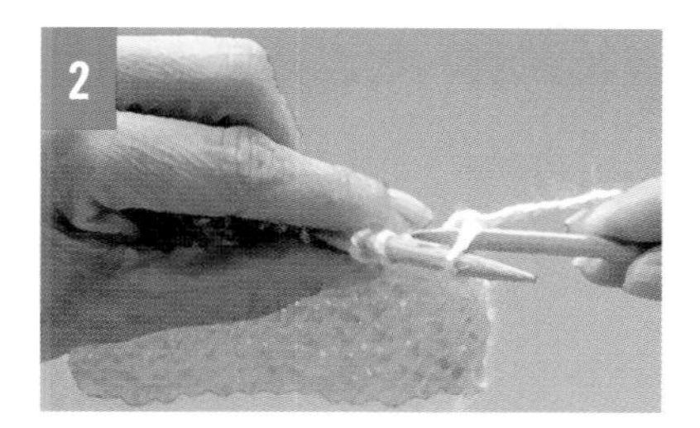

2 Passez la première maille de l'aiguille droite par-dessus la seconde (ci-dessus). Une maille est rabattue hors de l'aiguille.

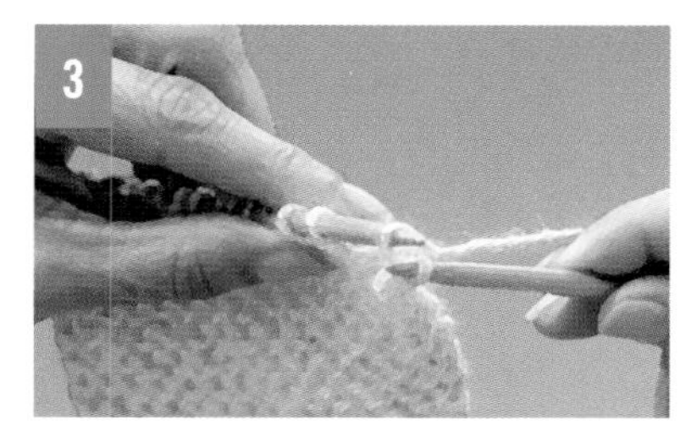

3 Poursuivez en tricotant la maille suivante à l'endroit comme d'habitude, puis répétez les étapes 1 à 3 jusqu'au moment où il ne restera qu'une seule maille sur l'aiguille droite.

4 Coupez le fil en laissant un minimum de 4 po (10 cm). Élargissez la dernière maille...

5 ... puis enlevez-la de l'aiguille, passez le bout à travers la maille et tirez pour la refermer.

À cause de sa nature particulière, la terminaison peut être le rang le plus serré de votre tricot, et elle peut même le déformer.

Pour prévenir cette déformation, vous pouvez rabattre les mailles avec des aiguilles de un à deux points plus grosses.

Par contre, une terminaison trop lâche peut être resserrée (voir page 163).

Si la pièce que vous venez de terminer est destinée à être cousue, laissez un bout de fil assez long pour faire la couture. Cela réduira le nombre de bouts à cacher plus tard.

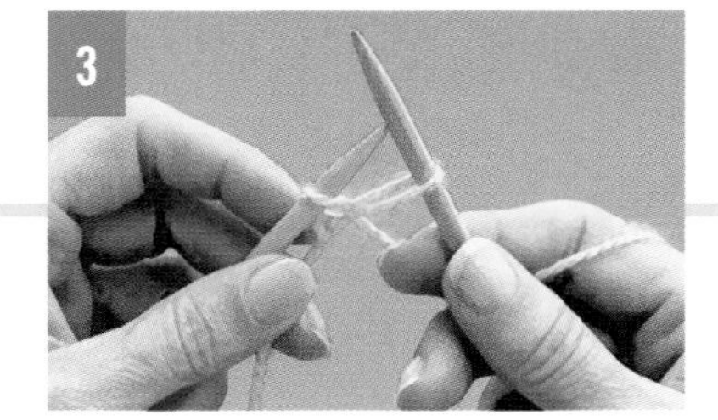

3 Au lieu de glisser la nouvelle maille hors de l'aiguille gauche, élargissez cette boucle un peu plus que d'habitude.

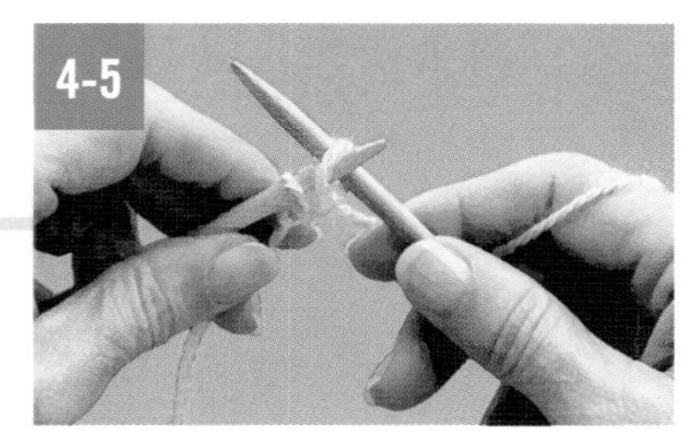

4 Placez de nouveau cette boucle sur l'aiguille gauche (ci-dessus). Tirez le fil pour le tendre.

5 Insérez l'aiguille droite dans la première maille de l'aiguille gauche. Répétez les étapes 2 à 5 jusqu'à ce que le nombre requis de mailles soit sur l'aiguille gauche.

Faites très attention quand vous approchez un fer à repasser de votre tricot. Presque tous les tricoteurs que je connais ont une histoire d'horreur à raconter à ce sujet — souvent, c'est une étoffe aplatie et lustrée par un fer trop chaud. L'important est d'utiliser de l'eau (sur l'étoffe ou dans le fer à repasser) et de ne jamais repasser l'endroit de l'étoffe, à moins d'être certain que c'est ce que vous voulez faire. Et essayez *toujours* le fer sur un échantillon avant de le passer sur le vêtement.

L'Eucalan est un concentré de savon liquide, recommandé pour les fibres naturelles. On le trouve dans la plupart des magasins de fils. *Euca* vient de l'huile d'eucalyptus, un inhibiteur de mites ; et *lan*, de lanoline, matière grasse purifiée qui ravive les huiles naturelles de la laine et adoucit le vêtement. Ce qu'il y a de merveilleux avec ce produit, c'est qu'on n'a pas à rincer les vêtements, ce qui diminue le frottement, donc l'abrasion des fibres.

Soins et entretien de vos tricots

Dans les modèles, les instructions vous recommandent de mettre en forme, de repasser ou de laver le vêtement. Il est important que vous sachiez comment effectuer ces tâches afin de ne pas saboter des heures de travail.

LA MISE EN FORME

C'est un procédé auquel nous soumettons nos tricots et qui :

- fixe les mailles ;
- lisse les imperfections ;
- révèle les dimensions exactes du tricot ;
- assouplit l'étoffe pour qu'on puisse la manipuler, au besoin, afin d'obtenir la grandeur voulue ;
- rend les pièces plus faciles à coudre.

Nous voulons généralement faire tout cela avant de coudre les pièces ensemble.

Si les instructions disent « après la mise en forme », voici ce que vous devez faire :

1. Traitez la pièce comme vous le feriez lors du lavage.
2. Ou, si vous êtes pressé, repassez précautionneusement l'envers de l'étoffe en utilisant un fer à vapeur réglé pour la laine et en mettant un tissu mouillé entre le fer et le tricot.

LE REPASSAGE

On doit rarement repasser les pièces, mais si les instructions disent « après le repassage », voici ce qu'il faut faire :

1. Utilisez beaucoup d'humidité (soit avec un fer à vapeur ou en mettant un tissu humide entre le fer et le tricot).
2. Réglez l'intensité de la vapeur à la valeur la plus basse (généralement pour la laine).
3. Repassez des deux côtés.

LE LAVAGE DE LA LAINE

La laine rétrécit à cause de l'eau, de l'agitation et des variations de température. Il ne faut donc jamais mettre de la laine mouillée dans le sèche-linge. Il est tout aussi dommageable de la laver à l'eau chaude pour ensuite la rincer à l'eau froide. Et, puisque la laine mouillée est lourde, il faut éviter de la suspendre.

Voici la meilleure façon de laver la laine dans une machine à chargement par le dessus :

1. Remplissez la cuve d'eau tiède jusqu'à recouvrir le vêtement.
2. Arrêtez la machine.
3. Ajoutez une cuillère à café d'Eucalan pour chaque vêtement à laver.
4. Ajoutez le(s) vêtement(s) et laissez tremper 45 minutes (si vous devez éliminer de la saleté).
5. Ne rincez pas. Mais assurez-vous que le cycle de rinçage se ferait à l'eau chaude, et ce, pour éviter que de l'eau froide dégoutte dans la cuve durant l'essorage. Si votre machine ne permet pas un rinçage à l'eau chaude, fermez le robinet.
6. Programmez votre machine pour l'essorage final (à « délicat », si possible).
7. Retirez le vêtement après l'essorage.
8. Déposez-le à plat, selon la forme et les dimensions voulues. Dirigez un ventilateur vers le vêtement si vous voulez accélérer le séchage.

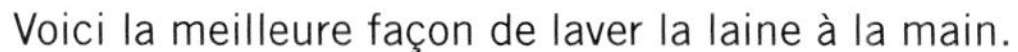

Voici la meilleure façon de laver la laine à la main.

1 Suivez les étapes 1, 3 et 4 précédentes (page 40), mais dans un évier.
2 Essorez délicatement le vêtement en le mettant dans une taie d'oreiller.
3 Ne rincez pas.
4 Suivez l'étape 8, ci-dessus.

L'erreur la plus courante est de ne pas lire l'étiquette, de ne pas connaître la nature de la fibre, puis de faire une chose bête, comme laver un vêtement composé de 15 % de laine (selon l'étiquette) comme s'il s'agissait d'un 100 % coton. C'est ainsi qu'on peut gâcher de belles pièces tricotées à la main.

Les fils fragiles deviennent crasseux, boulochent, s'étirent et perdent leur forme initiale. Demandez à votre marchand si le fil que vous voulez acheter résistera bien à l'usure. Ou achetez une pelote pour tricoter une pièce d'essai. Maltraitez-la, torturez-la, et voyez si elle résiste ou non.

LE LAVAGE DU COTON

Les vêtements de coton peuvent s'étirer, alors voici comment les laver et les ramener à leur forme initiale :

1 Lavez à la machine au cycle délicat, sans assouplissant.
2 Mettre au sèche-linge en surveillant fréquemment, jusqu'à ce que le vêtement ait la grandeur voulue. S'il est toujours humide, faites-le sécher à plat.
3 Si vous avez trop utilisé le sèche-linge et que votre vêtement a rapetissé, lavez-le de nouveau, cette fois avec un assouplissant, et soyez plus prudent avec le sèche-linge.

Les cotons aux couleurs vives et non mercerisés peuvent pâlir avec le temps, alors, bien que je préfère les laver, le nettoyage à sec peut être indiqué pour les préserver. Le coton blanc peut être blanchi, mais il durera plus longtemps si vous neutralisez l'eau de Javel en ajoutant une quantité égale de vinaigre blanc lors du rinçage.

LE LAVAGE D'UN MÉLANGE DE FIBRES OU DE FIBRES SYNTHÉTIQUES

Traitez-les comme de la laine si la fibre en contient.

L'acrylique et les autres fibres synthétiques sont faciles à entretenir, mais on peut les brûler facilement avec un fer ou un sèche-linge trop chauds. Si vous brûlez une étoffe contenant de l'acrylique, elle sera plissée en permanence.

Conservez les étiquettes, avec un peu de fil attaché à celles-ci, pour ne pas oublier la composition des fibres et les notices d'entretien.

L'ENTRETIEN GÉNÉRAL

Ne suspendez pas les tricots : ils sont trop portés à s'étirer et à se déformer à cause des cintres.

Ne rangez jamais un vêtement sale. En fait, les mites n'aiment pas la laine, mais bien la saleté qui s'y loge. Devez-vous laver votre vêtement chaque fois que vous le portez ? Non. Sale signifie souillé, taché, malodorant.

Ne rangez jamais vos vêtements à la lumière directe du soleil. Certaines fibres pâliront ou se décoloreront.

Prêt à entreprendre un projet

L'histoire de ce modèle

Notes

Pour développer un point, pour vous enseigner la méthode, pour souligner un problème.

Les instructions du modèle

Seulement les abréviations les plus évidentes sont utilisées. Par exemple, *end.* : Tricotez une maille endroit.

Les nouvelles habiletés dont vous aurez besoin seront accompagnées d'un renvoi. Par exemple : « Le montage câblé, page 117. »

Pour connaître le sens des abréviations et des termes propres au tricot, voir « Glossaire et abréviations », page 166.

Le schéma

Une référence visuelle sur la confection de cette pièce et sur ses mesures.

Le fil que j'ai utilisé

Et la quantité nécessaire pour confectionner le modèle illustré.

Éléments essentiels pour ce modèle.

48

Chapitre **UN**

L'écharpe maximum

Je comprends pourquoi les gens désirent tricoter une écharpe. C'est en quelque sorte le premier projet traditionnel, souvent offert à un être aimé. De plus, l'échantillon de tension importe peu : nous soucions-nous vraiment de sa grandeur exacte ? Aussi, ce tricot est facile à faire avec toutes sortes de fils. Et puis, s'il y a des irrégularités, elles seront noyées dans les plis.

Voici comment faire !

Avec votre méthode préférée (j'ai utilisé le montage avec le pouce, page 28), montez 60 mailles (m.).

Il n'est pas nécessaire de respecter les dimensions proposées. Vous pouvez faire une écharpe plus petite en montant moins de mailles et en faisant moins de rangs. Pour une tension d'environ 5 mailles par pouce (ou par 2,54 cm), multipliez 5 par le nombre de pouces voulus pour la largeur de l'écharpe (ou par le nombre de cm divisé par 2,54). Montez ce nombre de mailles, puis tricotez jusqu'à la longueur désirée.

Tricotez à l'endroit toutes les m. de tous les rangs jusqu'à la longueur désirée (ou jusqu'à ce qu'il reste moins de 48 po/122 cm de fil au début d'un rang).
Rabattez les m.
Mettez la pièce en forme.
Cousez les bouts à l'intérieur (voir page 58).

Mesures approximatives

Cinq écheveaux de GARNSTUDIO Karisma Angora-Tweed, couleur n° 10

4 po/10 cm
15 à 17
18 à 20
• mailles et côtes au point mousse
• après la mise en forme

Vous aurez besoin de
1 2 3 4 5 6
• fil moyen
• 825 verges/754 mètres
• quelque chose de doux

J'ai utilisé
• 5 mm/É.-U. 8

• premier projet du débutant
• beaucoup de tricot

Niveau de difficulté Plus il y a de lettres en caractère gras, plus vous devez être expérimenté pour confectionner ce modèle.

Ajustement Voir page 21.

Tailles Voir page 21.

Mesures réelles du vêtement Elles correspondent aux lignes A, B et C de l'icone de l'ajustement (voir page 21).

La tension Le nombre de mailles que vous devriez avoir sur 4 po ou 10 cm (voir page 19).

Motif Le motif de mailles que vous devriez utiliser pour votre échantillon de tension, et comment il devrait être traité (voir page 19).

Grosseur des fils Voir page 16.

La quantité de fil Voir page 22.

Le type de fil Voir page 16.

Aiguilles Elles peuvent être droites, circulaires ou à deux pointes (voir page 18).

Le format d'aiguille que j'ai utilisé Vous pouvez choisir un format différent selon votre échantillon de tension (voir page 19 et page 22).

EXPÉRIENCE
• *premier projet du débutant*

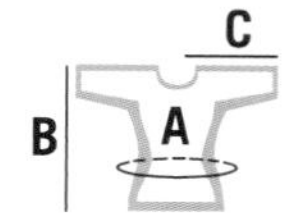

AJUSTEMENT STANDARD
Femme P (M, G)
A 40 (44, 48) po/102 (112, 122) cm
B 22 po/56 cm
C 27 po/69 cm

4 po/10 cm

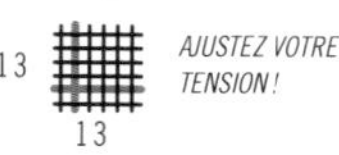

• *mailles et côtes au point mousse*
• *après la mise en forme*

Vous aurez besoin de

• *gros fil*
• *450 (550, 750) verges/ 413 (503, 686) mètres*
• *quelque chose de doux*

J'ai utilisé

• *6 mm/É.-U. 10*

Vous êtes prêt !

Sur ces deux pages se trouve tout ce que vous devez savoir pour utiliser les modèles.

La rangée des éléments essentiels qui accompagne chaque modèle est constituée de symboles graphiques (icones) éloquents qui remplacent de longs textes fastidieux. L'espace ainsi gagné nous permet d'inclure davantage de modèles dans cet ouvrage.

39

Du MONTAGE à la TERMINAISON

Rabattre les mailles à la fin d'une pièce

À la fin de votre tricot, vous devez fermer les mailles. Cette méthode est appelée « terminaison », ou « rabat des mailles ».

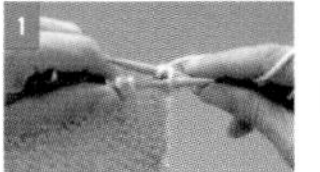

1 Travaillez deux mailles à l'endroit comme d'habitude. Insérez l'aiguille gauche dans la première maille sur l'aiguille droite, par-devant.

2 Passez la première maille de l'aiguille droite par-dessus la seconde (ci-dessus). Une maille est rabattue hors de l'aiguille.

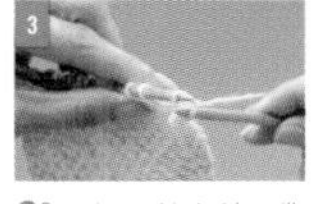

3 Poursuivez en tricotant la maille suivante à l'endroit comme d'habitude, puis répétez les étapes 1 à 3 jusqu'au moment où il ne restera qu'une seule maille sur l'aiguille droite.

4 Coupez le fil en laissant un minimum de 4 po (10 cm). Élargissez la dernière maille...

5 ... puis enlevez-la de l'aiguille, passez le bout à travers la maille et tirez pour la refermer.

À cause de sa nature particulière, la terminaison peut être le rang le plus serré de votre tricot, et elle peut même le déformer.

Pour prévenir cette déformation, vous pouvez rabattre les mailles avec des aiguilles de un à deux points plus grosses.

Par contre, une terminaison trop lâche peut être resserrée (voir page 163).

Si la pièce que vous venez de terminer est destinée à être cousue, laissez un bout de fil assez long pour faire la couture. Cela réduira le nombre de bouts à cacher plus tard.

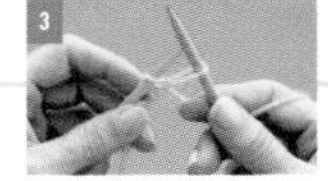

3 Au lieu de glisser la nouvelle maille hors de l'aiguille gauche, élargissez cette boucle un peu plus que d'habitude.

4 Placez de nouveau cette boucle sur l'aiguille gauche (ci-dessus). Tirez le fil pour le tendre.

5 Insérez l'aiguille droite dans la première maille de l'aiguille gauche. Répétez les étapes 2 à 5 jusqu'à ce que le nombre requis de mailles soit sur l'aiguille gauche.

Habiletés supplémentaires

De nouvelles habiletés sont présentées à la fin de chaque chapitre.

Correction des erreurs

Les erreurs courantes sont répertoriées et les solutions se trouvent dans le chapitre intitulé « Oups ! », pages 157 à 164. Consultez-les lorsque vous tricotez un modèle.

Pages 130, 110

Page 130

Page 54

Pour l'AMOUR de l'APPRENTISSAGE

Voici ce que je sais de l'apprentissage.

1 La vie est une question d'apprentissage. Cela rend les bonnes expériences excitantes et donne un sens aux mauvaises.

2 Nous ne pouvons aimer ce que nous ne comprenons pas.

Voici comment le premier précepte se manifeste dans ce livre :

- Les projets nourrissent votre apprentissage et le rendent excitant.
- Le chapitre intitulé « Oups ! » collige les erreurs que vous pouvez faire et vous explique comment y remédier.

Le second précepte signifie que ce livre est conçu de manière à vous enseigner ce que vous avez besoin de savoir, au moment opportun.

Grâce à cette méthode pédagogique : vous n'aurez pas à en apprendre beaucoup avant de débuter ; vous ne serez pas submergé par les différentes techniques ; vous comprendrez ce que vous apprendrez ; vous aurez confiance en vous et deviendrez un tricoteur *intuitif*.

Cela signifie que ce livre *ne ressemble pas* aux autres manuels d'instructions. Les méthodes de montage, d'augmentation ou de terminaison ne sont pas toutes regroupées ensemble : elles apparaissent *lorsque vous en avez besoin*.

Cela signifie que vous n'apprendrez pas *tout ce qu'il y a à savoir sur le tricot* en un seul livre. Le présent ouvrage n'est pas une encyclopédie ; il regroupe un ensemble d'habiletés dont vous aurez besoin pour réaliser certains projets. D'autres tricoteurs vous enseigneront des méthodes différentes. Apprenez tout ce que vous pouvez de qui vous voulez !

Il existe par ailleurs beaucoup de merveilleux livres et magazines sur le tricot. Profitez-en !

Carrés et RECTANGLES

La première pièce que j'ai tricotée pour ce chapitre fut le « poncho de Geneviève », un large vêtement de fil épais fait avec de grosses aiguilles. C'était pour ma fille. Elle et ses amies ont adoré le résultat.

Quoi d'autre devais-je mettre dans ce premier chapitre ? Eh bien, puisque tous les débutants expriment le souhait de confectionner une écharpe, je vous en suggère différents modèles.

Le « ruana à trois écharpes » est une sorte d'hybride des autres pièces, plus complexe qu'une écharpe et plus sophistiqué qu'un poncho.

Bien que les pièces de ce chapitre soient faciles à faire — de simples carrés ou rectangles assemblés —, vous aurez beaucoup d'étoffe à tricoter (l'« écharpe minimum » exceptée). Les débutants auront-il envie de s'atteler à cette tâche ?

Si vous n'avez pas envie de vous consacrer à un projet de longue haleine, passez tout de suite au chapitre suivant. Mais sachez que, pour apprendre à bien tricoter, vous devrez vous exercer beaucoup. En élaborant les projets de ce chapitre, j'ai tenu compte du fait qu'il est parfois plus facile pour vos mains de travailler avec du fil mince sur de petites aiguilles. Ainsi, trois projets requièrent des aiguilles et un fil plus fins, mais tous vous obligent à tricoter beaucoup.

Chapitre un

Les modèles

Habiletés supplémentaires

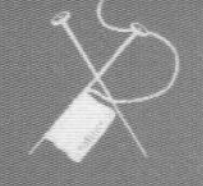

L'écharpe maximum

Je comprends pourquoi les gens désirent tricoter une écharpe. C'est en quelque sorte le premier projet traditionnel, souvent offert à un être aimé. De plus, l'échantillon de tension importe peu : nous soucions-nous vraiment de sa grandeur exacte ? Aussi, ce tricot est facile à faire avec toutes sortes de fils. Et puis, s'il y a des irrégularités, elles seront noyées dans les plis.

Voici comment faire !

Avec votre méthode préférée (j'ai utilisé le montage avec le pouce, page 28), montez 60 mailles (m.).

Il n'est pas nécessaire de respecter les dimensions proposées. Vous pouvez faire une écharpe plus petite en montant moins de mailles et en faisant moins de rangs. Pour une tension d'environ 5 mailles par pouce (ou par 2,54 cm), multipliez 5 par le nombre de pouces voulus pour la largeur de l'écharpe (ou par le nombre de cm divisé par 2,54). Montez ce nombre de mailles, puis tricotez jusqu'à la longueur désirée.

Tricotez à l'endroit toutes les m. de tous les rangs jusqu'à la longueur désirée (ou jusqu'à ce qu'il reste moins de 48 po/122 cm de fil au début d'un rang).

Rabattez les m.

Mettez la pièce en forme.

Cousez les bouts à l'intérieur (voir page 58).

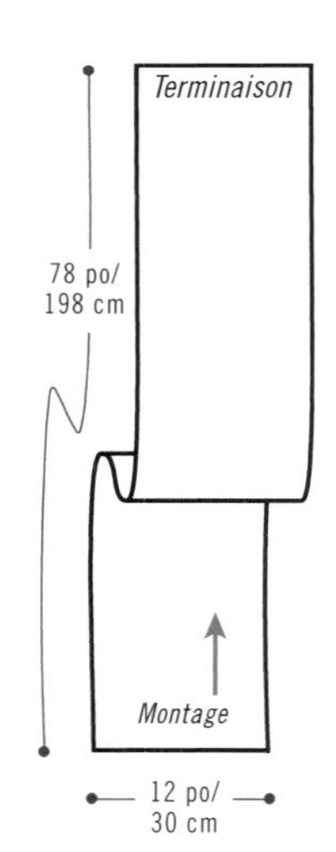

Mesures approximatives

Cinq écheveaux de GARNSTUDIO Karisma Angora-Tweed, couleur nº 10

EXPÉRIENCE	4 po/10 cm	Vous aurez besoin de	J'ai utilisé
• *premier projet du débutant* • *beaucoup de tricot*	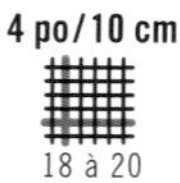 15 à 17 / 18 à 20 • *mailles et côtes au point mousse* • *après la mise en forme*	 1 2 3 4 5 6 • *fil moyen* • *825 verges/754 mètres* • *quelque chose de doux*	 • *5 mm/É.-U. 8*

L'écharpe minimum

Alors que la première écharpe est un cache-nez enveloppant, celle-ci est une version élégante faite avec un fil vraiment riche et d'une couleur que vous adorerez.

L'écharpe montrée fut tricotée au point mousse, mais semble avoir été confectionnée dans un autre point. C'est parce que j'ai utilisé un fil beau à croquer et que je l'ai traité (voir les notes qui suivent à ce sujet). Ce traitement, essentiel pour ce fil particulier, modifie l'étoffe.

Trois pelotes de MUENCH Touch Me, couleur no 3620

Voici comment faire !

Avec votre méthode préférée (j'ai utilisé le montage avec le pouce, page 28), montez 32 mailles (m.).

Tricotez à l'endroit toutes les m. de tous les rangs jusqu'à la longueur désirée (ou jusqu'à ce qu'il reste moins de 24 po/61 cm de fil au début d'un rang).

Rabattez les m.

Cousez les bouts à l'intérieur (voir page 58).

Notes pour le fil Touch Me :

Quand vous tricotez, des boucles occasionnelles (appelées « vers ») peuvent apparaître de nulle part et pendant que vous avez le dos tourné. Ne vous tracassez pas ! Ils disparaissent lorsque vous lavez la pièce. Malgré ce que l'étiquette du fil indique, lavez la pièce et rincez-la à l'eau chaude dans la machine à laver. La fibre en sortira un peu rétrécie et moins souple. Séchez l'écharpe à l'air chaud, au sèche-linge, et elle s'assouplira pour former quelque chose d'extraordinairement beau, un peu plus étroit que ce que vous avez tricoté. Les bouts peuvent se défaire au lavage, cousez-les simplement de nouveau dans la pièce.

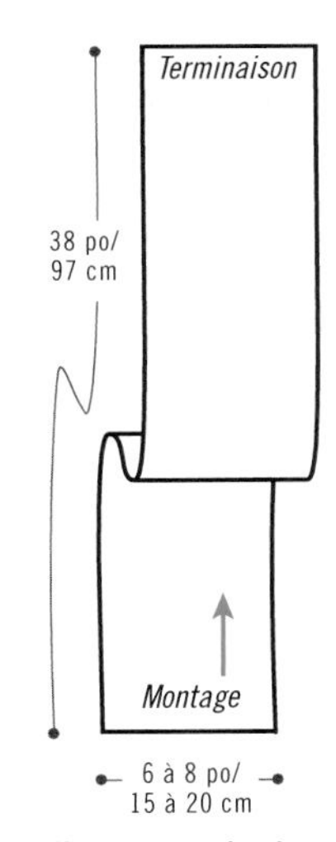

Mesures approximatives

EXPÉRIENCE
- *premier projet du débutant*

4 po/10 cm

- *mailles et côtes au point mousse*

Vous aurez besoin de

1 2 3 **4** 5 6

- *fil moyen*
- *180 verges/165 mètres*
- *quelque chose d'exquis*

J'ai utilisé

- *5 mm/É.-U. 8*

L'écharpe « Amusez-vous ! »

Le plaisir commence avec votre visite au magasin où vous achèterez quatre écheveaux de fil qui vous attire ! Vous pouvez par exemple commencer par le fil le plus amusant que vous trouverez, d'une couleur séduisante, puis ajouter trois fils qui s'harmonisent au premier.
On confectionne cette écharpe en montant les mailles pour la longueur, puis en tricotant — un rang avec chacun des fils — jusqu'à la largeur désirée. Ceci est parfois appelé « tricoter dans le sens de la longueur ».
Que faites-vous de tous ces bouts alors que vous changez de fil à chaque rang ? Laissez-les tels quels, longs ; ne les cousez pas à l'intérieur, et ils deviennent des franges !

Voici comment faire !

Laissez un bout de 8 po/20 cm (pour la frange). Avec le fil principal et votre méthode préférée (j'ai utilisé le montage avec le pouce, page 28), montez 175 mailles (m.). Laissez un bout de 8 po/20 cm (pour la frange) et coupez le fil.
* Laissez 8 po / 20 cm de bout, nouez par un nœud simple (voir l'illustration ci-dessous) le fil suivant avec le bout du fil du dernier rang, et tricotez à l'endroit toutes les m. Laissez un bout de 8 po/20 cm à la fin du rang, coupez le fil.
Répétez à partir de l'*.

Veillez à ne pas manquer trop tôt d'un des fils. Si vous avez moins long d'un des fils, passez son tour occasionnellement. S'il reste une grande quantité de l'un des fils, utilisez-le plus fréquemment.

Lorsque l'écharpe a la grandeur désirée ou que vous manquez d'un des fils, rabattez les mailles lâchement.
Taillez les bouts à votre convenance.
Repassez avec le fer réglé pour la laine, des deux côtés, avec beaucoup de vapeur.

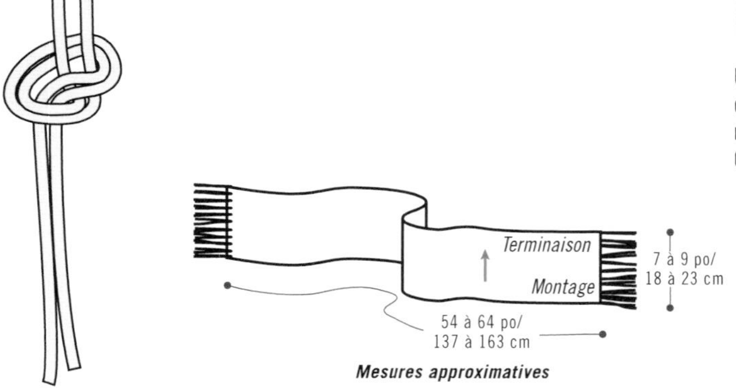

Un écheveau de chacun des fils suivants : PRISM Tubino de couleur Orient Express et Panther de couleur cabernet ; GREAT ADIRONDACK YARN CO. Ballerina de couleur Cancun, et Funky de couleur Fire

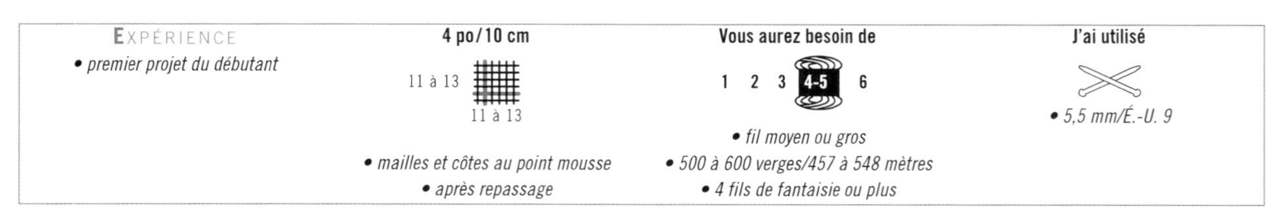

Le poncho de Geneviève

Ce poncho a toute une histoire !
Le premier que j'ai tricoté fut un cadeau d'anniversaire à ma fille, Cathy. Or, sa meilleure amie, Geneviève, voulait apprendre à tricoter, alors je lui ai fait faire un poncho pour enfant. En quelques jours, Geneviève a fait un travail remarquable.
Elle a ensuite décidé d'en confectionner un plus grand pour elle-même. Elle avait fait le premier poncho avec cinq pelotes de fil, mais après avoir acheté le fil pour le sien, elle m'a appelée, paniquée : « Je ne peux pas tricoter avec ça ! C'est un fouillis ! » Elle avait tenté de tricoter à partir de l'écheveau, sans d'abord l'enrouler en pelote.
Moi qui tricote depuis quarante-cinq ans, j'ai soudain compris que, pour ce livre, je ne devais rien tenir pour acquis. Donc : les fils se présentent en pelotes ou en écheveaux, mais les écheveaux doivent être enroulés en pelotes.
Nous avons redressé la situation et Geneviève a pu tricoter son poncho (le modèle de la page 53).
Finalement, plusieurs mois plus tard, Cathy a décidé d'apprendre à tricoter elle aussi. Un beau jour pour moi ! Elle a d'abord fait ce poncho, mais blanc cassé, magnifiquement et sans beaucoup d'aide. L'une des premières fois qu'elle l'a porté, quelqu'un l'a complimentée et elle a pu répondre, toute fière : « Je l'ai fait moi-même ! » Quel merveilleux moment pour une novice !

Grandeur (enfant) 4 à 6 :
5 pelotes STYLCRAFT BRAENAR, couleur no 3286

EXPÉRIENCE	Cela ira	4 po/10 cm	Vous aurez besoin de	J'ai utilisé
• *premier projet du débutant* • *beaucoup de tricot* • *finition minimale*	*Enfants, 4 à 6 (8 à 10)* *Adultes, petit, moyen, grand*	9  9 • *mailles et côtes au point mousse* • *avant la mise en forme* • *enfants – mélange de laines douces* • *adultes – laine ou mélange de laines*	 • *fil très gros* • *420 (500, 530, 590, 720) verges/ 384 (457, 484, 539, 658) mètres*	 • *8 mm/É.-U. 11, 60 cm/24 po* 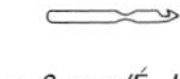 • *8 mm/É.-U. L*

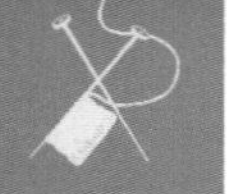

Voici comment faire !

RECTANGLE

Avec votre méthode de montage préférée (j'ai utilisé le montage avec le pouce, page 28), montez 32 (37, 43, 48, 54) mailles (m.). Tricotez à l'endroit (end.) toutes les m. de tous les rangs, jusqu'à 48 (53, 61, 66, 72) côtes au point mousse.

Cela représente un grand nombre de côtes. Accrochez quelque chose (un morceau de fil, un trombone) toutes les 20 côtes pour ne pas avoir à les recompter continuellement.

Lorsque vous approchez de la fin d'une pelote (page 58), vous pouvez en commencer une nouvelle au début du rang suivant. Certains bouts seront rentrés le long des coutures, mais d'autres pourront être repris en frange. Laissez ces bouts de la longueur qui vous conviendrait si vous décidiez de faire des franges.

Rabattez les m.

Ensuite, faites une seconde pièce exactement comme la première.

Vous pourriez mettre les pièces en forme, mais elles s'adouciront mieux et atteindront leur taille définitive si vous les lavez et les laissez sécher à plat.

Si les pièces ont la taille que vous vouliez, génial ! Sinon, ne vous inquiétez pas : le vêtement vous ira quand même. (Le poncho de ma fille devait être de grandeur moyenne, mais il fut plutôt petit. Pas de problème ! Elle a fait les franges plus longues.)

FINITION

Déterminez l'endroit des pièces et faites ce qui suit avec l'endroit face à vous.

Placez les pièces perpendiculairement, de façon que la bordure de terminaison de l'une s'aligne contre la bordure de côtes de l'autre ; 7 (7, 8, 8, 8) po/18 (18, 20, 20, 20) cm, 16 (16, 18, 18, 18) côtes devraient rester libres dans le haut.

Consultez le schéma pour comprendre la manœuvre.

Cousez 1 m. rabattue à chaque côte au point mousse (page 63), là où la ligne brisée l'indique, sur le schéma.

Pliez les pièces pour aligner l'autre bordure de terminaison avec l'autre bordure de côtes et faites une deuxième couture.

Il y a maintenant un col en V à l'ouverture du dessus ! Génial, n'est-ce pas ?

S'il y a des bouts le long des coutures, cousez-les du côté envers.

BORDURE DU COU

Essayez votre poncho. Si vous aimez la façon dont il repose autour du cou, portez-le ainsi. Si vous voulez que le col soit plus serré ou plus soigné, faites la bordure suivante.

Le côté endroit vous faisant face, et en commençant à la pointe du V, relevez 1 m. pour chaque côte (page 61) tout autour de l'ouverture du cou — de 32 à 34 m. relevées pour un enfant, de 36 à 38 m. relevées pour un adulte.

Rang de terminaison En introduisant du fil et en travaillant lâchement, rabattez les m. relevées.

Cousez les bouts du côté env. (page 58).

FRANGES

Déterminez la longueur de vos franges. Pour des franges de 3 po/8 cm, trouvez un livre d'une circonférence d'environ 8 po/ 20 cm; pour des franges de 5 po/13 cm, trouvez un livre d'une circonférence d'environ 12 po/30 cm. Circonférence du livre = (longueur de la frange x 2) + 2 po (5 cm).

Enroulez le fil autour du livre et coupez pour avoir des morceaux de longueur uniforme.

Attachez 2 franges à la fois, toutes les 2 m. et toutes les 2 côtes, autour de toute la bordure du bas du poncho : tenez 2 franges à la fois, pliez-les en deux ; insérez un crochet du côté env. vers le côté end. à travers la m. ou la côte de la bordure du vêtement ; tirez le pli de la frange à travers celle-ci pour former une boucle ; tirez les extrémités coupées des franges à travers cette boucle (voir l'illustration, page 53).

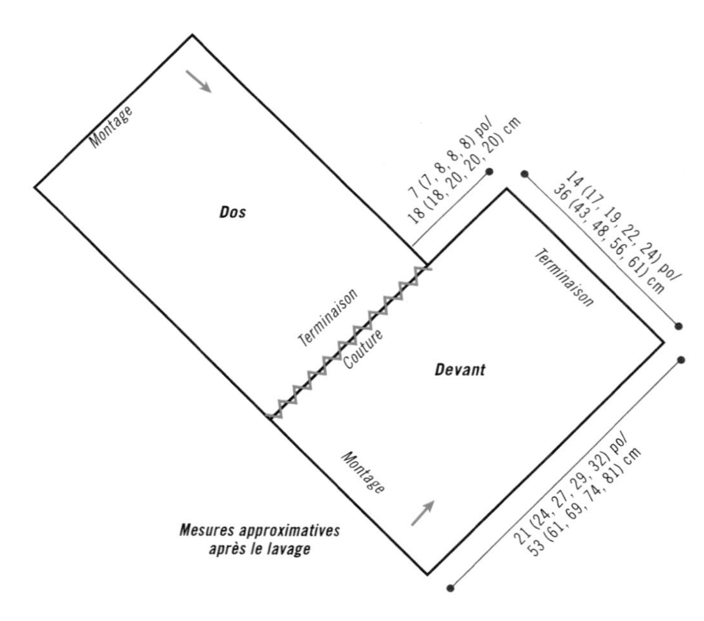

Joignez les bouts de fil aux franges, s'il y a lieu. Taillez les bouts à votre convenance.

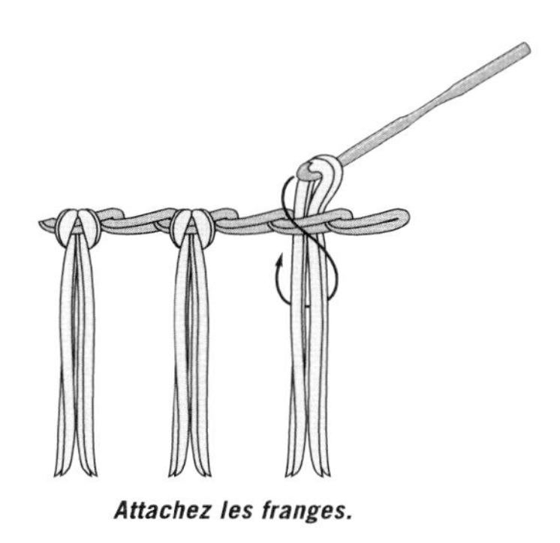

Attachez les franges.

Ci-dessus, taille P pour adulte : 8 écheveaux ISTEX Bulky Lopi, couleur no 0051 ; montré avec l'écharpe « Amusez-vous ! » : 1 écheveau de PRISM Tubino de couleur Jet, 1 écheveau de Panther de couleur Embers, et 1 écheveau de Lazer de couleurs Embers et Mink
Ci-contre, taille M pour adulte : 9 écheveaux ISTEX Bulky Lopi, couleur no 9417

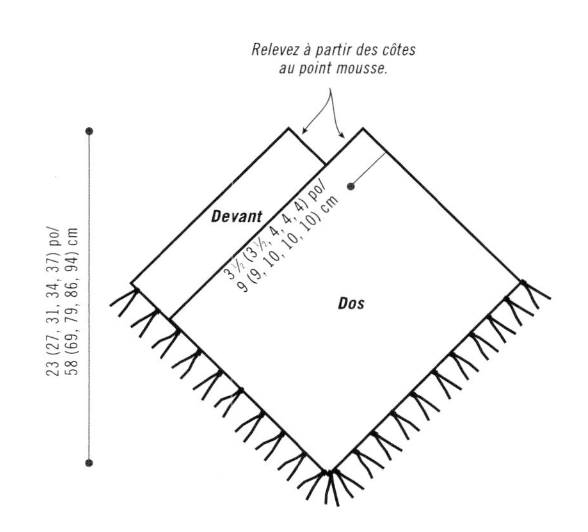

Le ruana à trois écharpes

Un ruana est un vêtement de grandeur unique pour tous, classiquement sud-américain. Il est habituellement fait de deux rectangles ; ici, un troisième rectangle est attaché au cou pour ajouter sophistication et chaleur.
Oui, il y a beaucoup de tricotage... et avec du fil pas très épais. Mais vous vous rendrez peut-être compte que vous préférez tricoter avec des fils plus fins. Et puis, si vous faites ce vêtement, vos habiletés se développeront bien.

Voici comment faire !

MOITIÉ DE VÊTEMENT

DEVANT

Avec votre méthode préférée (j'ai utilisé le montage avec le pouce, page 28), montez 60 mailles (m.).
Tricotez (tric.) à l'endroit (end.) toutes les m. de tous les rangs, jusqu'à 35 po/89 cm.

OUVERTURE DU COU

Au début du rang suivant, tric. 38 m. end., puis placez les 22 m. suivantes sur un arrêt de mailles.
Tournez (page 60) et montez 22 m. sur l'aiguille gauche avec la méthode du pouce. — vous avez maintenant 60 m. sur l'aiguille.

DOS

Tric. end. toutes les m. de tous les rangs, jusqu'au moment où le dos sera de la même longueur que le devant.
Rabattez les m.
Ensuite, faites une deuxième pièce exactement comme la première.

Ne vous inquiétez pas de savoir quel côté est l'endroit ou l'envers, le devant droit ou gauche. Ces questions seront réglées plus tard.

COL

1 Désignez une pièce comme étant celle de droite (D). Retournez la pièce gauche (G) de façon qu'elle soit une image miroir de la D.

2 Cousez les pièces ensemble (côte à côte, page 62) le long du centre du dos, en travaillant du col vers le bas sur environ 14 po/36 cm.

3 En commençant par l'ouverture devant D du cou, tric. end. les 22 m. de l'arrêt de mailles. Relevez et tric. 1 end. au coin (page 60).
Tournez le coin, puis relevez et tric. 22 end. le long de la bordure de montage arrière D du cou.

10 écheveaux GARNSTUDIO Karisma Angora-Tweed, couleur no 01

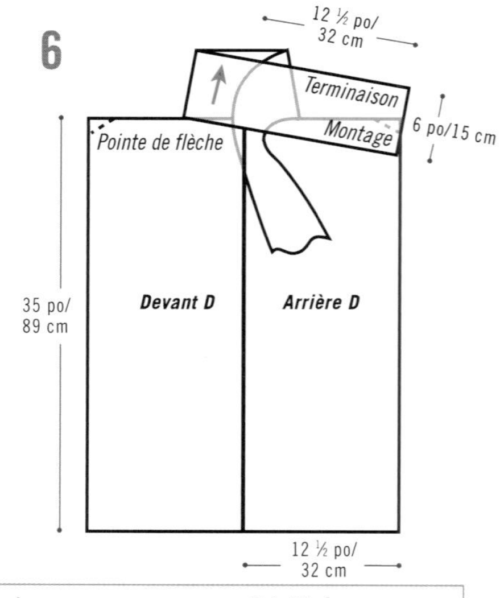

EXPÉRIENCE	4 po/10 cm	Vous aurez besoin de	J'ai utilisé
• premier projet du débutant • beaucoup de tricot • finition minimale	17  RAPPROCHEZ-VOUS 19 • mailles et côtes au point mousse • après la mise en forme	1 2 3  5 6 • fil moyen • 1650 verges/1508 mètres • laine douce ou mélange de laines	• 4,5 mm/É.-U. 7

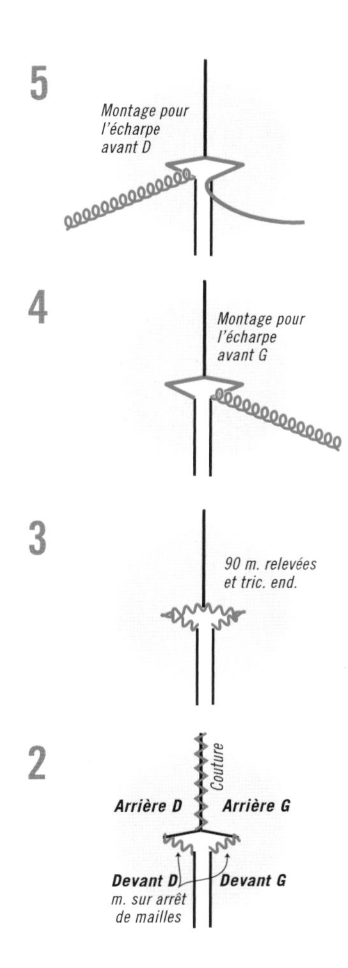

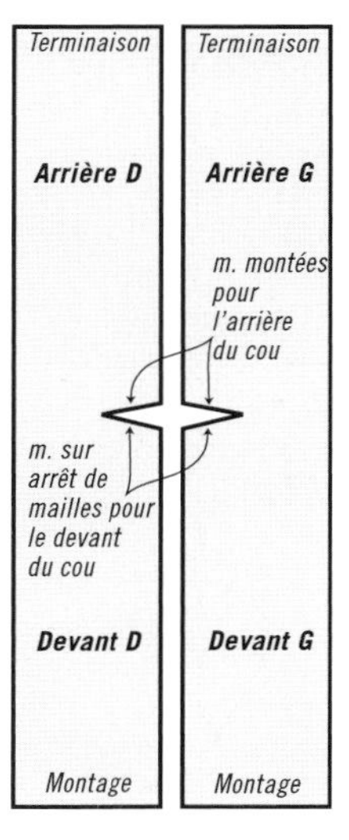

En travaillant de façon ininterrompue, relevez et tric. 22 end. le long de la bordure de montage arrière G du cou.
Relevez et tric. 1 m. end. au coin.
Tournez le coin, puis tric. end. les 22 m. de l'arrêt de mailles avant G du cou — 90 m. sur l'aiguille.

4 Tournez et montez 60 m. sur l'aiguille gauche.
Ces 60 m. deviennent le G de l'« écharpe » avant.
Tric. les 150 m. end.

5 Tournez l'ouvrage et montez 60 m sur l'aiguille gauche.
Ces 60 m. deviennent le D de l'« écharpe » avant.
Tric. end. les 210 m. de tous les rangs jusqu'à 6 po/15 cm de long.
Rabattez les m.
Repassez légèrement avec de la vapeur.

FINITION

Essayez le vêtement.
Vous verrez des « ailes » à la ligne des épaules. Ne vous alarmez pas : nous allons les enlever!
Sur une épaule, pincez le tricot et pliez-le pour former une pointe de flèche. Épinglez-la. (La pointe de flèche aura environ 4 po/10 cm de long, avec 3 po/8 cm d'étoffe enlevée à la bordure.)
Enlevez le vêtement et épinglez l'autre épaule pareillement. (Essayez-le de nouveau pour vous assurer que vous aimez ce que vous avez fait et pour faire des ajustements.)
Avec le fil du vêtement, cousez le long des épingles, puis attachez d'un point léger la pointe de flèche du côté envers du ruana.
Repassez légèrement.
Cousez les bouts du côté envers (page 58).
Cousez un fil de couleur vive (ou une étiquette personnelle!) à l'arrière, à l'intérieur du cou. Vous saurez comment porter le vêtement.

L'écharpe de Joël

Lors d'un séjour avec des amies en Colombie-Britannique, j'ai suivi une leçon de ski avec le meilleur instructeur que j'ai jamais rencontré (ce qui en dit long, puisque j'en ai connu plusieurs, mes parents étant instructeurs de ski). Il a changé ma façon de skier… et puis, il savait tricoter !

Joël disait que son seul projet avait été une écharpe « Dr Who » (une écharpe multicolore très longue). J'ai pensé : « Voici une chose qui vaut visiblement la peine d'être faite ! » Je vous propose donc un modèle pour celle-ci… avec ma touche personnelle pour les couleurs et leur agencement.

Si vous achetez le même fil que moi et si vous suivez mes indications quant aux couleurs, vous aurez suffisamment de fil pour faire deux écharpes.

1 pelote **PATONS Classic Wool Merino** dans chacune des couleurs suivantes : nos 206, 238, 205, 240, 212, 213, 218

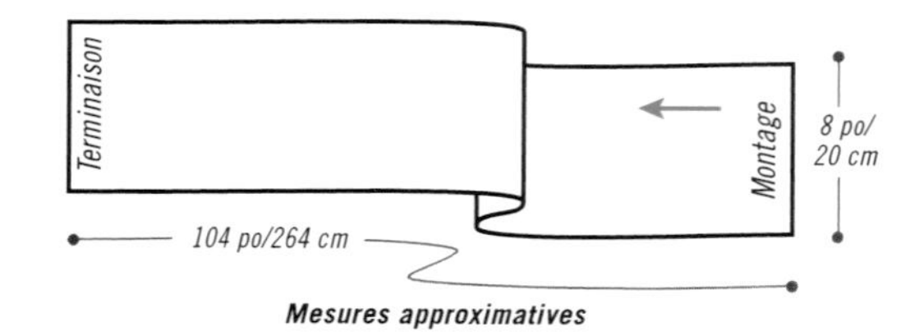

Mesures approximatives

MODÈLE D'UN BLOC

Les références à A et à B sont expliquées ci-dessous, dans la section « Voici comment faire ! ».

Avec A, tricotez à l'endroit (end.) toutes les mailles (m.) de tous les rangs pour 15 côtes au point mousse. Coupez A, laissez un bout de 4 po/10 cm.

Avec B, 3 côtes end. Coupez B, laissez un bout de 4 po/10 cm.

Avec A, 2 côtes end. Coupez A, laissez un bout de 4 po/10 cm.

Voici comment faire !

Avec le fil vert feuille et votre méthode préférée (j'ai utilisé le montage avec le pouce, page 28), montez 36 m.

Pour faire une écharpe très mince, montez 24 m. et travaillez tel qu'il est indiqué. Vous aurez besoin d'un peu moins de fil.

Confectionnez les modèles de bloc en utilisant les couleurs suivantes :

1er bloc	A = vert feuille	B = turquoise
2e bloc	A = olive	B = rouille
3e bloc	A = pervenche	B = paprika
4e bloc	A = magenta	B = vert feuille
5e bloc	A = turquoise	B = pervenche
6e bloc	A = paprika	B = olive
7e bloc	A = rouille	B = magenta

Répétez les blocs 1 à 7 deux fois de plus.

Avec le fil rouille, rabattez les m.

Mettez en forme.

Cousez les bouts à l'intérieur (page 58).

EXPÉRIENCE
- *premier projet du débutant*
- *beaucoup de tricot avec des changements de couleur*

4 po/10 cm

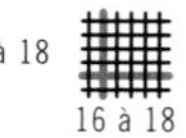

- *mailles et côtes au point mousse*
- *après la mise en forme*

Vous aurez besoin de

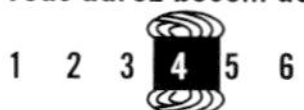

- *fil moyen*
- *770 verges/704 mètres (110 verges / 101 mètres dans chacune des 7 couleurs : rouille, paprika, olive, vert feuille, magenta, pervenche, turquoise)*
- *quelque chose de doux*

J'ai utilisé

- *4,5 mm/É.-U. 7*

Que faire à la fin d'une pelote ?

Si votre projet demande plus d'une pelote de fil, vous devrez apprendre à lier la fin d'une pelote au début d'une autre. Si un nœud se forme dans votre fil, vous voudrez l'enlever. Dans les deux cas, vous serez aux prises avec une rupture dans le fil.

JOINDRE DEUX FILS AU MILIEU D'UN RANG

Voici la façon la plus simple de joindre deux fils au milieu d'un rang.

Lorsqu'il reste un bout de 5 po/13 cm de l'ancienne pelote, joignez la nouvelle pelote comme ceci :

1 Laissez un bout de 4 po/10 cm de la nouvelle pelote du côté envers de l'ouvrage (ci-dessus) ; tricotez une maille avec le nouveau fil et le bout de l'ancienne pelote joints ensemble.

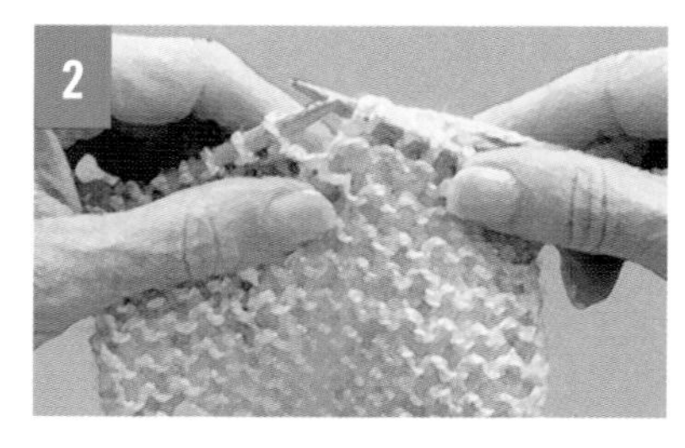

2 Vous aurez produit une maille double (ci-dessus). Laissez tomber l'ancien bout du côté envers de l'ouvrage et continuez avec le nouveau fil.

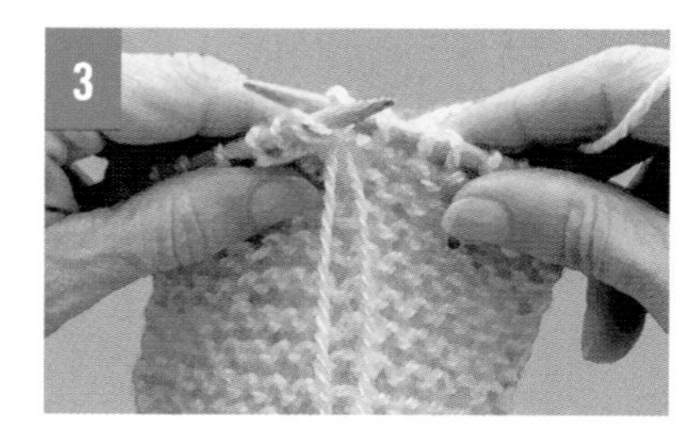

3 Lorsque vous arrivez à cette maille double au rang suivant, tricotez-la à l'endroit comme vous le feriez pour une maille simple (ci-dessus).

Cousez les deux bouts à l'intérieur lorsque vous avez terminé.

JOINDRE UN FIL SEULEMENT À LA FIN DES RANGS

Parfois, vous ne voulez pas joindre des fils au milieu d'un rang. Vous voulez terminer une pelote et en commencer une autre à la fin d'un rang, en laissant les bouts qui seront cousus plus tard. Comment savoir si vous avez assez de fil pour finir un rang?

Vous avez besoin d'environ trois fois la largeur de la pièce pour faire un rang, avec en prime la longueur du bout. Vous avez besoin d'environ quatre fois la largeur de la pièce pour faire le rang de terminaison.

Si vous avez besoin de distinguer l'endroit de l'envers pendant que vous tricotez, je vous recommande d'accrocher un repère (par exemple un trombone) du côté envers du tricot.

Endroit et envers

En tricot, l'endroit est le côté visible ; l'envers, le côté caché. La plupart des tricots ont un endroit et un envers évidents : l'ourlet des coutures désigne généralement l'envers. Mais si le tricot a la même apparence des deux côtés, examinez le montage ou la terminaison pour voir quel côté vous préférez comme endroit.

Coudre les bouts à l'intérieur au point mousse

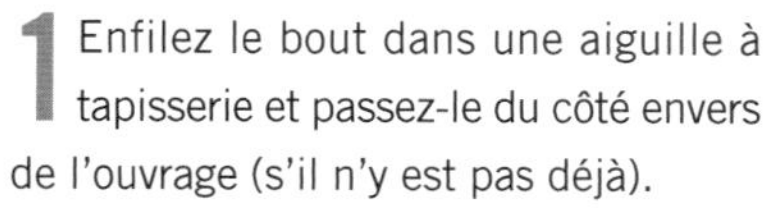

1 Enfilez le bout dans une aiguille à tapisserie et passez-le du côté envers de l'ouvrage (s'il n'y est pas déjà).

2 Cousez au travers des bosses du point mousse, sur 2 po/5 cm.

3 Tournez...

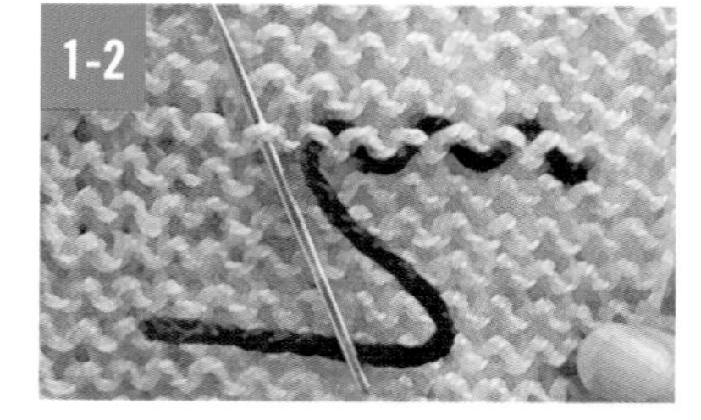

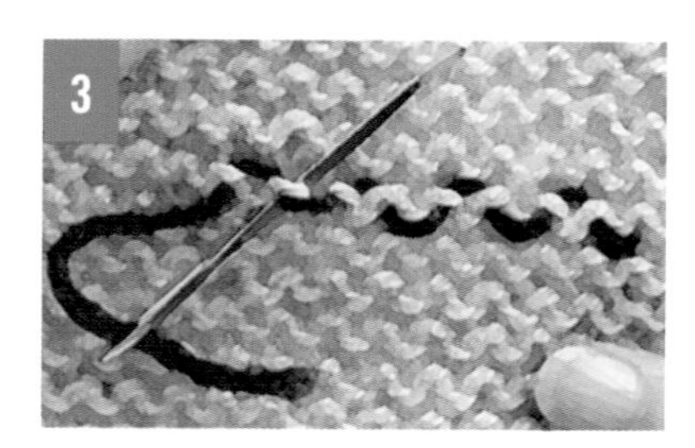

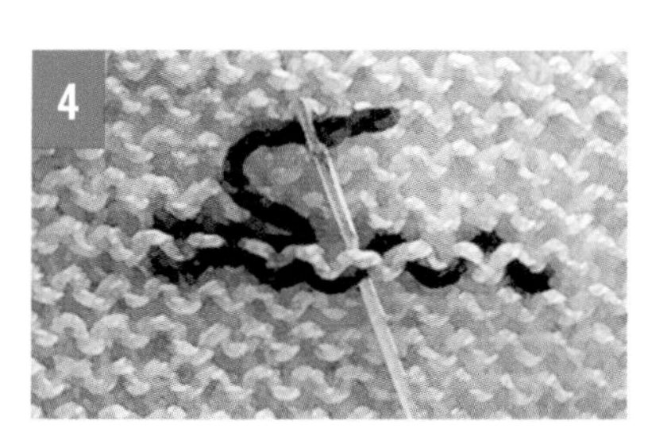

4 ... puis travaillez dans le sens opposé, sur 1 po/2,5 cm.

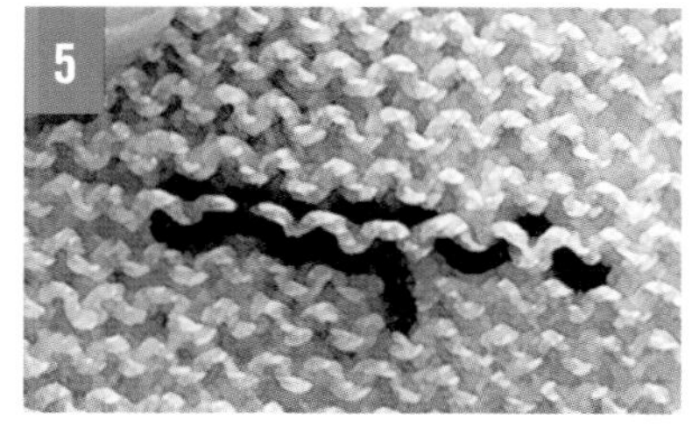

5 Taillez le bout en laissant au moins ½ po/1,3 cm.

Pour plus de netteté, on a utilisé des bouts de fil contrastants.

Au chapitre deux, vous apprendrez le point jersey. Bien que le point jersey et le point mousse soient d'apparences différentes, cousez les bouts à l'intérieur de votre point jersey tel qu'il est montré ici, le long d'un rang de bosses. Même si le côté bosselé est le côté endroit de votre vêtement au point jersey, les bouts cousus à l'intérieur ne seront pas visibles. Mais veillez à passer l'extrémité des bouts du côté envers de la pièce avant de couper à ½ po/1,3 cm.

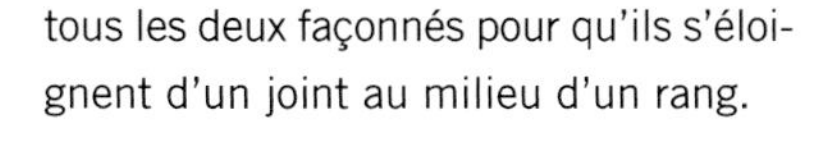

Voici deux bouts cousus à l'intérieur, tous les deux façonnés pour qu'ils s'éloignent d'un joint au milieu d'un rang.

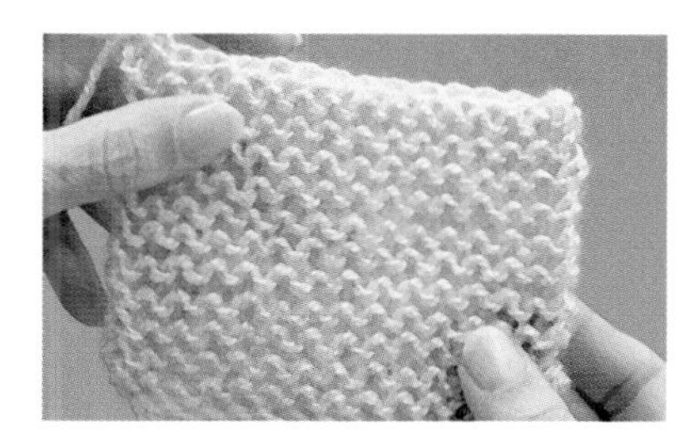

Du côté endroit, les bouts ne sont pas visibles.

Tricoter les bouts à l'intérieur

Avec cette méthode, vous n'avez pas à revenir plus tard pour coudre les bouts à l'intérieur. Cependant, cela ne convient pas à tous les fils : le doublement du fil peut être visible.

Lorsqu'il vous reste un bout de 5 po/13 cm de l'ancienne pelote, joignez la nouvelle pelote ainsi :

1 Laissez un bout de 1 po/2,5 cm de la nouvelle pelote du côté envers...

2 ... puis tricotez à l'endroit de 4 à 6 mailles avec le nouveau fil et l'ancien bout tenus ensemble (ci-dessus). Laissez tomber l'ancien bout du côté envers de l'ouvrage et continuez avec le nouveau fil seulement. Taillez le bout en laissant au moins ½ po/1,3 cm.

3 Au rang suivant, vous aurez des mailles de fil double. Façonnez-les comme des mailles simples.

Bouts tricotés à l'intérieur, vus du côté endroit.

Tourner

Lorsque les instructions vous disent de « tourner », cela signifie que vous devez retourner le tricot du côté opposé, même si vous êtes au milieu d'un rang.

Droit et gauche

Que veut-on dire, en tricot, quand il est question de « devant droit » ? Cette expression a trait aux pièces telles que vous les porterez. Le devant droit reposera sur le côté droit de votre corps ; le devant gauche, sur le côté gauche.

Relever

RELEVER ET TRICOTER LE LONG D'UNE BORDURE DE MONTAGE

Examinez le modèle et voyez combien de mailles ont été montées. Regardez ensuite votre ouvrage pour repérer les espaces entre ces mailles de montage et pour voir où vous relèverez le nombre requis de mailles.

1 Insérez l'aiguille droite dans l'espace qui constitue la première maille de montage. (Si l'aiguille droite est sous deux brins, le résultat sera moins lâche et plus solide.)

2 Enroulez le fil de travail autour de l'aiguille droite et tirez-le au travers pour former une maille.

3 Insérez l'aiguille droite dans l'espace qui constitue la maille de montage suivante (ci-dessus). Répétez les étapes 2 et 3.

Cinq mailles, relevées et tricotées.

RELEVER À PARTIR DES CÔTES AU POINT MOUSSE

1 Le côté endroit faisant face, insérez l'aiguille gauche, de gauche à droite, à travers la même partie de chaque côte au point mousse, près de la bordure. La photo montre quatre côtes relevées, et une cinquième sur le point de l'être.

2 Si le modèle vous indique de les tricoter à l'endroit, utilisez le fil de travail et faites-le comme d'habitude. Cette photo montre cinq mailles tricotées à l'endroit et certaines côtes au point mousse relevées qui attendent d'être tricotées.

RELEVER ET TRICOTER À L'ENDROIT ENTRE LES CÔTES AU POINT MOUSSE

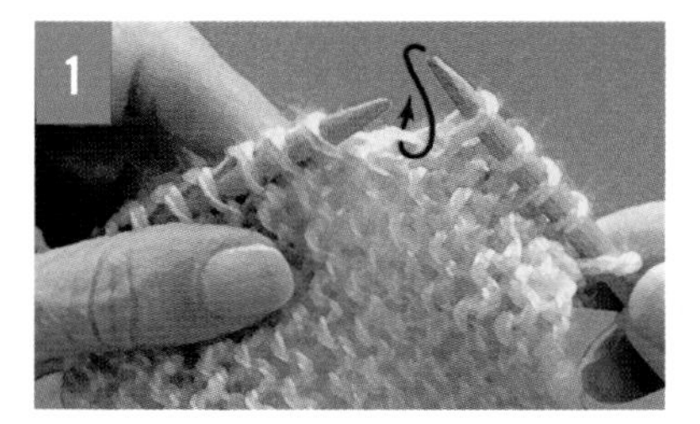

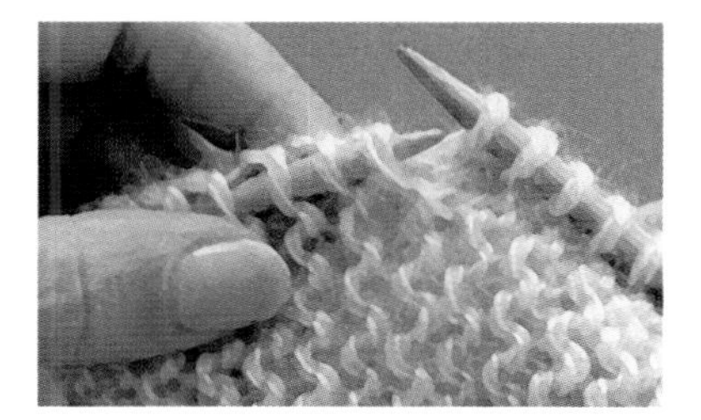

Pour relever et tricoter à l'endroit entre les côtes au point mousse, remarquez le pont entre la maille que vous venez de tricoter et la prochaine maille à tricoter sur l'aiguille gauche (ci-dessus).

1 Insérez l'aiguille droite dans ce pont (tel qu'il est indiqué par la flèche) et tirez-y le fil de travail pour former une nouvelle maille.

Une nouvelle maille, relevée dans l'espace entre les côtes au point mousse.

RELEVER/RELEVER ET TRICOTER

Ces deux termes ne signifient pas la même chose. Dans les deux cas, il s'agit de mettre des mailles sur une aiguille, mais de façon différente.

- Pour *relever*, utilisez l'aiguille gauche, sans fil, et manœuvrez-la de gauche à droite. Lorsque c'est fait, aucun rang nouveau n'a été tricoté. (Voir l'étape 1 de *Relever à partir des côtes au point mousse.*)
- Pour *relever et tricoter*, utilisez l'aiguille droite et le fil de travail, et manœuvrez de droite à gauche. Lorsque c'est fait, un nouveau rang a été tricoté. (Voir l'étape 2 de *Relever et tricoter le long d'une bordure de montage.*)

De nombreuses personnes consacrent beaucoup d'efforts à la standardisation des termes de tricot. Jusqu'à ce que ce travail soit terminé, vous n'aurez peut-être pas toutes les informations nécessaires, mais on s'attendra à ce que vous sachiez quoi faire et comment le faire.

La distinction entre *relever* et *relever et tricoter* vous aidera à mieux comprendre certaines subtilités du tricot.

Coudre au point mousse

Il y a trois sortes de coutures à faire au point mousse : côte à côte ; maille à maille ; et maille à côte.

CÔTE À CÔTE

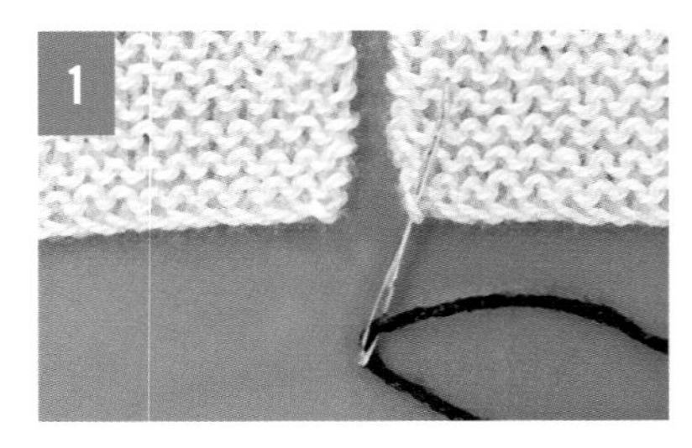

Faites tout ceci avec le côté droit faisant face.

1 Passez l'aiguille à tapisserie sous une côte au point mousse, près de la bordure de la pièce.

2 Allez vers la pièce opposée. Passez l'aiguille sous la côte correspondante.

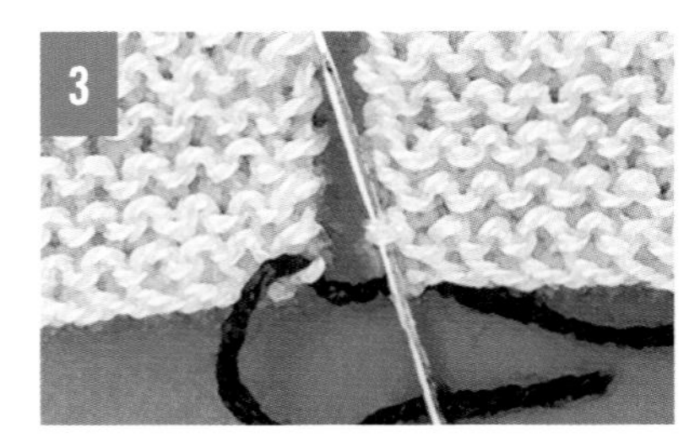

3 Retournez à la première pièce. Passez l'aiguille sous la côte suivante (ci-dessus). Répétez les étapes 2 et 3.

Ouf ! Qui a besoin de connaître trois sortes de coutures ? Eh bien, vous devez savoir coudre les côtes aux côtes pour la couture du dos du « ruana à trois écharpes ». Et vous devez savoir coudre les mailles aux côtes pour le « Poncho de Geneviève ». Vous n'aurez besoin d'apprendre à coudre les mailles aux mailles qu'au chapitre trois.

Pour plus de netteté, les coutures des photos sont faites avec un fil de couleur contrastante.

Parfois on peut coudre avec le fil du vêtement, mais parfois non. Il est préférable d'utiliser le fil du vêtement, mais, s'il accroche ou se déchire, substituez-lui un fil lisse, de couleur appropriée.

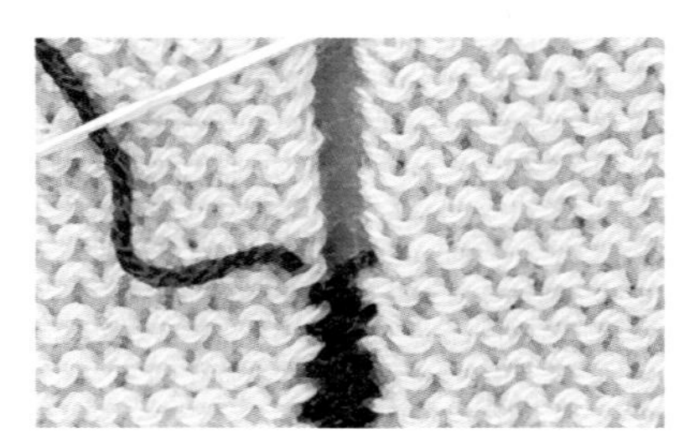

Cinq côtes cousues, avant de tendre le fil.

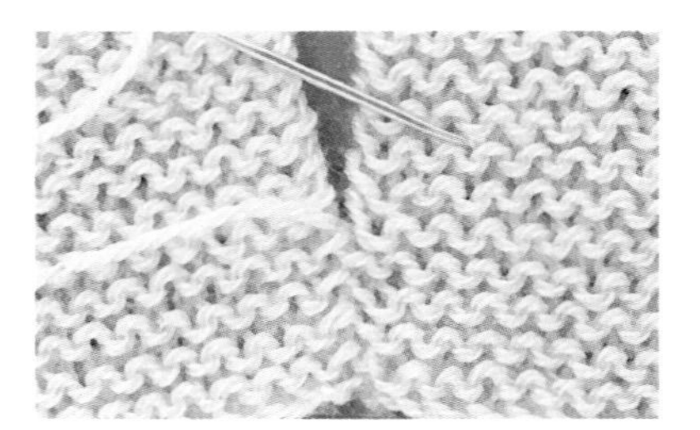

Cinq côtes cousues, une fois le fil tendu.

MAILLE À CÔTE

Faites tout ceci avec le côté droit faisant face.

1 Passez l'aiguille à tapisserie sous la première côte au point mousse, près de la bordure de la pièce.

2 Allez vers la pièce opposée. Passez l'aiguille sous la première maille, au-dessus de la bordure de terminaison.

3 Retournez à la première pièce. Passez l'aiguille sous la côte au point mousse suivante.

4 Allez de nouveau vers l'autre pièce. Passez l'aiguille à tapisserie dans l'espace d'où vous êtes sorti et ensuite sous la maille suivante (ci-dessus).

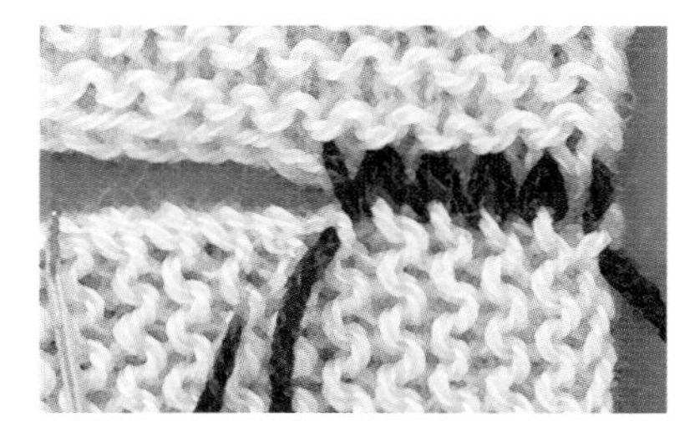

Cinq côtes et cinq mailles cousues, avant de tendre le fil.

Cinq côtes et cinq mailles cousues, après avoir tendu le fil, avec la bordure de terminaison incluse dans l'ourlet de la couture.

Commencer et terminer

Quand les instructions vous disent « commencez avec... », cela signifie que ce qui suit sera la prochaine manœuvre. Par exemple, « commencez avec un rang du côté endroit » signifie que votre prochain rang sera un rang du côté endroit.

Quand les instructions vous disent « terminez avec... », cela signifie que ce qui suit sera ce que vous venez de faire. Par exemple, « terminez avec un rang du côté envers » signifie que vous venez tout juste de finir un rang du côté envers.

Pour faire des coutures soignées, soyez minutieux. Lorsque vous avez trouvé la partie de la côte au point mousse que vous voulez utiliser pour la couture, soyez certain de choisir la partie correspondante de toutes les côtes au point mousse pour toute l'étendue de la couture. L'attention portée aux détails est capitale.

Alors que vous cousez, tirez le fil pour le tendre (seulement jusqu'à ce que vous sentiez une résistance et non jusqu'à plisser la couture), environ tous les pouces/2,5 cm.

Les formes, de la **TÊTE** aux **PIEDS**

Les projets de ce chapitre diffèrent de ceux du chapitre précédent de deux manières : aucun projet ne requiert beaucoup de tricot ; et tous exigent un façonnage quelconque.

Les premiers projets que j'ai confectionnés pour ce chapitre — le bonnet et les moufles tricotés à plat — sont les plus difficiles. Je me suis demandé pourquoi je faisais cela et je pense que c'était pour établir un niveau de difficulté au-delà duquel je ne devais pas aller dans ce chapitre.

D'autres projets de ce chapitre sont très faciles. Par exemple l'écharpe « Donnez-lui une forme ! », mais c'est aussi une pièce étonnante que même les tricoteurs expérimentés voudront fabriquer et posséder.

Ce chapitre contient certaines de mes pièces de tricot favorites, « à emporter » partout, pour lesquelles j'achète constamment du fil. Je les fais pour moi-même ou pour quelqu'un d'autre. Et si vous tricotez toutes les pièces de ce chapitre, j'espère que vous y trouverez vos préférées.

Chapitre deux

Les modèles

Habiletés supplémentaires

L'écharpe «Donnez-lui une forme!»

J'aime porter des écharpes triangulaires ou rectangulaires, mais il y a souvent trop de matériel autour du cou et pas assez aux extrémités. Alors pourquoi ne pas concevoir une écharpe en triangle qui couvrirait juste ce qu'il faut du cou et dont les extrémités serait de dimension idéale? Pourquoi pas, en effet!
Cette écharpe est ma préférée. J'en ai quatre et je suis toujours en train d'en tricoter une pour offrir en cadeau. Vous pouvez la confectionner avec n'importe quel fil et la porter de différentes façons.

Voici comment faire!

Selon la méthode de montage avec le pouce (page 28), montez 3 mailles (m.).

Si vous détestez vraiment le montage avec le pouce, utilisez le montage tricoté (page 38), mais montez les mailles très lâchement. Le montage à deux fils ne fonctionnera pas.

Tricotez (tric.) à l'endroit (end.) 3 m.
* Tournez. Montez 3 m. sur l'aiguille gauche.
Tric. end. toutes les m.
Répétez à partir de l'* jusqu'à ce qu'il y ait 117 m. sur l'aiguille.

1 Tournez. Montez 49 m. sur l'aiguille gauche. Tric. end. 166 m.

2 Tournez. Montez 49 m. sur l'aiguille gauche — 215 m. sur l'aiguille.

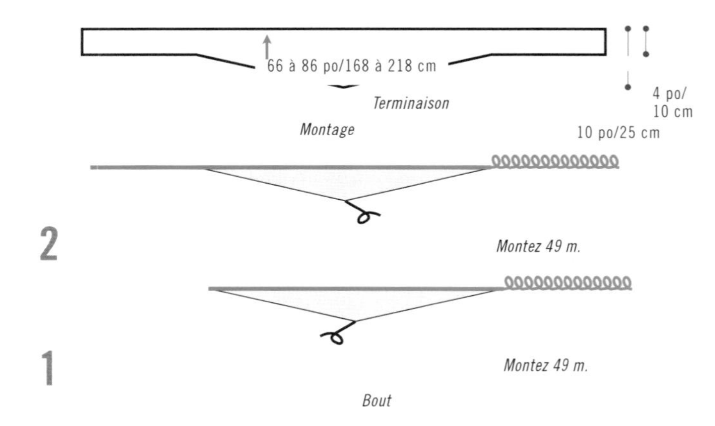

Trois pelotes de LANO GATTO Batik, couleur no 2601

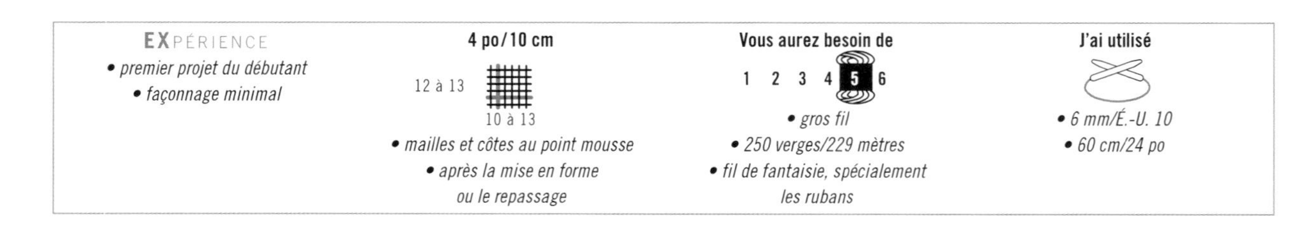

Tric. end. toutes les m. jusqu'à ce que les extrémités rectangulaires atteignent 4 po/10 cm de haut.
Rabattez les m. lâchement.
Cousez les bouts à l'intérieur (page 58).
Mettez en forme ou repassez avec un fer à vapeur réglé pour la laine.

Si vous utilisez un fil rubané, je vous recommande de le repasser lourdement des deux côtés, malgré la notice d'entretien de l'étiquette. Cela change l'étoffe en quelque chose de tout à fait exquis, alors qu'elle pourrait être déformée et laide si vous ne le faites pas.

Trois pelotes de TRENDSETTER Dune, couleur no 54

Trois pelotes de Great Adirondack Yarn co. Caribe Irisee, couleur Leopard

L'écharpe tricotée en rond

L'idée de cette pièce m'est venue alors que je tricotais un chandail tout en rond traditionnel (fait d'une seule pièce circulaire, resserrée aux épaules et au cou).
J'ai examiné ce chandail tout en rond et je me suis dit: « Si je ne tricotais que les épaules? » J'avais déjà vu quelque chose du genre dans un magazine. J'ignorais si c'était une bonne idée, mais j'ai essayé... et le résultat m'a enchantée! Peu après, Rick Mondragon, l'éditeur du magazine Knitter's, *a créé une jupe à partir de ce modèle! Incroyable!*

Nous montrons deux pièces tricotées avec des fils différents et en différents coloris. Même si j'ai utilisé les mêmes aiguilles et que le nombre de mailles est identique pour les deux pièces, elles n'auront pas la même circonférence une fois qu'elles seront repassées.
Sachez que:

- *un fil léger de grosseur moyenne produira une circonférence de 48 po/122 cm;*
- *un fil lourd de grosseur moyenne produira une circonférence de 51 po/130 cm.*

Comme vous ne savez pas encore produire cette étoffe autrement qu'en tricotant en rond, vous ne pouvez pas tricoter à plat un petit échantillon de tension. Et vous aurez beaucoup tricoté avant de pouvoir vérifier votre tension. Mais ne vous inquiétez pas et laissez tomber cet échantillon de tension! Allez-y, tout simplement! Cette écharpe vous ira! Le modèle a prévu différentes circonférences et l'on vous expliquera quoi faire en temps et lieu.

Trois pelotes NORO Silk Garden, couleur nº 47

EXPÉRIENCE	4 po/10 cm	Vous aurez besoin de	J'ai utilisé
• *premier projet du débutant* • *façonnage minimal*	 14 à 15 • *mailles au point jersey* • *tricoté en rond*	 1 2 3 4 5 6 • *fil moyen* • *330 (400) verges/302 (366) mètres* • *n'importe quoi*	 • *5 mm/É.-U. 8* • *40 à 60 cm/16 à 24 po*

Voici comment faire !

Avec un bout de 3 verges (3 mètres) et en utilisant le montage à deux fils (page 78), montez 180 mailles (m.).
Placez un repère sur l'aiguille droite.
Formez un cercle avec l'aiguille, en veillant à ne pas tordre le montage (page 81).
Tricotez (tric.) à l'endroit (end.) les m. de l'aiguille gauche à celle de droite.
Continuez à tric. end. en rond (pages 79 à 81) toutes les m., en glissant chaque fois le repère de l'aiguille gauche à celle de droite (pour identifier le point de départ des tours).

Ne vous alarmez pas parce que la pièce s'enroule sur elle-même alors que vous tricotez. La majeure partie de cet enroulement sera éliminée à la fin.

- *Si votre pièce a la plus petite circonférence, tricotez la longueur la plus courte. Le tout s'ajustera à votre cou et à vos épaules.*
- *Si votre pièce a la plus grande circonférence, tricotez la longueur la plus longue. Le vêtement couvrira vos bras jusqu'aux coudes... et si vous pouvez en faire une jupe... toutes mes félicitations !*

Travaillez en rond jusqu'à 7 (9) po/18 (23) cm du début, en terminant au repère.
Premier tour de diminution *2 end., tricotez à l'endroit 2 m. ensemble (2 end. ens., page 77) ; répétez à partir de l'*, en terminant au repère — 135 m. sur l'aiguille.
End. toutes les m., en rond, jusqu'à 11 (13) po/28 (33) cm du début, en terminant au repère.
Deuxième tour de diminution *1 end., 2 end. ens., 2 end. ens. ; répétez à partir de l'*, en terminant au repère — 81 m. sur l'aiguille.
End. toutes les m., en rond, jusqu'à 15 (17) po/38 (43) cm du début, en terminant au repère.

Si vous vous trouviez à court de fil peu avant la fin, n'en achetez pas d'autre ! Terminez plutôt ainsi :

Rabattez les mailles lâchement (très lâchement pour la jupe).
Cousez les bouts à l'intérieur (page 58).
Pour aplanir et atteindre les mesures finales, lavez, puis épinglez à plat pour sécher.

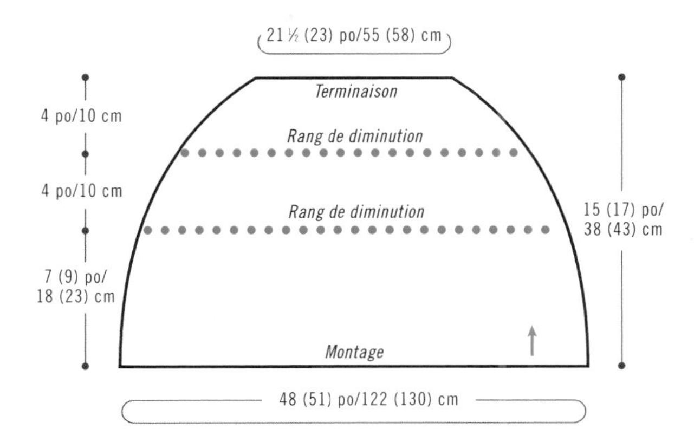

Le « tricoté en rond » porté comme jupe : cinq pelotes NATURALLY Café, couleur nº 715

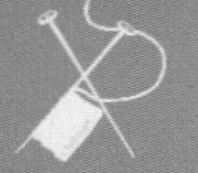

Les jambières :

maximum et minimum

Les termes « maximum » et « minimum » se rapportent à la fois à l'effet et à la taille. Les « jambières maximum » sont les pièces les plus éclatantes de ce livre ; et les « jambières minimum », plus petites, peuvent être portées par les plus conservateurs. Cela dit, les jambières maximum peuvent être d'une seule couleur et les minimum, de plusieurs couleurs. Tout est permis.

Toutes les instructions valent pour les deux styles : minimum en premier, maximum ensuite. Des aiguilles de format différent et des fils divers produisent les différentes circonférences.
Mesurez votre première jambière après quelques pouces (centimètres).

- *Si cela correspond à la circonférence de la « maximum », suivez les instructions pour cette taille.*
- *Si cela correspond à la circonférence de la « minimum », suivez les instructions pour cette taille.*

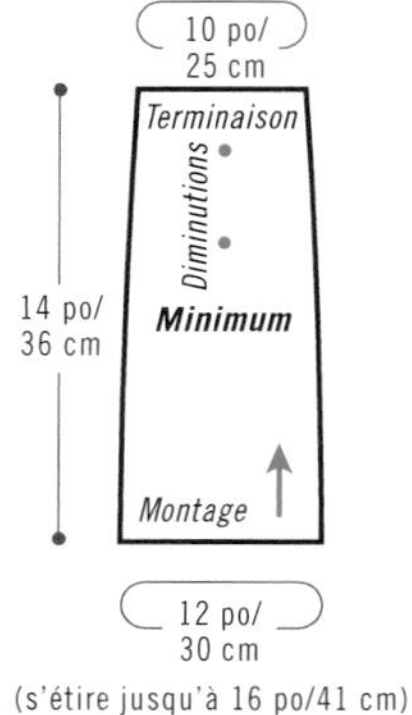

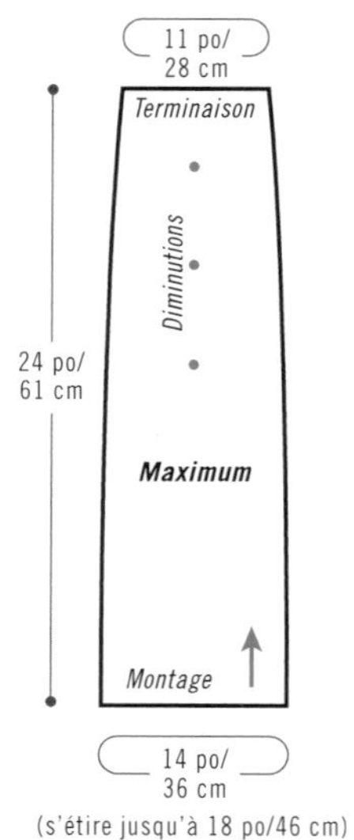

Jambière « maximum » : 4 pelotes NORO Kureyon : 2 de couleur n° 75 ; 2 de couleur n° 57. (Chaque pelote est déjà un mélange de plusieurs couleurs.)

EXPÉRIENCE
Jambières minimum
- *premier projet du débutant*
- *façonnage minimal*

EXPÉRIENCE
Jambières maximum
- *très facile*
- *façonnage minimal ; changements de couleurs*

4 po/10 cm

- *mailles au point jersey*
- *tricoté en rond*
- *14 m. pour la « maximum »*
- *16 m. pour la « minimum »*

Vous aurez besoin de

- *fil moyen*
- *220 (400) verges/201 (366) mètres*
- *laine douce ou mélange de laines*

J'ai utilisé

- *5 (5,5) mm/É.-U. 8 (9)*
- *35 à 40 cm/14 à 16 po*

Voici comment faire !

HAUT DE LA JAMBE

Avec un bout de 36 po/91 cm et en utilisant le montage à deux fils (page 78), montez 50 mailles (m.).

Ceci peut être tricoté avec une série de cinq aiguilles à deux pointes (page 80) — si le bon format d'aiguille circulaire n'est pas disponible, ou si vous la trouvez inconfortable, ou encore si le tricot devient trop étiré. Montez les 50 mailles sur une même aiguille, puis distribuez-les sur quatre aiguilles : 12 mailles sur les 1re et 3e aiguilles ; 13 mailles sur les 2e et 4e aiguilles.

Placez un repère sur l'aiguille droite.

Formez un cercle avec l'aiguille en veillant à ne pas tordre le montage (page 81). Tricotez (tric.) à l'endroit (end.) les m. de l'aiguille gauche à l'aiguille droite, en glissant chaque fois le repère pour indiquer le point de départ des cercles (pages 79 à 81).

Pour les jambières d'une couleur : tric. end. en rond jusqu'à 10 (14) po/25 (36) cm du montage.

Pour les jambières multicolores : tric. end. en rond jusqu'à 1 po/ 2,5 cm du montage. Ne coupez pas la 1re couleur ; laissez-la pendre du côté bosselé/envers (côté env.) des jambières. Au repère, commencez la 2e couleur en laissant 4 po/10 cm de bout pendre du côté env. Tric. end. avec la 2e couleur pour faire de 2 à 7 tours. Ne coupez pas la 2e couleur.

*Au repère, revenez à la couleur précédente en ramenant le fil vers le haut du côté env., sans trop tirer pour ne pas faire pocher, mais en tirant suffisamment pour ne pas laisser de trous. Tric. end. avec cette couleur pour faire de 2 à 7 tours.

Essayez d'équilibrer les couleurs afin de ne pas manquer de fil.

Répétez à partir de l'* jusqu'à 10 (14) po/25 (36) cm du début, en terminant avec le repère.

FAÇONNAGE DU MOLLET

Commencez à façonner immédiatement après le repère. (Pour les jambières multicolores, continuez les changements de couleur durant le façonnage.)

1er tour de diminution 10 end., tricotez à l'endroit 2 m. ensemble (2 end. ens., page 77), 11 end., 2 end. ens., 10 end., 2 end. ens., 11 end., 2 end. ens. (Vous devriez maintenant vous trouver au repère — 46 m. sur l'aiguille.)

Travaillez sur 2 po/5 cm sans diminuer, en terminant avec le repère.

2e tour de diminution 9 end., 2 end. ens., 10 end., 2 end. ens., 9 end., 2 end. ens., 10 end., 2 end. ens. (Vous devriez maintenant vous trouver au repère — 42 m. sur l'aiguille.)

Travaillez sur 2 po/5 cm sans diminuer, en terminant avec le repère.

Pour les jambières minimum seulement : rabattez les mailles lâchement.

Pour les jambières maximum seulement : 3e tour de diminution 8 end., 2 end. ens., 9 end., 2 end. ens., 8 end., 2 end. ens., 9 end., 2 end. ens. (Vous devriez maintenant vous trouver au repère — 38 m. sur l'aiguille.)

Sans faire d'autre diminution, travaillez jusqu'à 24 po/61 cm du début. Rabattez les mailles lâchement.

Pour les deux : Cousez les bouts à l'intérieur (page 58), du côté bosselé.

Faites ensuite une seconde jambière exactement comme la première.

Pour les jambières multicolores, vous pouvez commencer la seconde jambière avec la même couleur que la première, ou non ; vous pouvez faire correspondre les bandes, ou non ! Les deux pièces iront bien ensemble, peu importe comment vous les ferez.

Si les jambières maximum sont lâches sur la jambe, portez-les avec un élastique sous la bordure du haut.

Jambières minimum : 1 écheveau CASCADE 220, couleur no 9412

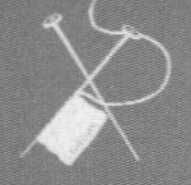

Le bonnet presque tricoté en rond

Pendant plusieurs années, j'ai tenté d'apprendre à tricoter à ma fille, Cathy. Pour une raison ou pour une autre, rien n'y faisait. Jusqu'à ce que quelque chose se produise un bon soir, alors qu'elle avait vingt-quatre ans.
Son copain Andy, mon ami Christian, sa fille Sarah, et moi attendions Cathy. Quand je leur ai demandé ce qu'ils voulaient faire en patientant, Christian s'est exclamé : « Et si Andy et moi apprenions à tricoter ? » Je leur ai donc appris les rudiments du tricot pendant que Sarah travaillait à son poncho.
Lorsque Cathy est arrivée et qu'elle nous a vus en train de tricoter, elle s'est exclamée : « Moi aussi, je veux le faire ! » Et elle l'a fait !
Le premier tricot qu'elle a voulu confectionner fut un bonnet. Voici le modèle que j'ai conçu spécialement pour elle. Comme ce bonnet comporte une bordure au point mousse, il est presque entièrement tricoté en rond. Cette bordure permet de tricoter un échantillon à plat pour s'assurer de la bonne taille du bonnet.

Voici comment faire !

BORDURE

1 À l'aide d'une aiguille circulaire et de votre méthode favorite (j'ai utilisé le montage avec le pouce, page 28), montez 70 (80, 90) mailles (m.).
Tricotez (tric.) à l'endroit (end.) toutes les m. aller-retour jusqu'à 1 po/2,5 cm de hauteur.
Rang d'augmentation suivant *19 end., faites une augmentation barrée (end. av. arr., page 77), répétez à partir de l'* 2 (3, 3) fois de plus, 10 (0,10) end. — 73 (84, 94) m. sur l'aiguille.
Ne tournez pas votre tricot à la fin du rang.

Moyen : un écheveau CASCADE 220, couleur n° 9412

EXPÉRIENCE	**Cela ira à**	**4 po/10 cm**	**Vous aurez besoin de**	**J'ai utilisé**
• *premier projet de débutant* • *façonnage minimal* • *finition minimale*	*P (M, G)*	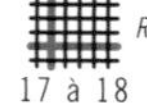 *RAPPROCHEZ-VOUS* 17 à 18 • *mailles au point mousse*	1 2 3 **4** 5 6 • *fil moyen* • *100 (110, 130) verges/ 91 (101, 119) mètres* • *laine douce ou mélange de laines*	 • *4,5 mm/É.-U. 7* • *40 cm/16 po* • *4,5 mm/É.-U. 7*

CORPS

Formez un cercle avec l'aiguille en veillant à ne pas tordre le tricot.
Mettez un repère sur l'aiguille droite.
Tric. à l'end. toutes les m., de l'aiguille gauche à celle de droite. Au repère, vous aurez terminé un tour (rang).
Continuez de tric. end. en rond (p. 79 à 81) toutes les m., en glissant le repère de l'aiguille gauche à l'aiguille droite chaque fois (pour identifier le début de chaque rang), jusqu'à 5 (6, 7) po/13 (15, 18) cm du début (lorsque la bordure n'est pas repliée). Terminez au repère.

COURONNE

Commencez à travailler avec des aiguilles à double pointe (page 80):
1er rang (de diminution)
Pour toutes les tailles: sur l'aiguille n° 1, *10 end., insérez un repère, 9 end., tricotez à l'endroit 2 m. ensemble (2 end. ens., page 77)*.
Sur l'aig. n° 2, recommencez de * à *.
Sur l'aig. n° 3, recommencez de * à *.
Pour la petite taille: sur l'aig. n° 4, tric. 10 end.
Pour la taille moyenne: sur l'aig. n° 4, rép. de * à *.
Pour la grande taille: sur l'aig. n° 4, rép. de * à *, insérez un repère, 10 end.

Pour toutes les tailles: remplacez le repère de début de rang par une épingle de sûreté insérée dans le tricot et travaillez ainsi:
2e rang (de diminution) Sur toutes les aig., tric. end. jusqu'à 2 m. du repère, 2 end. ens., tric. end. jusqu'à 2 m. de la fin de l'aig., 2 end. ens.
3e rang End. toutes les m.
Rép. les 2e et 3e rangs jusqu'à ce qu'il reste 14 (16, 18) m.
Rang final Tric. 2 end. ens. sur tout le rang, en retirant les repères et en travaillant les m. de la 1re et de la 2e aiguilles sur la 1re aiguille, et les m. de la 3e et de la 4e aiguilles sur la 3e aiguille.
Laissez 5 po/13 cm de fil, puis coupez. À l'aide d'une aiguille à tapisserie, enfilez ce fil dans chacune des m. Resserrez-les ensemble.
Utilisez le bout du fil de montage pour coudre la petite ligne le long de la bordure au point mousse (côte à côte, page 62).
Cousez les bouts à l'intérieur (page 58).

La bordure de ce bonnet se repliera naturellement. Cela vous permet de le porter de deux façons. Avec la bordure tirebouchonnée, il est plus court; avec la bordure dépliée, il couvrira mieux les oreilles.
Pour éviter que la bordure se replie d'elle-même, mouillez-la (à l'aide d'un vaporisateur), puis fixez-là à plat (le devant au dos) avec des épingles tout autour du bonnet. Laissez sécher.

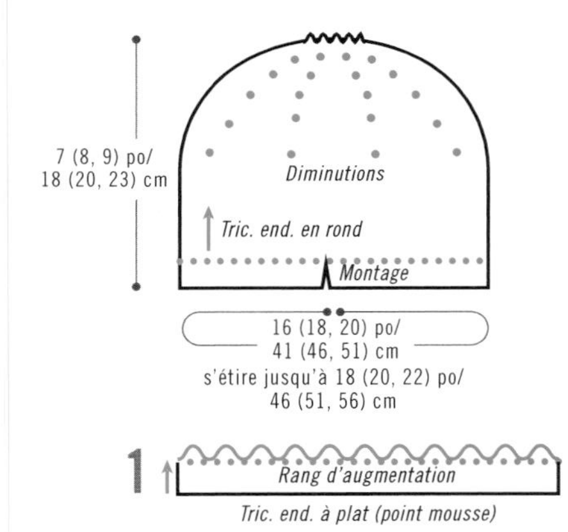

Un écheveau MOUNTAIN COLORS 4/8's Wool, couleur Mountain Twilight

Le bonnet et les moufles tricotés à plat

Les bonnets sont assez faciles à tricoter, sur des aiguilles circulaires ou à deux pointes, parce que leur circonférence est assez grande. Par contre, les moufles, dont la circonférence est plus petite — notamment pour le pouce —, sont plus difficiles à faire. Que doit faire le débutant qui désire un bonnet et des moufles assortis ? La solution est de les tricoter à plat, en commençant par le bonnet.

Voici comment faire !

Bonnet

Avec votre méthode préférée (j'ai utilisé le montage avec le pouce, page 28), montez 110 mailles (m.). Tricotez (tric.) à l'endroit (end.) toutes les m. de tous les rangs, jusqu'à 5 po/13 cm du début (ou à la hauteur désirée).

Le bonnet montré est tricoté à une hauteur de 5 po/13 cm. Il couvre la tête d'un adulte, front et oreilles. À 4 po/10 cm, il couvrirait le front, mais peu les oreilles. À une hauteur de 3 po/8 cm, le bonnet est mignon, mais il couvre seulement un peu le front et pas du tout les oreilles. Vous utiliserez beaucoup moins de fil pour ce dernier !

Déterminez l'endroit du montage, puis terminez avec le rang suivant de l'envers.

COURONNE

1er rang de diminution (endroit) 1 end., *10 end., tricotez à l'endroit 2 m. ensemble (2 end. ens., page 77), placez un repère ; répétez à partir de l'* 8 fois de plus et jusqu'à ce qu'il reste 1 m. 1 end. — 101 m. sur l'aiguille.

3 rangs suivants End. toutes les m.

2e rang de diminution (endroit) 1 end., *tric. end. jusqu'à 2 m. avant le repère, 2 end. ens., répétez à partir de l'* 8 fois de plus et jusqu'à ce qu'il reste 1 m., 1 end.

3 rangs suivants End. toutes les m.

Répétez les 4 derniers rangs jusqu'au moment où il restera 20 m.

Dernier rang de diminution 1 end., *2 end. ens., répétez à partir de l'* 8 fois de plus et jusqu'à ce qu'il reste 1 m., 1 end. — 11 m. sur l'aiguille.

Coupez le bout à 10 po/25 cm. Enfilez une aiguille à tapisserie et passez-la dans les 11 m. restantes. Serrez pour fermer. Cousez la ligne au centre du dos (côtes à côtes, page 62). Cousez les bouts à l'intérieur (page 58).

Quatre pelotes MOUNTAIN COLORS 4/8's Wool, couleur Bitterroot Rainbow

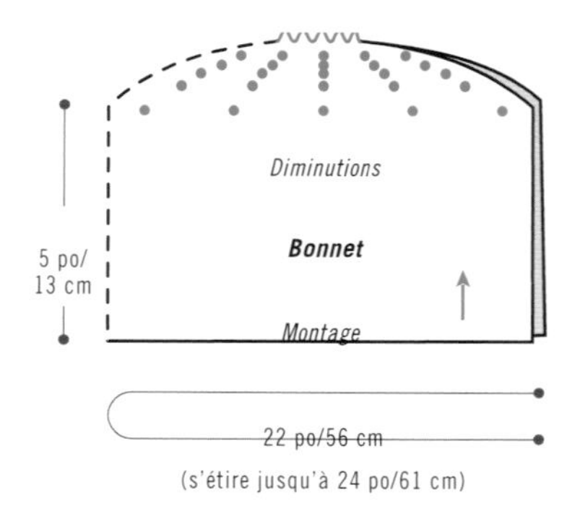

Moufles

1 POIGNET

Avec votre méthode préférée (j'ai utilisé le montage avec le pouce, page 28), montez 32 mailles (m.).

Tricotez (tric.) à l'endroit (end.) toutes les m. de tous les rangs, jusqu'à environ 2 po/5 cm.

Déterminez l'endroit du montage, puis terminez avec le rang du côté envers suivant.

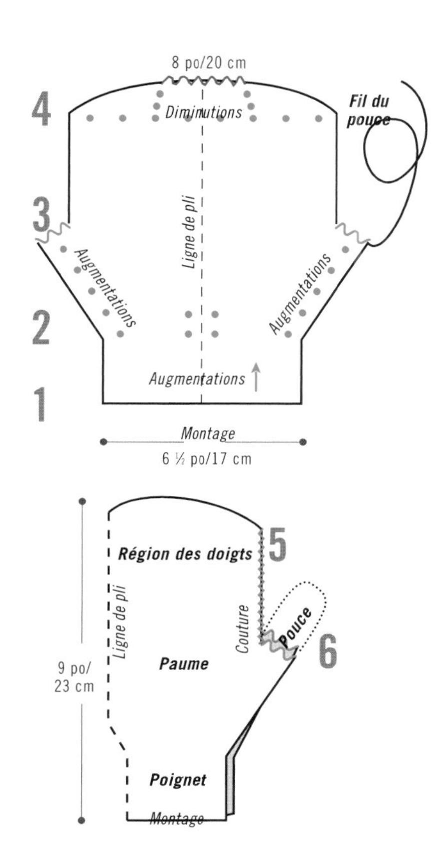

2 PAUME

1er rang d'augmentation (endroit) 1 end., faites une augmentation barrée (end. av. arr., page 77), 12 end., end. av. arr., 2 end., end. av. arr., 12 end., end. av. arr., 1 end. — 36 m. sur l'aiguille.

3 rangs suivants End. toutes les m.

2e rang d'augmentation (endroit) 1 end., end. av. arr., 14 end., end. av. arr., 2 end., end. av. arr., 14 end., end. av. arr., 1 end. — 40 m. sur l'aiguille.

3 rangs suivants End. toutes les m.

3e rang d'augmentation (endroit) 1 end., end. av. arr., end. jusqu'à ce qu'il reste 2 m., end. av. arr., 1 end. — 42 m. sur l'aiguille.

3 rangs suivants End. toutes les m.

Répétez ces 4 derniers rangs 6 fois de plus — 54 m. sur l'aiguille. Au début du rang suivant côté end., rompez le fil en laissant un bout de 4 verges/4 mètres pour le pouce.

3 DOIGTS

L'endroit faisant face, placez les 7 premières m. sur un arrêt de mailles pour le pouce, rattachez le fil et tric. 40 end., placez les 7 m. restantes sur un deuxième arrêt de mailles pour le pouce.

40 end. jusqu'à 4 po/10 cm après les m. laissées pour le pouce.

4

1er rang de diminution (endroit) *3 end., tricotez à l'endroit 2 m. ensemble (2 end. ens., page 77), répétez à partir de l'* 7 fois de plus — 32 m. sur l'aiguille.

Tous les rangs suivants du côté env. End. toutes les m.

2e rang de diminution (endroit) *2 end., 2 end. ens., répétez à partir de l'* 7 fois de plus — 24 m. sur l'aiguille.

3e rang de diminution (endroit) *1 end., 2 end. ens., répétez à partir de l'* 7 fois de plus — 16 m. sur l'aiguille.

4e rang de diminution (endroit) 2 end. ens. d'un côté à l'autre du rang — 8 m. sur l'aiguille.

End. un rang du côté env.

5

Coupez le fil en laissant un bout de 12 p/30 cm (assez long pour coudre vers le bas l'ouverture de la région des doigts). Enfilez une aiguille à tapisserie et passez-la dans toutes les m. Serrez pour fermer. Cousez la ligne de la région des doigts (maille à côte, page 63).

6 POUCE

L'endroit faisant face, insérez les 14 m. du pouce sur une aiguille, prêt pour un rang du côté end. en débutant à la bordure ouverte.

End. toutes les m. sur 2 rangs (en veillant à leur orientation, page 160, sur le premier rang).

1er rang d'augmentation (endroit) 1 end., end. av. arr., end. jusqu'à ce qu'il reste 2 m., end. av. arr., 1 end. — 16 m. sur l'aiguille.

End. jusqu'à la longueur voulue pour le pouce (1 ½ à 1 ¾ po/ 4 à 4,5 cm).

Rang final (endroit) Tric. 2 end. ens. d'un côté à l'autre du rang — 8 m. sur l'aiguille.

Enfilez le fil restant sur une aiguille à tapisserie et passez-le dans toutes les m. Serrez pour fermer.

Cousez vers le bas l'ouverture du pouce, de la paume et du poignet.

Cousez les bouts à l'intérieur (page 58).

Faites une seconde moufle exactement comme la première.

Pour distinguer la moufle droite de la gauche, enfilez une moufle sur votre main droite, puis retirez-la avec précaution de façon à maintenir la forme. Repassez-la légèrement avec un fer à vapeur.

Faites la même chose avec la moufle gauche.

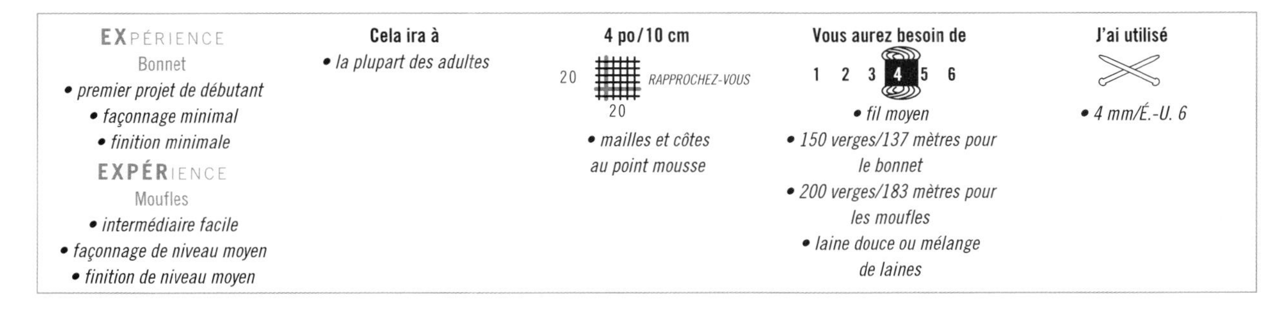

Devant et derrière

Les vêtements ont un devant (dev.) et un derrière (der.), comme le rang et les mailles elles-mêmes.

Lorsqu'ils ne désignent pas clairement les morceaux de vêtement, les termes devant et derrière signifient ceci :

- Le devant (ou l'avant) du tricot est le côté qui vous fait face alors que vous travaillez, même si vous êtes sur un rang du côté envers ;
- Le derrière (ou l'arrière) du tricot est le côté qui ne vous fait pas face pendant que vous travaillez, que vous soyez sur un rang du côté endroit ou envers.

Tricoter à l'endroit, à l'avant (end. av.) ou à l'arrière (end. arr.) d'une maille

Pendant que vous tricotez, remarquez que votre fil est derrière lorsque vous faites une maille endroit.

Dans le chapitre « Oups ! », on explique que vous pouvez tricoter à l'endroit dans l'arrière d'une maille pour la détordre si elle est à l'envers. Voir page 160.

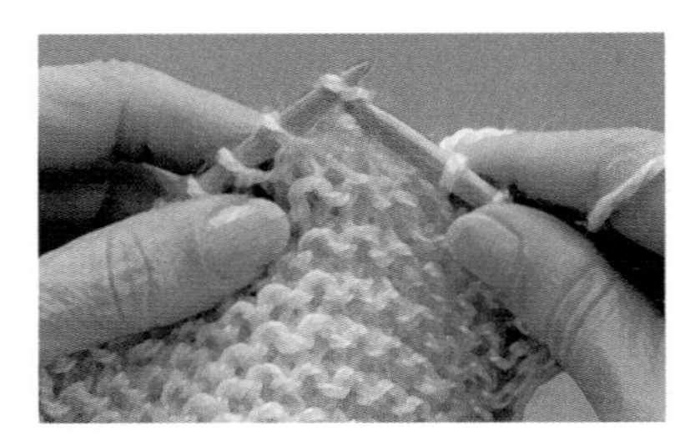

Quand vous faites une maille endroit, vous insérez l'aiguille droite dans le brin de la maille le plus rapproché de vous — le devant (l'avant) de la maille.

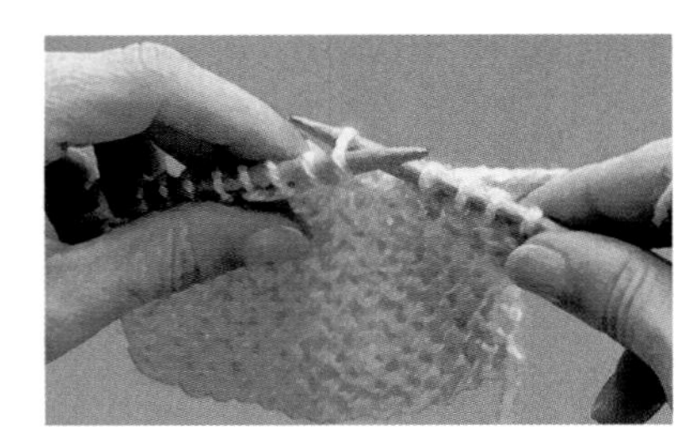

Si vous insériez l'aiguille droite dans le brin de la maille le plus éloigné de vous, vous tricoteriez dans l'arrière de la maille.

Continuer

Dans la marche à suivre, on vous dit parfois de « continuer » sur une certaine distance ou jusqu'à une certaine longueur. Cela signifie seulement que vous devez travailler sans faire d'augmentation, ni de diminution, ni de façonnage.

Couronne du bonnet tricoté à plat, page 74

Faire une diminution (dim.)

Lorsque vous faites une maille à partir de deux mailles, vous *diminuez*. Il y a de nombreuses façons de faire cela : une méthode est expliquée ici ; vous en verrez une autre dans un chapitre ultérieur.

OUPS ! J'ai oublié de faire une diminution ! Que dois-je faire ? Voir page 164.

OUPS ! J'ai fait ma diminution au mauvais endroit ! Que dois-je faire ? Voir page 164.

TRICOTER À L'ENDROIT DEUX MAILLES ENSEMBLE (2 END. ENS.)

Tricoter à l'endroit deux mailles ensemble est la plus facile des diminutions. Cela produit une diminution inclinée vers la droite.

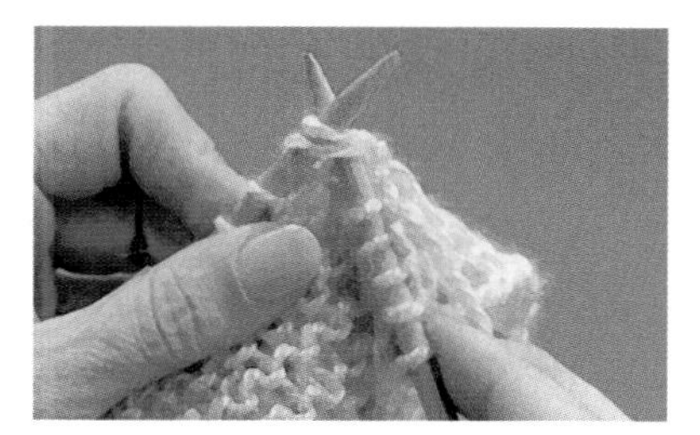

1 Insérez l'aiguille droite dans les deux premières mailles sur l'aiguille gauche, en commençant par la seconde maille à partir du bout de l'aiguille gauche.

2 Tricotez à l'endroit les deux mailles ensemble comme si elles n'en formaient qu'une, et voilà, vous avez fait une diminution !

Faire une augmentation (aug.)

Quand vous faites deux mailles à partir d'une seule, vous *augmentez*. Il y a de nombreuses façons de faire cela : une méthode est expliquée ici ; vous en verrez une autre dans un chapitre ultérieur.

OUPS ! J'ai oublié de faire une augmentation ! Que dois-je faire ? Voir page 164.

L'AUGMENTATION BARRÉE END. (AV. ARR.)

Lorsque les instructions vous demandent de faire une augmentation barrée, vous devez tricoter à l'endroit dans l'avant et l'arrière de la même maille. Cette augmentation se fait très bien au point mousse.

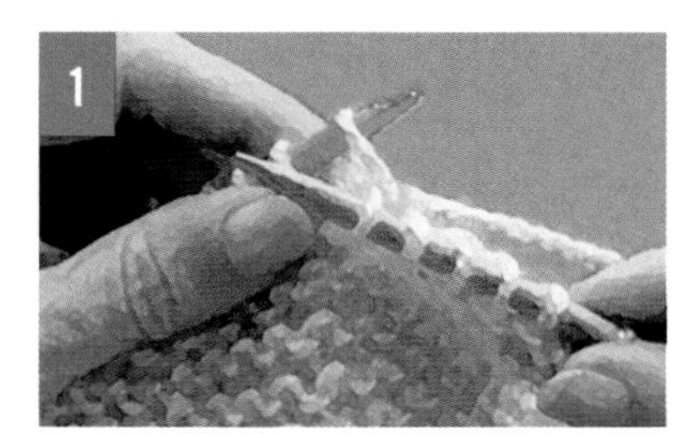

1 Tricotez à l'endroit dans l'avant de la maille, comme d'habitude, mais ne tirez pas cette maille hors de l'aiguille gauche.

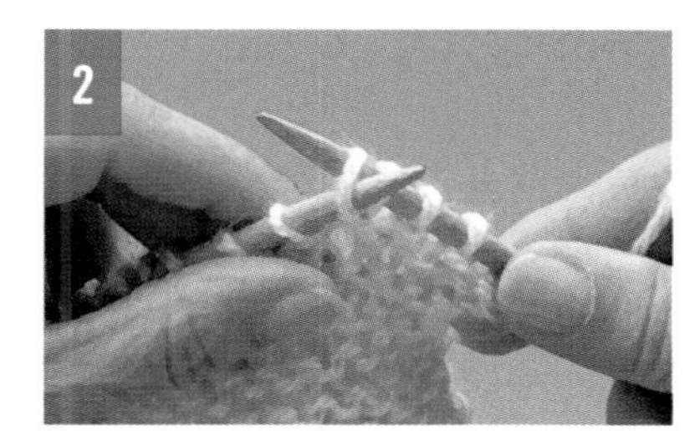

2 Amenez l'aiguille droite derrière et insérez-la dans l'arrière de la même maille.

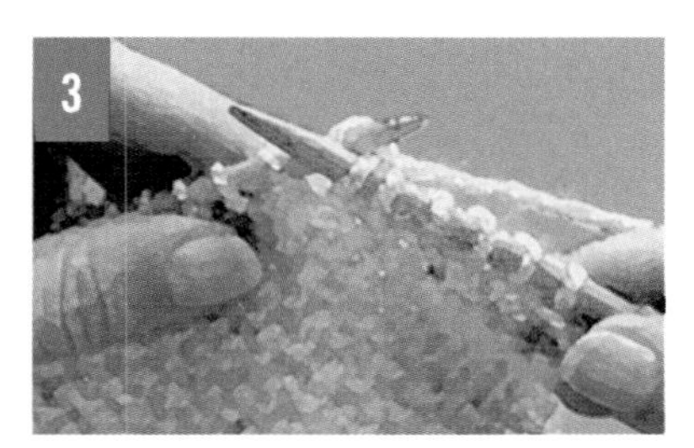

3 Tricotez-la à l'endroit comme d'habitude...

4 ... et voilà, vous avez fait une augmentation !

Pour certains patrons, il est important de savoir qu'avec le montage à deux fils vous avez déjà tricoté le rang 1.

Le montage à deux fils (ou à l'italienne)

Voici un montage souple qui est un bon choix pour travailler circulairement (bien qu'il puisse être utilisé aussi pour le tricot à plat). Il s'agit simplement d'un montage avec le pouce attaché à un rang de tricot, mais il est plus facile à manœuvrer que le montage avec le pouce, puisque les mailles ne tombent pas de l'aiguille aussi facilement.

1 Laissez un bout qui équivaut à 2,5 fois la largeur de la pièce pour laquelle vous faites ce montage. Placez l'aiguille droite sous le fil à cet endroit. Le bout est devant, le fil est derrière, et l'index droit retient le fil contre l'aiguille droite.

2 Placez le pouce gauche sous le bout.

3 Placez l'index gauche sous le fil.

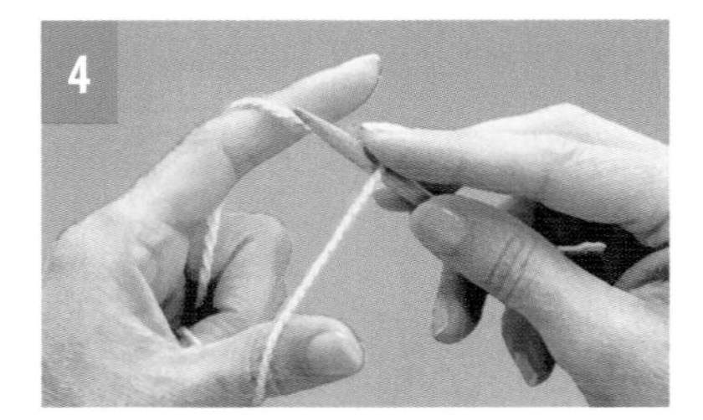

4 Tenez à la fois le bout et le fil contre votre paume gauche.

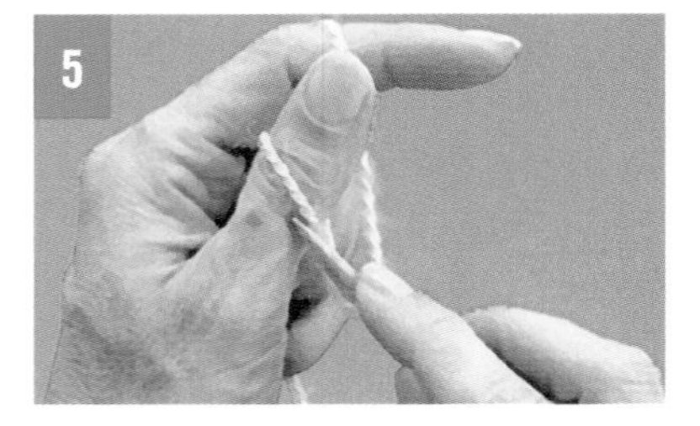

5 Insérez la pointe de l'aiguille droite à l'avant du bout (sur le pouce).

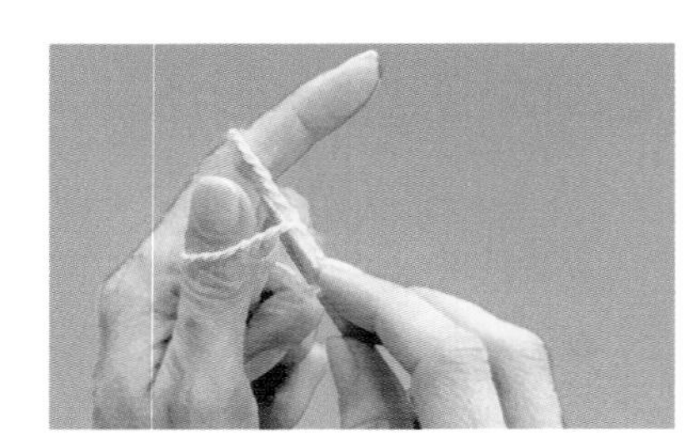

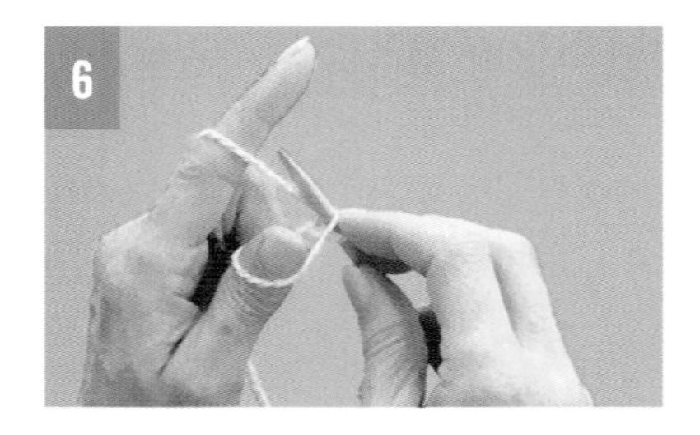

6 Amenez l'aiguille par-dessus le fil (sur l'index), puis dessous en passant par derrière.

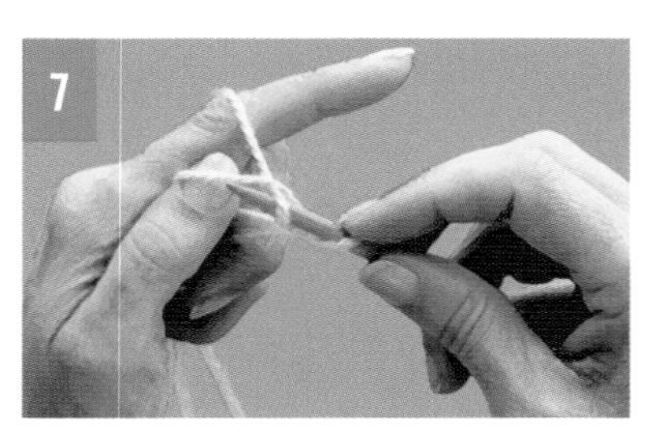

7 Retirez le fil à travers la boucle sur le pouce.

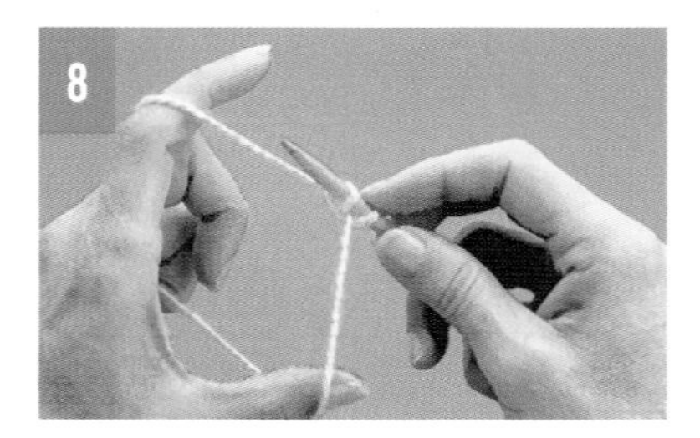

8 Tirez à la fois le bout et le fil pour serrer la maille de montage. (Il y a maintenant deux mailles sur l'aiguille droite.)

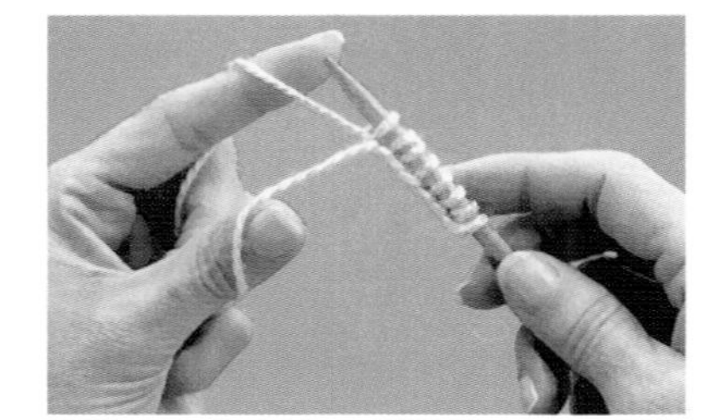

Répétez les étapes 5 à 8 jusqu'au moment où le nombre requis de mailles sera sur l'aiguille droite. Essayez de maintenir un espacement uniforme entre les mailles de montage.

Tricoter en rond

TRICOTER EN ROND : LA THÉORIE

Voici quelques informations de base :

- Lorsque vous tricotez une maille, vous tirez la nouvelle maille à travers l'ancienne, poussant la boucle de l'ancienne maille à l'arrière de l'ouvrage. Cela produit une *bosse* à l'arrière.

Le point mousse est ce que vous avez appris jusqu'à maintenant.

- Au point mousse, vous tricotez à l'endroit un rang (poussant les bosses du côté envers), puis vous tournez et tricotez à l'endroit un autre rang (poussant les bosses du côté endroit).
- Le fait de tourner à la fin de chaque rang et de pousser les bosses de l'autre côté produit la texture égale et sillonnée de l'étoffe au point mousse, et une pièce de tricot à plat.

Mais vous pouvez aussi *tricoter à l'endroit en rond* :

- Le fait de tricoter à l'endroit en rond et de toujours pousser les bosses du même côté produit une étoffe avec un côté entièrement lisse et un côté entièrement bosselé, et une pièce de tricot tubulaire.

Une étoffe avec un côté lisse et un côté bosselé peut aussi être produite en tricotant à plat — aller-retour, en tournant l'ouvrage à la fin de chaque rang. En pareil cas, les rangs du côté envers ne seraient pas tricotés à l'endroit, mais à l'envers.

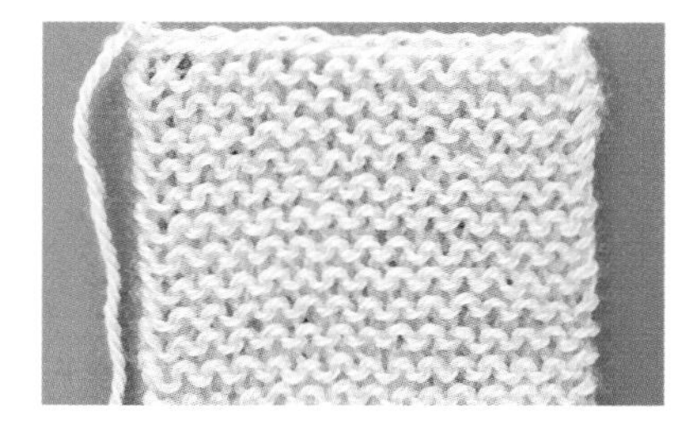

Le tricotage à l'endroit aller-retour produit une pièce à plat et une étoffe à la texture du point mousse.

Le tricotage en rond produit une pièce circulaire, avec un côté lisse et un côté bosselé.

Point jersey (pt. j.) et point jersey envers (pt. j. env.)

Le nom du côté lisse de l'étoffe produite en tricotant en rond est le point jersey ; le nom du côté bosselé est le point jersey envers. Le côté lisse est habituellement l'endroit, mais pour certains vêtements le côté bosselé est l'endroit (il y en a dans ce chapitre).

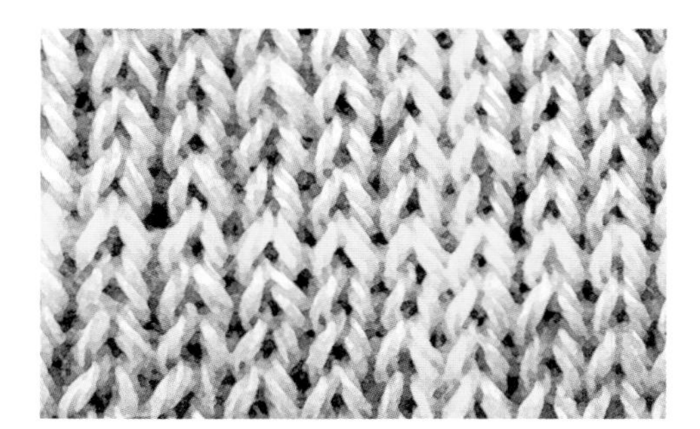

Voici comment reconnaître les mailles et les rangs au point jersey. La ligne horizontale est un rang qui compte 9 mailles ; la ligne verticale est une maille qui compte 8 rangs.

Les aiguilles circulaires ont différentes longueurs — de 12 po (30 cm) à 36 po (91 cm), et même davantage. On utilise rarement les plus grandes, et je trouve que celles de 12 po (30 cm) provoquent des crampes. La plupart du temps, des aiguilles circulaires de 16 à 24 po (de 41 à 61 cm) sont adéquates. Et souvenez-vous que vous pouvez travailler à plat, en tournant à la fin de chaque rang, sur une aiguille circulaire de n'importe quelle longueur.

Quand vous travaillez avec des aiguilles à deux pointes, vous avez vraiment l'air de savoir ce que vous faites. Toutes ces aiguilles sur vos genoux ! Bien sûr, vous ne tricotez jamais qu'avec deux aiguilles à la fois, mais ne le dites à personne...

On peut trouver des aiguilles à deux pointes de longueurs différentes — de 4 ½ à 12 po (de 11 à 28 cm). La plupart du temps, des aiguilles à deux pointes de 6 à 7 po (de 15 à 18 cm) sont adéquates. Mais veillez à n'utiliser que les moins glissantes, sinon elles tomberont de votre tricot facilement.

Lorsque j'utilise des aiguilles à deux pointes, je préfère un ensemble de cinq plutôt qu'un ensemble de quatre. Parce qu'un cercle formé par quatre aiguilles est plus facile à manœuvrer qu'un cercle formé par trois aiguilles. Et puis, souvent, nos modèles se divisent mieux en quatre segments qu'en trois. Si vous n'avez qu'un ensemble de quatre aiguilles, combinez simplement les mailles des troisième et quatrième aiguilles sur une seule aiguille : celle-ci devient votre troisième aiguille. La cinquième devient la quatrième.

TRICOTER EN ROND : LA PRATIQUE

Tricoter en rond est facile ! Pas de couture ; il s'agit seulement de faire des cercles. Qu'est-ce qui pourrait mal tourner ? En fait, vous vous embrouillerez si vous :

- choisissez les mauvaises aiguilles ;
- tricotez sur un montage tordu ;
- ne marquez pas le début du tour.

Tous ces problèmes sont abordés ci-dessous.

TRICOTER EN ROND SUR DES AIGUILLES CIRCULAIRES

Pour tricoter en rond, vous pouvez utiliser une aiguille circulaire. La circonférence de la pièce que vous tricotez (indiquée dans le modèle) devrait presque équivaloir à la longueur de l'aiguille circulaire (d'une pointe à l'autre).

Qu'arrive-t-il lorsque la circonférence de la pièce est trop petite pour une aiguille circulaire ? Vous devez utiliser autre chose, et je vous recommande les aiguilles à deux pointes.

TRICOTER EN ROND SUR DES AIGUILLES À DEUX POINTES

Voici comment travailler en rond avec cinq aiguilles à deux pointes.

1 Trouvez le début du tour (indiqué dans ces photos par un repère rouge). Le vôtre pourrait être identifiable par le bout du fil de montage. Les aiguilles sont toujours numérotées selon leur position au début du tour.

La première aiguille à gauche du repère est l'aiguille 1 (elle est ici dans la main gauche) ; l'aiguille suivante (dans le sens des aiguilles d'une montre) est l'aiguille 2 ; l'aiguille suivante est l'aiguille 3 (elle est ici dans la main droite) ; et la dernière (à droite du repère) est l'aiguille 4. La cinquième aiguille est celle qui reste, libre de mailles. Elle devient votre aiguille droite.

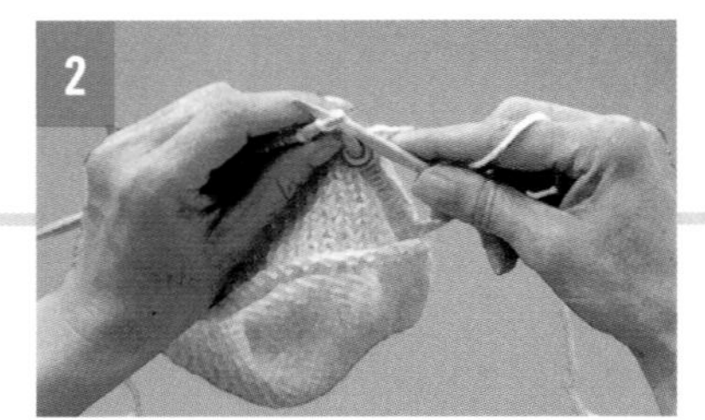

2 Lorsque vous commencez le tour, l'aiguille 1 devient votre aiguille gauche. Vous tricoterez les mailles de l'aiguille 1 à l'aiguille libre.

UTILISER LES REPÈRES DE MAILLES

Les repères de mailles vous aident à vous rappeler où vous en êtes dans votre tricot et ils peuvent vous épargner de fastidieux comptages.

Un repère est placé sur une aiguille, entre deux mailles, et il reste à cette place pour un certain nombre de rangs. Lorsque vous arrivez à un repère, glissez-le simplement de l'aiguille gauche à l'aiguille droite.

LE MONTAGE POUR TRICOTER EN ROND

Voici comment ne pas commencer à tricoter en rond avec un montage tordu :

- Montez toutes les mailles.
- Examinez le montage et assurez-vous que toutes les mailles reposent sur le dessus de l'aiguille, que la bordure du montage est au-dessous et que le montage ne s'enroule pas en spirale autour de l'aiguille.
- Insérez l'aiguille droite dans la première maille de l'aiguille gauche.
- Avant de tricoter, assurez-vous encore une fois que le montage n'est pas tordu.

Dans le modèle de bonnet tricoté à plat, vous devrez toujours diminuer au même endroit, neuf fois dans chacun des autres rangs. En plaçant des repères qui divisent l'ouvrage en neuf segments, vous n'aurez qu'à travailler jusqu'au repère et ensuite on vous indiquera comment faire la diminution.

Dans les modèles pour lesquels les repères sont utiles, on vous indique généralement où et quand les placer.

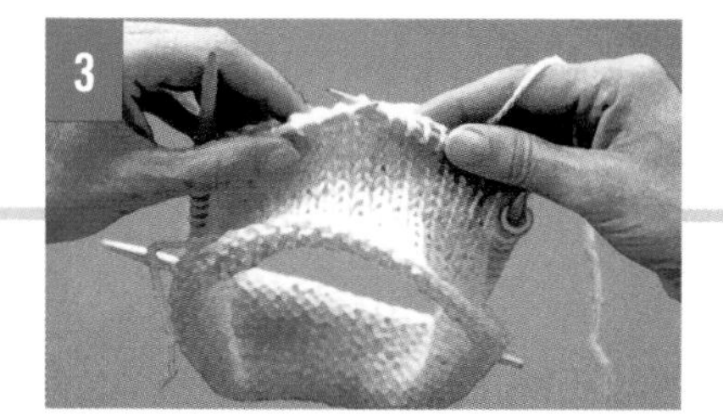

3 Au fur et à mesure que vous tricotez des mailles sur l'aiguille libre, elle devient l'aiguille 1 (parce qu'elle devient la première aiguille à gauche du repère désignant le début du tour).

Bientôt vous aurez une nouvelle aiguille libre. Elle devient votre « aiguille droite » et l'aiguille 2 devient votre « aiguille gauche ».

Vous continuez dans le sens des aiguilles d'une montre, en tricotant les anciennes mailles sur une aiguille libre. Souvenez-vous, tout en travaillant, que les aiguilles sont toujours numérotées selon leur position relative au début du tour.

Si vous tricotez sur un montage tordu, vous produirez une pièce d'étoffe tordue qui ne pourra pas être redressée.

L'attention aux **DÉTAILS**

Dans les prochains projets, une attention particulière sera portée aux détails qui rehausseront l'apparence de votre travail. Mon credo est : « Dieu est dans les détails. » Cela signifie que même les vêtements faciles à tricoter doivent être confectionnés soigneusement.

Parfois, on doit être attentif aux détails dès le début d'un projet. Dans le chapitre trois, par exemple, vous apprendrez le montage au crochet, et si vous en faites bon usage toutes vos bordures s'harmoniseront.

Le montage au crochet n'est pas facile à maîtriser. J'ai entendu des tricoteurs expérimentés dire : « Tu ne peux pas apprendre cela à un débutant ! C'est trop difficile ! » En fait, ce n'est pas si difficile aux yeux du novice qui n'a aucun point de comparaison. Quoi qu'il en soit, ce sont souvent ces petites touches (comme le fait d'utiliser une méthode de montage qui se concilie avec la terminaison) qui assurent une exécution parfaite.

Parfois, l'attention aux détails est nécessaire tout au long d'un projet. Dans le chapitre quatre, vous apprendrez à maintenir une maille glissée en lisière de toutes les pièces.

Je me rappelle avoir lu un livre sur le bouddhisme, dans lequel un jeune homme harcèle de questions un vieil homme : « Révélez-moi le secret de la vie ! » L'ancien refuse de répondre pour un certain temps, puis il finit par lui dire : « Sois attentif à tout. »

Des notes du chapitre quatre vous rappelleront constamment à quel point il est important d'être attentif à votre lisière de mailles glissées. Le tricot, tout comme la vie, exige une attention constante. Ne serait-il pas merveilleux si nous avions toujours des notes sous les yeux pour nous rappeler cette vérité dans notre vie quotidienne !

Parfois, c'est la finition d'une pièce qui requiert toute notre attention. Hélas, nombre de personnes ne lisent pas les instructions jusqu'à la fin, peut-être parce qu'on « n'aime pas ce qu'on ne comprend pas ». Beaucoup n'apprennent qu'une seule méthode de couture et ne se rendent pas compte qu'elle ne s'applique pas à toutes les situations. Or, la plupart des modèles ne comportent pas d'instructions de couture détaillées. Donc, si la seule méthode que vous connaissez est inappropriée, le résultat sera bâclé.

Une de mes étudiantes m'a dit un jour : « Peu importe combien tu dépenses pour le fil ou combien de temps tu passes à tricoter, c'est ce que tu fais dans les deux dernières heures qui fait toute la différence ! » Elle avait raison : des tricots potentiellement formidables sont souvent ruinés par une finition maladroite.

Donc, n'oubliez jamais mon credo : « Dieu est dans les détails. »

Les vêtements, D'UN CÔTÉ À L'AUTRE

Quand j'ai créé le « cardigan meilleur ami », je savais que ce serait la première pièce de tricot destinée à ce livre, mais j'ignore d'où m'est venue l'idée de l'asymétrie. Je ne savais même pas si cela serait beau. Les résultats furent étonnants.

La première fois que j'ai porté ce cardigan, tout le monde m'en a parlé et la plupart des gens en voulait un. Pourquoi ? Certainement pour sa forme simple et séduisante, pour son fil somptueux, et peut-être aussi parce que, compte tenu de sa forme irrégulière, les risques d'erreur sont faibles ! Mais il y avait autre chose : pour 10 % des gens, l'asymétrie de ce vêtement a un effet comparable à celui d'ongles crissant sur un tableau ; pour les autres, l'asymétrie est extrêmement attrayante. Or, je dis souvent pour plaisanter : « Si c'est asymétrique, c'est de l'art ! » En fait, ces réactions, à mon avis, ont trait aux hémisphères du cerveau. L'hémisphère gauche (qui habituellement domine) aime l'ordre et la symétrie ; l'hémisphère droit, au contraire, aime ce qui est atypique. Ceux qui vivent sous l'empire du cerveau gauche ne peuvent tolérer l'asymétrie ; ce sont les 10 % qui voient ce vêtement et disent : « Tu n'avais pas assez de fil, ou quoi ? » Par ailleurs, d'autres sont tout à fait heureux d'user de leur cerveau droit ; ce sont les 90 % qui s'écrient en voyant ce cardigan : « J'en veux un ! »

Le « gilet asymétrique » m'est venu plus tard. Je l'ai conçu pour ceux qui voudraient posséder un cardigan, mais qui n'ont pas le temps d'en fabriquer un ou qui n'ont pas les moyens de se procurer les matériaux de base. Curieusement, si la veste exige moins de temps et de fil, elle est plus difficile à faire que le cardigan à cause de ses façonnages plus nombreux. En poursuivant votre apprentissage, vous découvrirez beaucoup d'éléments qui compliqueront votre tricot. Le façonnage est l'un de ces éléments.

Chapitre trois

Les modèles

Habiletés supplémentaires

Le cardigan meilleur ami

Je l'ai nommé ainsi parce qu'on se sent bien quand on le porte. Et puis il fait toujours ce qu'on attend de lui quand on ne sait quoi porter. De plus, la plupart de mes grandes amies ont choisi d'en confectionner un ! Vous tricoterez cette pièce d'un côté à l'autre et vous aurez parfois du mal à comprendre ce que vous êtes en train de faire. Examinez bien les schémas pour vous repérer. Vous remarquerez que les deux pans de devant et le dos sont de longueurs différentes ; alors, si vous vous trompez un peu, qui le saura ?
Cela dit, si vous préférez un style plus court, n'hésitez pas à raccourcir ce vêtement ; il sera tout de même fantastique. (Le cardigan bleu, à la page 88, est plus court de 1 ½ po [4 cm] que le cardigan rouille.)
La version rouille est faite d'un mélange d'alpagas. L'alpaga est une fibre extraordinaire, mais l'étoffe tricotée est lourde. Dans un vêtement d'un côté à l'autre, cette caractéristique affectera surtout la longueur des manches. (Voir « Mesurer la longueur », page 79, pour vous assurer que vos manches ne seront pas trop longues.)

Voici comment faire !

1 POIGNET GAUCHE

Avec le montage au crochet (page 94), montez 28 (28, 34, 34, 34) mailles (m.) sur l'aiguille la plus fine.
Tricotez (tric.) à l'endroit (end.) 1 rang du côté endroit (côté end.).
Tournez l'ouvrage. Suspendez un repère sur le côté du tricot vous faisant face : cela désigne le côté envers (côté env.) de l'étoffe. Continuez à déplacer le repère vers le haut du tricot, au besoin.
Tric. end. toutes les m. de tous les rangs, jusqu'à 6 côtes (en terminant avec un rang du côté env.).

2 MANCHE GAUCHE

Rang suivant (côté end.) 4 end., *faites une augmentation intercalaire (aj. 1, page 99), 3 end., répétez à partir de l'* 6 (6, 8, 8, 8) fois de plus, aj. 1, 3 end. — 36 (36, 44, 44, 44) m. sur l'aiguille.
Changez pour une aiguille (ou des aiguilles) plus large(s).
End. 3 rangs.
Rang (d'augmentation) suivant (côté end.) 1 end., aj. 1, end. jusqu'à ce qu'il reste 1 m., aj. 1, 1 end.
Répétez ces 4 derniers rangs (en augmentant à la fin de tous les 4e rangs) jusqu'à 72 (72, 78, 78, 78) m. À l'augmentation finale, suspendez un repère au bord de la pièce.

Moyen : 22 écheveaux Classic Elite Zoom, couleur n° 1058

EXPÉRIENCE
- *très facile*
- *façonnage minimal*
- *finition minimale*
- *beaucoup de tricot*

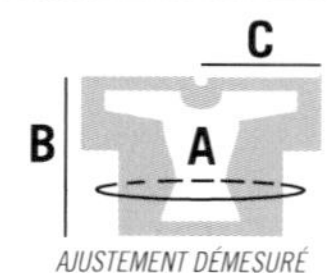

P (M, G, TG, TTG)
***A** 44 (48, 52, 56, 60) po/112 (122, 132, 142, 152) cm*
***B Longueur du dos :** tricotez jusqu'à 25 (25½, 26, 26½, 27) po/64 (65, 66, 67, 69) cm, s'étire jusqu'à 27 à 29 po/69 à 74 cm*
***C** Tricotez jusqu'à 28 po/71 cm, s'étire jusqu'à 29 po/74 cm*

Vous aurez besoin de ce repère pour y ajuster la manche droite.

Continuez de tric. end. toutes les m. de tous les rangs, sans augmentation, jusqu'à 17 (16, 15, 14, 13) po/43 (41, 38, 36, 33) cm du début de la manche ou jusqu'à la longueur de manche désirée, en terminant avec un rang du côté env. RACCOURCISSEZ ou ALLONGEZ la manche ici.

3 DOS ET DEVANT GAUCHES

Si vous désirez raccourcir ou allonger le devant et le dos ici, photocopiez les schémas ; vous y reporterez vos nouvelles valeurs.

Avec le côté end. faisant face et avec un crochet, tirez le fil à travers la 1re m. de l'aiguille gauche. Travaillez un montage au crochet jusqu'à 45 (47, 45, 47, 49) m. de montées — 117 (119, 123, 125, 127) m. sur l'aiguille. RACCOURCISSEZ ou ALLONGEZ le dos gauche ici.

Pour raccourcir de 1 po/2,5 cm, montez 3 m. de moins. Pour allonger de 1 po/2,5 cm, montez 3 m de plus. Là où vous voyez « A___ » sur la photocopie, inscrivez le nombre de m. de plus (+3 ?) ou de moins (-3 ?) que vous montez pour le dos gauche. Pour le cardigan bleu : A = -4.

End. 1 rang (côté end.). Tournez l'ouvrage.

Avec le côté env. faisant face et avec un crochet, tirez le fil à travers la 1re m. de l'aiguille gauche. Travaillez un montage au crochet jusqu'à 32 (34, 32, 34, 36) m. de montées — 149 (153,155, 159, 163) m. sur l'aiguille. RACCOURCISSEZ ou ALLONGEZ le devant gauche ici.

Pour raccourcir de 1 po/2,5 cm, montez 3 m. de moins. Pour allonger de 1 po/2,5 cm, montez 3 m. de plus. Là où vous voyez « B___ » sur la photocopie, inscrivez le nombre de m. de plus (+3 ?) ou de moins (-3 ?) que vous montez pour le devant gauche. Pour le cardigan bleu : B = -4.

Pour le corps du vêtement, travaillez tous les rangs ainsi : avec le fil devant (f. dev., page 96), glissez la première m. dans le sens de l'envers (gl. 1 env., page 98), passez le fil derrière (f. der.), end. jusqu'à la fin du rang. (Grâce à cette lisière de mailles glissées, les bordures seront plus soignées et le vêtement tombera bien.)

Travaillez jusqu'à 7 ½ (8 ½, 9 ½, 10 ½, 11 ½) po/19 (22, 24, 27, 29) cm de la bordure de montage du dos et du devant gauches, en terminant avec un rang du côté env.

N'oubliez pas de déplacer votre repère (désignant le côté env.) vers le haut de l'ouvrage, au besoin.

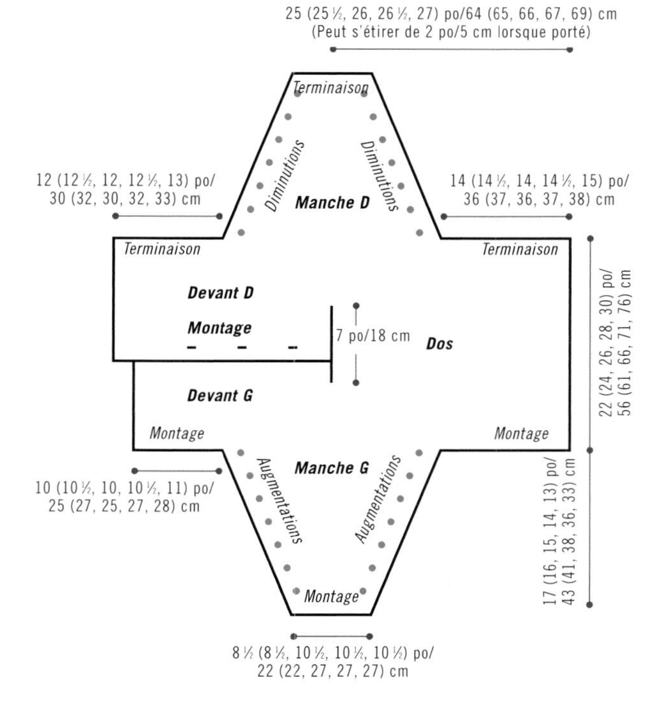

4 CENTRE DU DOS (TRANSVERSAL AU COU)

81 (83, 84, 86, 88) m. end. Glissez les 68 (70, 71, 73, 75) m. restantes sur un arrêt de mailles.

Ces deux comptages de mailles seront différents si vous avez ajusté les longueurs du dos et du devant gauches. Consultez A___ et B___ sur votre photocopie.

Tournez l'ouvrage. Continuez avec les m. du dos seulement jusqu'à 7 po/18 cm du début de la section du centre du dos, en terminant avec un rang du côté env. Rompez le fil. Placez ces m. sur un arrêt de mailles.

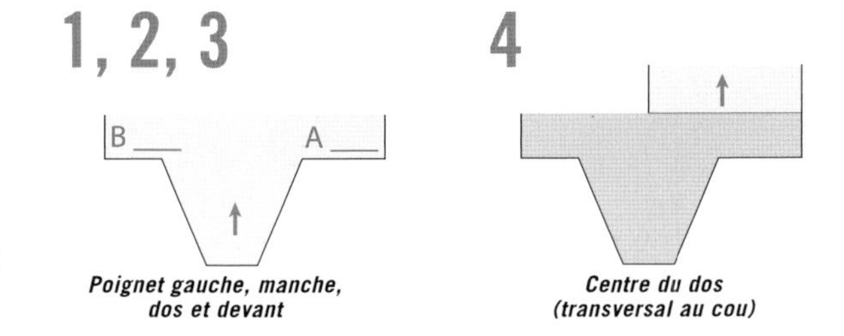

Poignet gauche, manche, dos et devant

Centre du dos (transversal au cou)

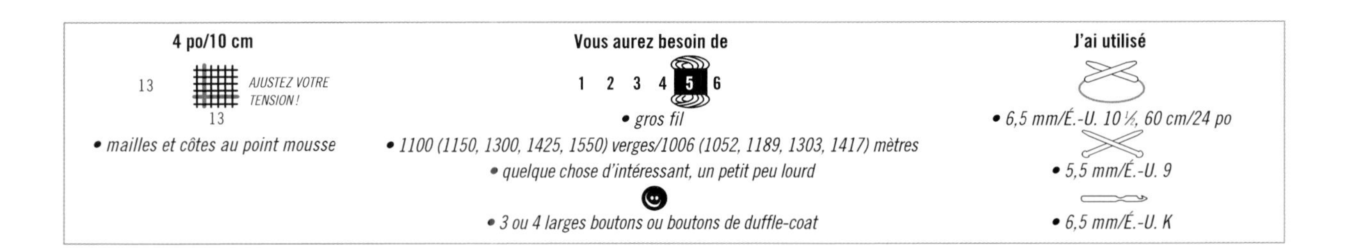

Moyen : 4 écheveaux SCHAEFER YARNS Elaine, couleur Eleanor Roosevelt

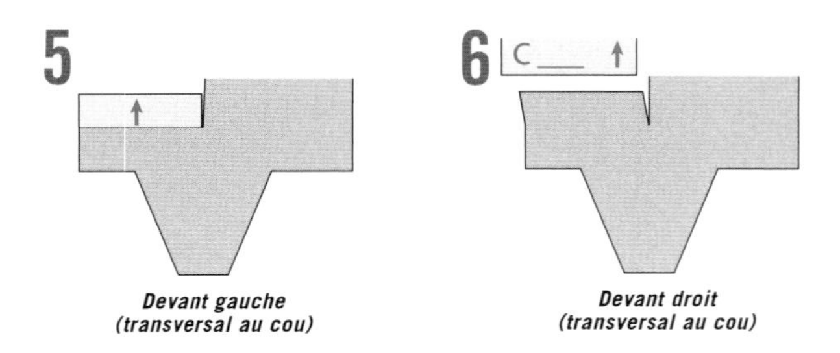

Devant gauche (transversal au cou)

Devant droit (transversal au cou)

5 DEVANT GAUCHE (TRANSVERSAL AU COU)

Retournez aux m. laissées sur une aiguille ou sur un arrêt de mailles, prêt pour un rang du côté end. Travaillez jusqu'à 5 po/13 cm du début de la section devant gauche, en terminant avec un rang du côté env.
Rabattez les m.

6 DEVANT DROIT (TRANSVERSAL AU COU)

Avec le montage au crochet, montez 74 (76, 78, 80, 82) m. sur l'aiguille plus épaisse. RACCOURCISSEZ ou ALLONGEZ le devant droit ici.

Pour raccourcir de 1 po/2,5 cm, montez 3 m. de moins. Pour allonger de 1 po/2,5 cm, montez 3 m. de plus. Là où vous voyez « C___ » sur la photocopie, inscrivez le nombre de m. de plus (+3 ?) ou de moins (-3 ?) que vous montez pour le devant droit. Pour le cardigan bleu : C = -4.

Faites 1 rang du côté end.
Tournez l'ouvrage. Suspendez un repère sur le côté du tricot vous faisant face : il désigne le côté env. de l'étoffe. Continuez à déplacer le repère vers le haut du tricot, au besoin. Faites cette pièce avec une m. gl. au début de chaque rang. Travaillez jusqu'à 3 côtes, en terminant avec un rang du côté env.
Rang suivant (début des boutonnières, côté end.) F. dev., gl. 1 env., f. der., 5 end., *jeté (j., page 97), tricotez à l'endroit 2 m. ensemble (2 end. ens., page 77), 14 end., répétez à partir de l'* 2 fois de plus, j., 2 end. ens., end. jusqu'à la fin. Vous avez fait 4 boutonnières.
Rang suivant (fin des boutonnières) F. dev., gl. 1 env., f. der., end. jusqu'à la fin en tricotant dans l'arrière des j. (pour les resserrer, page 97).
Continuez jusqu'à 5 po/13 cm du début de la section devant droite, en terminant avec un rang du côté env.
Rompez le fil.

7 DEVANT ET DOS DROITS

Glissez les m. du centre du dos de l'arrêt de mailles à l'aiguille gauche, en continuité avec les m. du devant droit, prêt pour un rang du côté end. — 155 (159, 162, 166, 170) m. sur l'aiguille.

Ce comptage de mailles sera différent si vous avez ajusté les longueurs du dos gauche et du devant droit. Consultez les A___ et C___ de la photocopie.

Joignez le fil et travaillez jusqu'à 7 ½ (8 ½, 9 ½, 10 ½, 11 ½) po/19 (22, 24, 27, 29) cm du début des devant et dos droits, en terminant avec un rang du côté env.
Rang suivant (côté end.) Rabattez 45 (47, 45, 47, 49) m. au début du rang.

Rabattez-en plus ou moins, si vous avez ajusté la hauteur : voir A___.

Rang suivant (côté env.) Rabattez 38 (40, 39, 41, 43) m. au début du rang — 72 (72, 78, 78, 78) m. sur l'aiguille.

Rabattez-en plus ou moins, si vous avez ajusté la hauteur : voir C___.

8 MANCHE DROITE

Ne faites plus de lisière de m. gl. au-delà de ce point. End. toutes les m. jusqu'au même nombre de côtes au point mousse que vous avez faites depuis la dernière augmentation de la manche gauche, en terminant avec un rang du côté env.

Il s'agit du nombre de côtes entre le repère et l'emmanchure de la manche gauche.

Rang de diminution suivant (côté end.) 1 end., faites un surjet simple (gl. 1, 1 end., p. m. g. p., page 99), end. jusqu'à ce qu'il reste 3 m., 2 end. ens.

End. 3 rangs.

Répétez ces 4 derniers rangs (en diminuant à la fin tous les 4e rangs) jusqu'à 36 (36, 44, 44, 44) m.

Rang suivant (côté end.) 3 end., *2 end. ens., 2 end., répétez à partir de l'* 6 (6, 8, 8, 8) fois de plus, 2 end. ens., 3 end. — 28 (28, 34, 34, 34) m. sur l'aiguille.

9 POIGNET DROIT

Changez de nouveau pour une (des) aiguille(s) plus fine(s), end. 6 côtes.

Rabattez les m.

FINITION

Retirez le repère.

En débutant au poignet gauche, cousez le dessous du bras gauche (côte à côte, page 62) et la ligne du côté (maille à maille, page 95) jusqu'à près de 6 ½ po/17 cm de la bordure au bas du dos et jusqu'à près de 2 ½ po/6 cm de la bordure au bas du devant gauche.

En débutant au poignet droit, cousez le dessous du bras droit et la ligne du côté jusqu'à près de 6 ½ po/17 cm de la bordure au bas du dos et jusqu'à près de 4 ½ po/11 cm de la bordure au bas du devant droit.

Cousez les boutons au devant gauche, vis-à-vis des boutonnières, en les plaçant à 1 ¼ po/3 cm de la bordure de terminaison. Si vous préférez donner au vêtement une légère forme en A et pour plus de chevauchement au cou, cousez le bouton du haut à 2 ½ po/6 cm de la bordure, le deuxième bouton à 2 po/5 cm de la bordure, le troisième à 1 ½ po/4 cm de la bordure, et le dernier bouton à 1 po/2,5 cm de la bordure.

Le vêtement pourrait paraître encore plus fantaisiste sans le 4e bouton. Si vous l'enlevez, refermez le trou du côté env. avec du fil du vêtement.

7, 8, 9

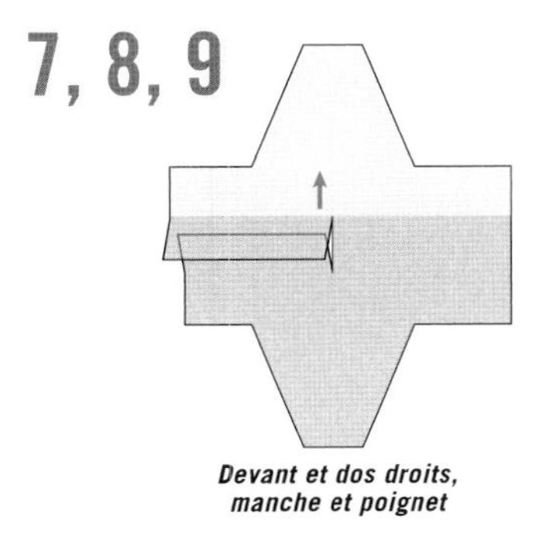

Devant et dos droits, manche et poignet

Le gilet asymétrique

J'adore les gilets ! Vous pouvez souvent les porter là où vous ne pouvez porter une veste. De plus, vous pourrez faire toutes sortes de combinaisons avec les manches du vêtement que vous porterez dessous.

Voici comment faire !

Avant de commencer, photocopiez les schémas pour y inscrire certaines valeurs. À première vue, ce vêtement ne semble pas difficile à faire : il n'y a aucune fioriture, le fil est épais, les bordures ne se joignent pas. Pourtant, comme le fil est épais, il n'y a pas beaucoup de mailles ni de côtes, donc vous aurez toujours quelque chose à faire pour former le vêtement. D'où les difficultés. Si vous prenez des notes sur une photocopie, vous pourrez plus facilement savoir où vous en êtes.

1 DEVANT DROIT

Avec le montage au crochet (page 94), montez 48 mailles (m.). RACCOURCISSEZ ou ALLONGEZ ici.

Pour raccourcir de 1 po/2,5 cm, montez 2 ou 3 m. de moins.
Pour allonger de 1 po/2,5 cm, montez 2 ou 3 m. de plus.
Lorsque vous voyez « A___ » sur la photocopie, inscrivez le nombre de m. de plus (+3 ?) ou de moins (-3 ?) que vous avez montées pour le devant droit. Vous y reviendrez chaque fois que vous lirez : « Ce nombre sera différent si vous avez ajusté la longueur. »

Tous les rangs suivants (sauf si indiqué) Avec le fil devant (f. dev., page 96), glissez la première m. dans le sens de l'envers (gl. 1 env., page 98), passez le fil derrière (f. der.), tricotez à l'endroit jusqu'à la fin du rang.

La lisière de mailles glissées (m. gl.) rendra votre bordure plus soignée et fera bien tomber le vêtement.

Faites 3 rangs de plus, en terminant avec un rang du côté envers.

Rang du côté endroit suivant (début des boutonnières) F. dev., gl. 1 env., f. der., 11 end., *1 jeté (page 97), tricotez à l'endroit 2 m. ensemble (2 end. ens., page 77), 6 end., répétez une fois à partir de l'*, j., 2 end. ens., end. jusqu'à la fin. 3 boutonnières faites.

Rang suivant (fin des boutonnières) F. dev., gl. 1 env., f. der., end. jusqu'à la fin, en tric. end. dans l'arrière du j. des boutonnières (pour les resserrer, page 97).

Continuez jusqu'à 5 ½ po/14 cm du début, en terminant avec un rang du côté env.

Moyen : 5 pelotes STYLECRAFT Fleece, couleur no 3444
Écharpe « Donnez-lui une forme ! » : 3 écheveaux GREAT ADIRONDACK YARN CO. Opera, couleur Starburst

EXPÉRIENCE
- *intermédiaire facile*
- *façonnage de niveau moyen*
- *finition minimale*
- *Ajustement démesuré*

C
B A

P (M, G, TG, TTG)
A *40 (44, 48, 52, 56) po/102 (112, 122, 132, 142) cm*
B *Longueur du dos : 24 po/61 cm*

4 po/10 cm
9
AJUSTEZ VOTRE TENSION !
9
- *mailles et côtes au point mousse*

Vous aurez besoin de

- *fil très gros*
- *350 (400, 450, 500, 550) verges/320 (366, 411, 457, 503) mètres*
- *quelque chose de doux*

- *3 boutons de 1 po/2,5 cm*

J'ai utilisé

8 mm/É.-U. 11
6 à 7 mm/É.-U. J – K

2 ÉPAULE DEVANT DROITE

La lisière de m. gl. ne sera pas faite au début de certains rangs du côté end. dans les façonnages de l'épaule et de l'emmanchure.

Rang suivant (côté end.) End. jusqu'à la fin.

Rang suivant (côté env.) F. dev., gl. 1 env., f. der., end. jusqu'à la fin.

Répétez ces 2 derniers rangs 0 (1, 2, 3, 3) fois de plus.

Rang 1 (de diminution, côté end.) 1 end., faites un surjet simple (gl. 1, 1 end., p. m. g. p., page 99), end. jusqu'à la fin.

Rangs 2 et 4 (côté env.) F. dev., gl. 1 env., f. der., end. jusqu'à la fin.

Rang 3 (côté end.) End.

Répétez ces 4 derniers rangs, en terminant avec le rang 2, jusqu'à ce que vous ayez diminué de 4 m. à l'épaule et qu'il reste 44 m. (Ce nombre sera différent si vous avez ajusté la longueur.)

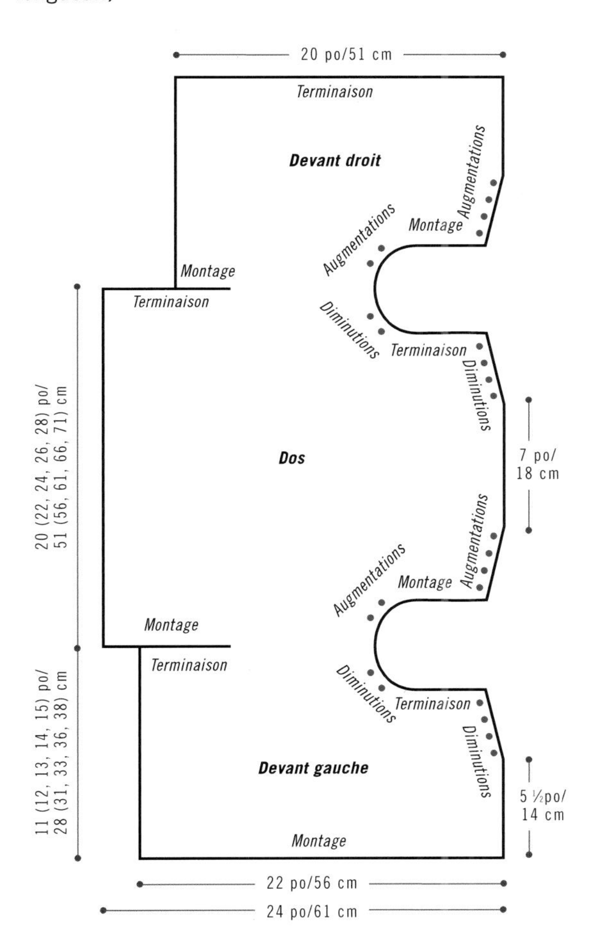

3 EMMANCHURE AVANT DROITE

Rang suivant (côté end.) Rabattez 10 (12, 14, 14, 16) m. au début du rang, end. jusqu'à la fin — 34 (32, 30, 30, 28) m. restantes. (Ce nombre sera différent si vous avez ajusté la longueur.)

Rang suivant (côté env.) F. dev., gl. 1 env., f. der., end. jusqu'à la fin.

Rang 1 (de diminution, côté end.) 1 end., gl. 1, 1 end., p. m. g. p., end. jusqu'à la fin.

Rang 2 F. dev., gl. 1 env., f. der., end. jusqu'à la fin.

Répétez ces 2 rangs jusqu'à ce que vous ayez diminué de 3 m. à l'emmanchure et qu'il reste 31 (29, 27, 27, 25) m. (Ce nombre sera différent si vous avez ajusté la longueur.)

Lorsque vous faites la diminution finale, marquez cet endroit sur le vêtement.

Tous les rangs suivants (sauf si indiqué) F. dev., gl. 1 env., f. der., end. jusqu'à la fin.

Travaillez jusqu'à 11 (12, 13, 14, 15) po/28 (30, 33, 36, 38) cm du début, en terminant avec un rang du côté env.

Lorsque vous voyez « X___ » sur la photocopie, inscrivez-y le nombre de côtes que vous avez faites depuis le dernier rang de diminution.

Rang suivant (côté end.) F. dev., gl. 1 env., f. der., 19 (17, 15, 15, 13) end. (ce nombre sera différent si vous avez ajusté la longueur), puis rabattez les 11 m. restantes. Rompez le fil.

4 DOS DE L'EMMANCHURE DROITE

Le côté env. faisant face, avec le crochet et en laissant le bout derrière, tirez le fil à travers la première m. de l'aiguille gauche. Faites un montage au crochet et montez 16 m. — 36 (34, 32, 32, 30) m. sur l'aiguille. (Ce nombre sera différent si vous avez ajusté la longueur.)

Tous les rangs suivants (sauf si indiqué) F. dev., gl. 1 env., f. der., end. jusqu'à la fin.

Faites le nombre de côtes inscrites à « X___ » sur la photocopie, en terminant avec un rang du côté env.

La lisière de m. gl. ne sera pas faite au début de certains rangs du côté end. dans le façonnage de l'épaule et de l'emmanchure.

Rang 1 (d'augmentation, côté end.) 1 end., faites une augmentation intercalaire (aj. 1, page 99), end. jusqu'à la fin.

Rang 2 F. dev., gl. 1 env., f. der., end. jusqu'à la fin.

Répétez ces 2 rangs jusqu'à ce que vous ayez augmenté de 3 m. à l'emmanchure et qu'il reste 39 (37, 35, 35, 33) m. sur l'aiguille. (Ce nombre sera différent si vous avez ajusté la longueur.)

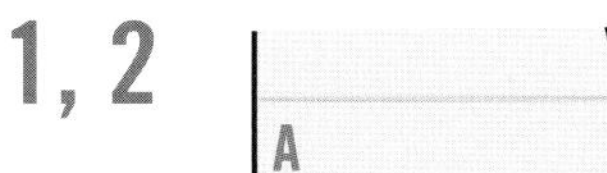

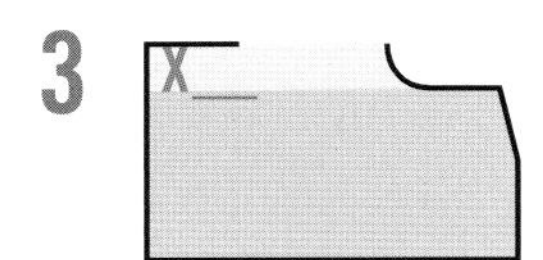

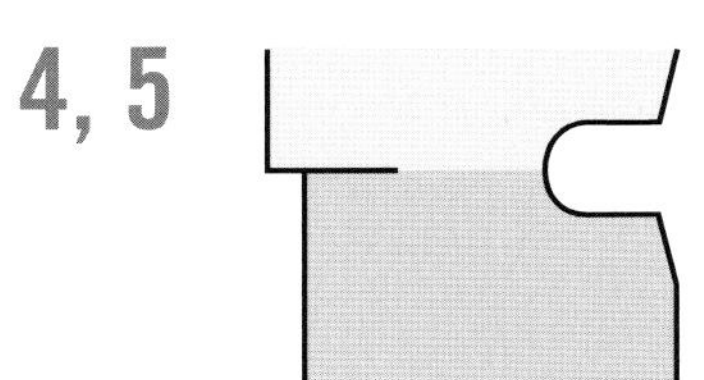

Avec le côté end. faisant face et avec un crochet, tirez le fil à travers la première m. de l'aiguille gauche. Faites un montage au crochet et montez 10 (12, 14, 14, 16) m. — 49 m. sont maintenant sur l'aiguille.
Rang suivant (côté env.) F. dev., gl. 1 env., f. der., end. jusqu'à la fin.

5 DOS DE L'ÉPAULE DROITE

Rang 1 (d'augmentation, côté end.) 1 end., aj. 1, end. jusqu'à la fin.
Rangs 2 et 4 (côté env.) F. dev., gl. 1 env., f. der., end. jusqu'à la fin.
Rang 3 (côté end.) End.
Répétez ces 4 derniers rangs, en terminant avec le rang 2, jusqu'à ce que vous ayez augmenté de 4 m. à l'épaule et qu'il y ait 53 m. sur l'aiguille. (Ce nombre sera différent si vous avez ajusté la longueur.)
Rang suivant (côté end.) End. jusqu'à la fin.
Rang suivant (côté env.) F. dev., gl. 1 env., f. der., end. jusqu'à la fin.
Répétez ces 2 derniers rangs 0 (1, 2, 3, 3) fois de plus.
Placez un repère sur l'étoffe au début du prochain rang du côté end. (Ceci marque le début du dos du cou.)

6 CENTRE DU DOS (TRANSVERSAL AU COU)

Tous les rangs suivants (sauf si indiqué) F. dev., gl. 1 env., f. der., end. jusqu'à la fin.
Travaillez jusqu'à 7 po/18 cm du repère, en terminant avec un rang du côté env. (Laissez le repère à sa place : vous en aurez besoin lors de l'assemblage.)
Placez un repère au début du rang du côté end. suivant : vous en aurez besoin lors de l'assemblage.

7 DOS DE L'ÉPAULE GAUCHE

La lisière de m. gl. ne sera pas faite au début de certains rangs du côté end. dans le façonnage de l'épaule et de l'emmanchure.
Rang suivant (côté end.) End.
Rang suivant (côté env.) F. dev., gl. 1 env., f. der., end. jusqu'à la fin.
Répétez ces 2 derniers rangs 0 (1, 2, 3, 3) fois de plus.
Rang 1 (de diminution, côté end.) 1 end., gl. 1, 1 end., p. m. g. p., end. jusqu'à la fin.
Rangs 2 et 4 (côté env.) F. dev., gl. 1 env., f. der., end. jusqu'à la fin.
Rang 3 (côté end.) End.
Répétez ces 4 derniers rangs, en terminant avec le rang 2, jusqu'à ce que vous ayez diminué de 4 m. à l'épaule et qu'il reste 49 m. (Ce nombre sera différent si vous avez ajusté la longueur.)

Petit : 4 pelotes STYLECRAFT Fleece, couleur n° 3452

6, 7

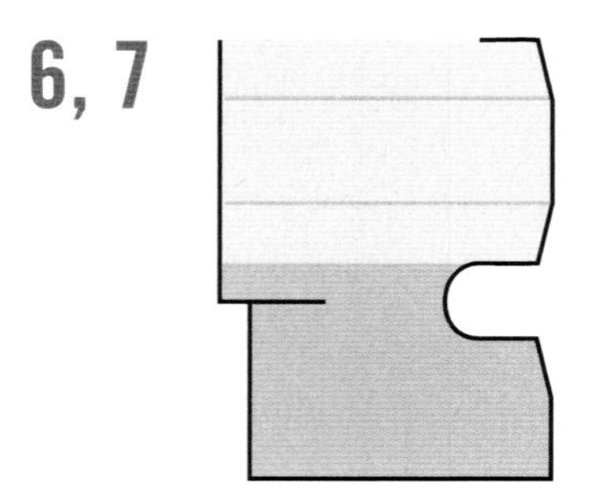

8 DOS DE L'EMMANCHURE GAUCHE

Rang suivant (end.) Rabattez 10 (12, 14, 14, 16) m. au début du rang, end. jusqu'à la fin — 39 (37, 35, 35, 33) m. restantes. (Ce nombre sera différent si vous avez ajusté la longueur.)

Rang suivant (env.) F. dev., gl. 1 env., f. der., end. jusqu'à la fin.

Rang 1 (de diminution, end.) 1 end., gl. 1, 1 end., p. m. g. p., end. jusqu'à la fin.

Rang 2 F. dev., gl. 1 env., f. der., end. jusqu'à la fin.

Répétez ces 2 rangs jusqu'à ce que vous ayez diminué de 3 m. à l'emmanchure et qu'il reste 36 (34, 32, 32, 30) m. (Ce nombre sera différent si vous avez ajusté la longueur.)

Tous les rangs suivants (sauf si indiqué) F. dev., gl. 1 env., f. der., end. jusqu'à la fin.

Faites le nombre de côtes inscrites à « X___ » sur la photocopie, en terminant avec un rang du côté env.

Rang suivant (end.) F. dev., gl. 1 env., f. der., 19 (17, 15, 15, 13) end. (ce nombre sera différent si vous avez ajusté la longueur), puis rabattez les 16 m. restantes. Rompez le fil.

9 DEVANT DE L'EMMANCHURE GAUCHE

Le côté env. faisant face, avec un crochet et en laissant le bout derrière, tirez le fil à travers la 1re m. de l'aiguille gauche. Faites un montage au crochet et montez 6 m. — 26 (24, 22, 22, 20) m. sur l'aiguille. (Ce nombre sera différent si vous avez ajusté la longueur.)

Tous les rangs suivants (sauf si indiqué) F. dev., gl. 1 env., f. der., end. jusqu'à la fin.

Faites le nombre de côtes inscrites à « X___ » sur la photocopie, en terminant avec un rang du côté env.

La lisière de m. gl. ne sera pas faite au début de certains rangs du côté end. dans le façonnage de l'épaule et de l'emmanchure.

Rang 1 (d'augmentation, end.) 1 end., aj. 1, end. jusqu'à la fin.

Rang 2 F. dev., gl. 1 env., f. der., end. jusqu'à la fin.

Répétez ces 2 rangs jusqu'à ce que vous ayez diminué de 3 m. à l'emmanchure et qu'il y ait 29 (27, 25, 25, 23) m. sur l'aiguille. (Ce nombre sera différent si vous avez ajusté la longueur.)

Avec le côté end. faisant face et avec un crochet, tirez le fil à travers la 1re m. de l'aiguille gauche. Faites un montage au crochet et montez 10 (12, 14, 14, 16) m. — 39 m. sont maintenant sur l'aiguille.

Rang suivant (env.) F. dev., gl. 1 env., f. der., end. jusqu'à la fin.

10 DEVANT DE L'ÉPAULE GAUCHE

Rang 1 (d'augmentation, end.) 1 end., aj. 1, end. jusqu'à la fin.

Rangs 2 et 4 (env.) F. dev., gl. 1 env., f. der., end. jusqu'à la fin.

Rang 3 (end.) End.

Répétez ces 4 derniers rangs, en terminant avec le rang 2, jusqu'à ce que vous ayez augmenté de 4 m. à l'épaule et qu'il y ait 43 m. sur l'aiguille. (Ce nombre sera différent si vous avez ajusté la longueur.)

Rang suivant (end.) End.

Rang suivant (env.) F. dev., gl. 1 env., f. der., end. jusqu'à la fin.

Répétez ces 2 derniers rangs 0 (1, 2, 3, 3) fois de plus.

11 DEVANT GAUCHE DU COU

Tous les rangs suivants (sauf si indiqué) F. dev., gl. 1 env., f. der., end. jusqu'à la fin.

Continuez jusqu'à ce que le devant gauche soit de la même longueur que le devant droit — 11 (12, 13, 14, 15) po/28 (30, 33, 36, 38) cm de la fente du côté —, en terminant avec un rang du côté env.

Rabattez les m.

FINITION

Cousez les lignes des épaules (côte à côte, page 62), en laissant une ouverture de 7 po/18 cm (entre les repères) au centre du cou du dos, et une ouverture de 5 ½ po/14 cm à chaque devant de cou.

Cousez les boutons au devant gauche, vis-à-vis des boutonnières.

8

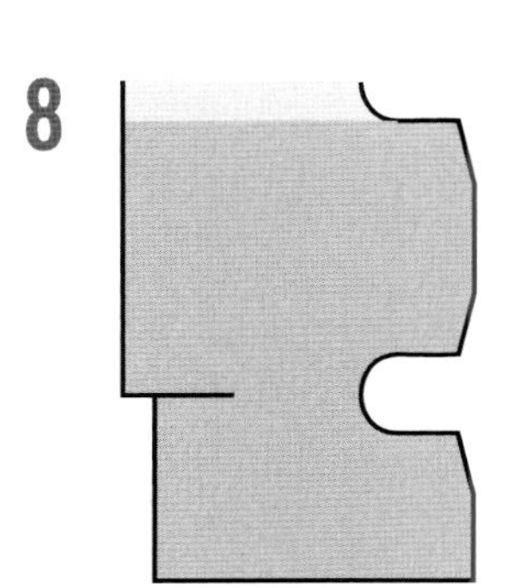

9, 10, 11

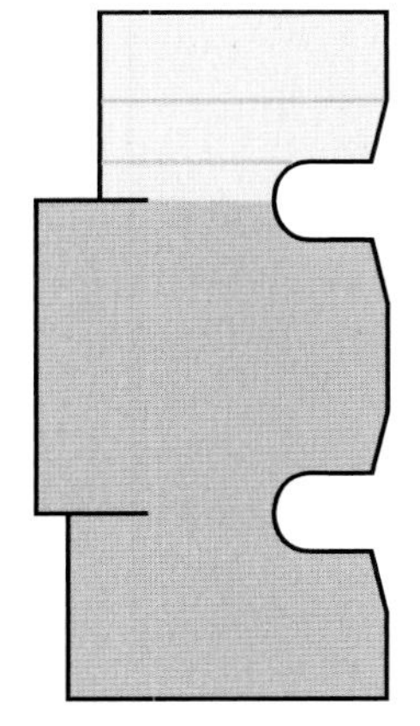

Dans les vêtements de ce chapitre, un des devants commence par un montage et l'autre finit par une terminaison. Ils s'opposent ainsi l'un à l'autre sur le devant du vêtement. Il est merveilleux d'avoir la possibilité de les assortir en opposant la terminaison au montage au crochet. Mais le montage au crochet n'est pas facile à maîtriser. Si vous n'y arrivez pas, utilisez un autre montage et revenez plus tard à celui-ci.

Le montage au crochet

Ceci est le seul montage dont l'apparence est exactement la même que la terminaison. D'ailleurs, il est parfois appelé « montage terminaison ».

1 Faites un nœud coulant et placez-le sur un crochet légèrement plus fin que les aiguilles que vous utilisez.

2 Tenez le crochet dans la main droite, avec le fil et l'aiguille dans la main gauche ; le fil est derrière l'aiguille. Pour tendre le fil, enroulez-le autour de l'index tel qu'il est indiqué.

3 Pour commencer, ancrez le bout en le tenant dans votre main gauche, serré le long de l'aiguille gauche.

4 Placez le crochet sur le dessus de l'aiguille gauche.

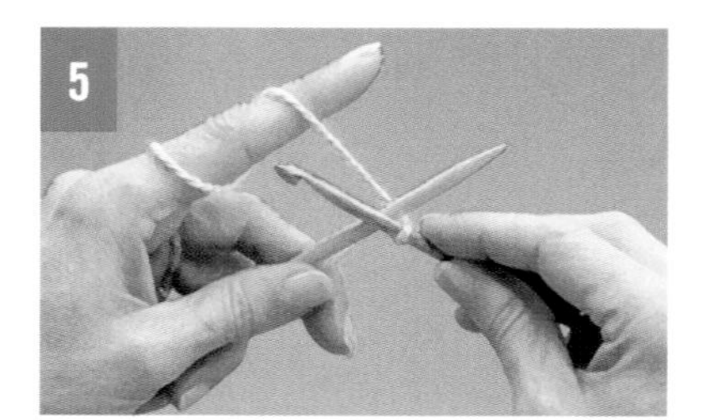

5 Amenez le crochet à gauche du fil…

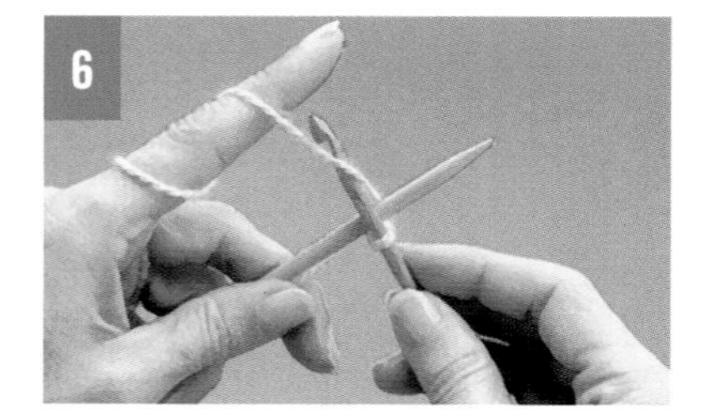

6 … puis derrière le fil.

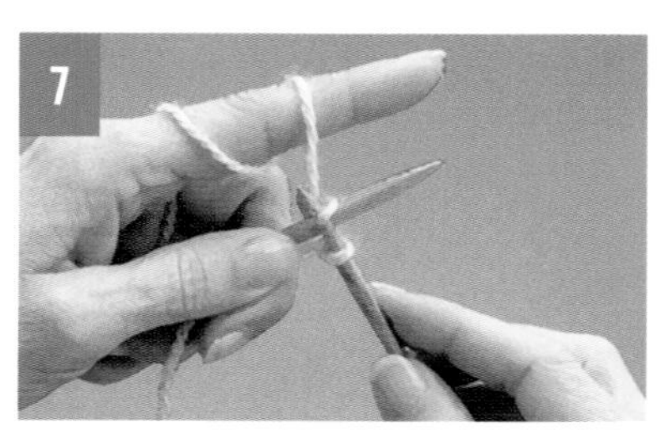

7 Tirez le fil à travers la boucle qui est sur le crochet. Il y a maintenant une nouvelle maille sur l'aiguille gauche.

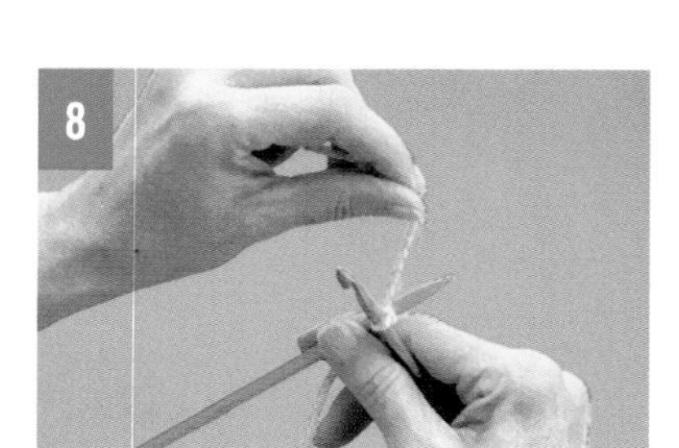

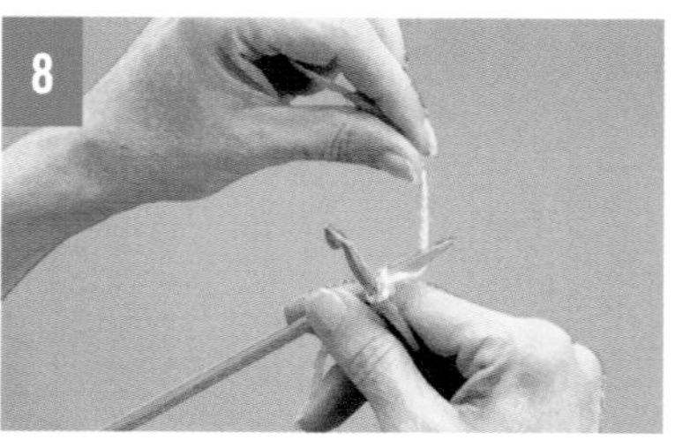

8 En tenant à la fois l'aiguille et le crochet dans la main droite, ramenez le fil derrière en le passant entre le crochet et l'aiguille (ci-dessus).
Répétez les étapes 4 à 8.

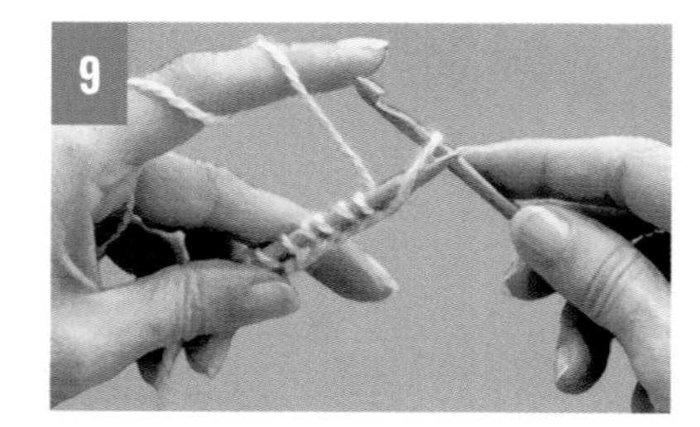

9 Lorsque votre aiguille gauche porte une maille de moins que le nombre requis pour votre montage, terminez en ramenant le fil à l'arrière une fois de plus, puis transférez la boucle du crochet sur l'aiguille gauche.

Coudre au point mousse

MAILLE À MAILLE

Au chapitre 1, vous avez appris à coudre les côtes aux côtes et les mailles aux côtes. Voici la troisième méthode : maille à maille.

Pour plus de netteté, les coutures de la photo sont faites avec un fil de couleur contrastante.

Alors que vous cousez, tirez le fil pour le tendre (seulement jusqu'à ce que vous sentiez une résistance et non jusqu'à plisser la couture) environ tous les pouces/2,5 cm.

Faites tout ceci avec le côté endroit faisant face.

1 Sur la bordure d'une pièce à coudre, insérez l'aiguille à tapisserie sous la première maille, au-dessus de la bordure de terminaison.

2 Allez vers l'autre pièce. Insérez l'aiguille sous la première maille, au-dessous de la bordure de terminaison.

3 Revenez à la première pièce. Insérez l'aiguille à l'endroit d'où vous étiez sorti et sous la maille suivante (ci-dessus). Répétez l'étape 3.

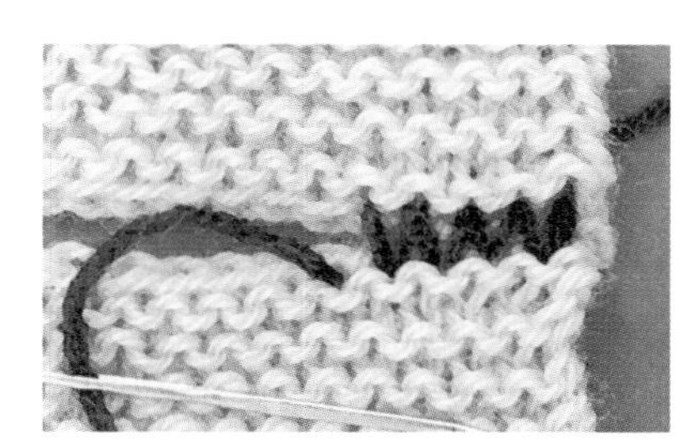

4 paires de mailles cousues avant de tendre le fil.

Mailles cousues, une fois le fil tendu, avec la bordure de terminaison incluse dans l'ourlet de la couture.

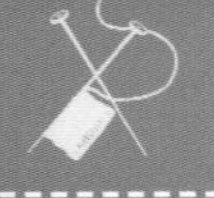

Souvenez-vous que le *devant* est le côté du tricot le plus près de vous et que le *derrière* est le côté le plus éloigné.

Quand vous tricotez, remarquez que, lorsque vous faites une maille à l'endroit, votre fil est derrière.

Avec le fil devant ou derrière

(f dev., f. der.)

Vous devez parfois travailler avec le *fil devant.* Cela signifie que vous devez amener le fil entre l'aiguille gauche et la droite (et non pas par-dessus), et devant ou derrière votre ouvrage.

AVEC LE FIL DEVANT, PORT DE LA MAIN DROITE

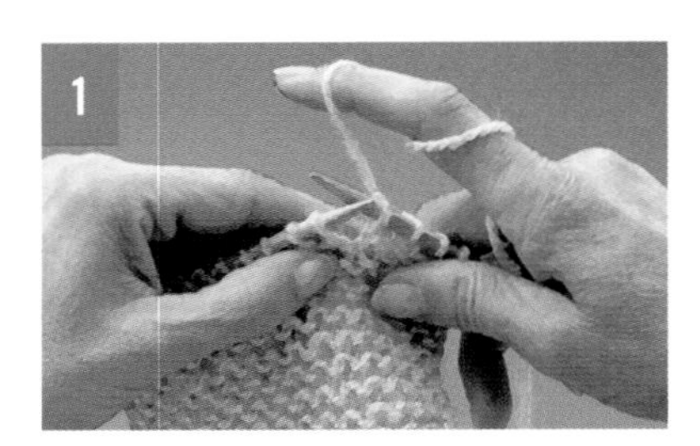

1 Amenez le fil vers la pointe de l'aiguille droite...

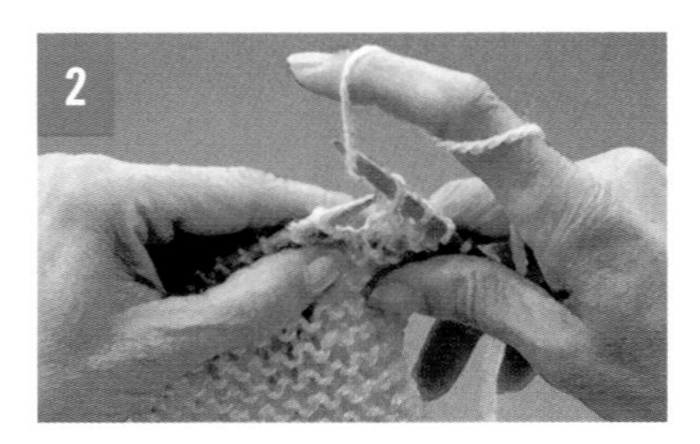

2 ... puis entre les aiguilles...

3 ... pour que le fil soit à l'avant de l'aiguille droite.

AVEC LE FIL DEVANT, PORT DE LA MAIN GAUCHE

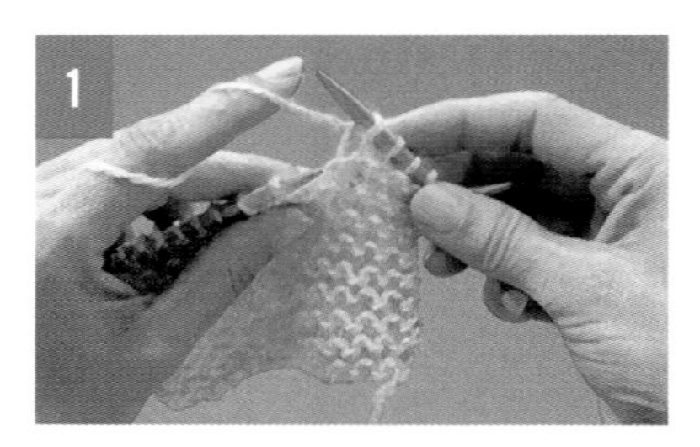

1 Amenez l'aiguille droite à la droite du fil...

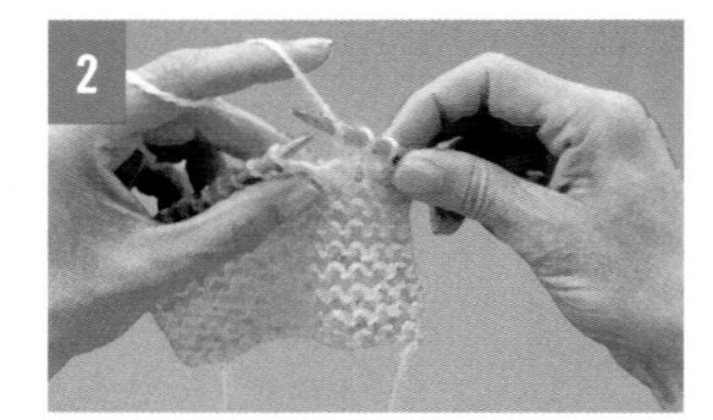

2 ... puis derrière le fil, pour que celui-ci soit à l'avant de l'aiguille droite.

AVEC LE FIL DERRIÈRE

Pour amener le fil derrière, pour les deux ports, déplacez le fil dans la direction opposée à celle indiquée ci-dessus.

Le jeté (j.)

Oups ! J'ai oublié de faire un jeté. Que dois-je faire ? Voir page 164.

Exécuter un *jeté* signifie qu'il faut placer le fil par-dessus l'aiguille droite. Ceci est une forme d'augmentation parce que, en amenant le fil par-dessus l'aiguille, vous faites une boucle qui peut être utilisée comme une nouvelle maille dans le rang suivant. Créant un jour important, le jeté est le plus souvent utilisé pour les boutonnières ou les points ajourés.

Dans un rang de mailles end., voici la façon la plus facile de faire un jeté. Les étapes 1 et 2 montrent le port de la main droite, mais les étapes sont les mêmes pour le port de la main gauche.

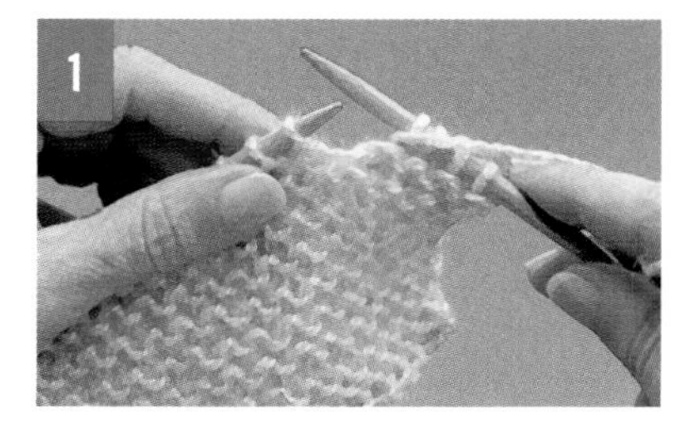

1 Amenez le fil devant.

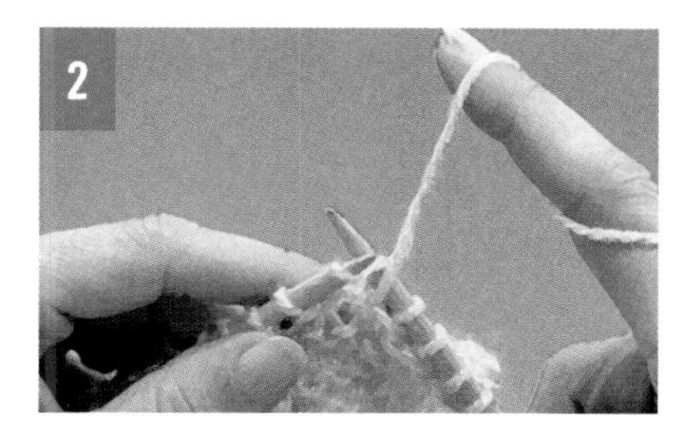

2 Travaillez la maille suivante à l'endroit, mais sans amener le fil derrière.

Après avoir tricoté à l'endroit la maille suivante, il y aura une « maille » supplémentaire sur l'aiguille droite.

Lorsque vous ferez le rang suivant, cette « maille » supplémentaire sera très apparente.

TRICOTER UN JETÉ

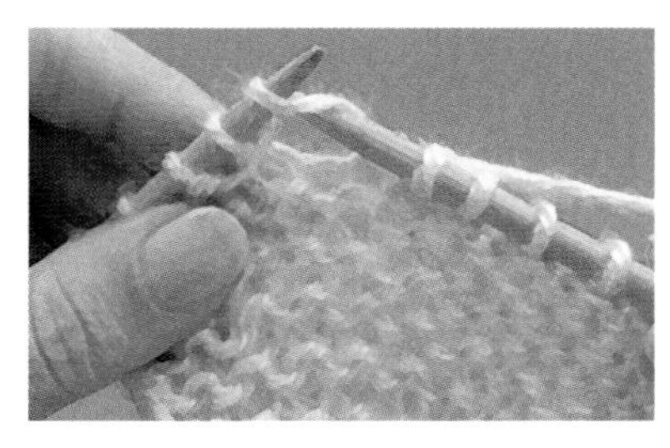

S'il est indiqué de tricoter à l'endroit dans l'avant d'un jeté, tricotez simplement à l'endroit comme d'habitude. Cette manœuvre créera un trou important.

S'il est indiqué de tricoter à l'endroit dans l'arrière d'un jeté, tricotez à travers le brin arrière de la maille. Cette manœuvre fermera le trou.

Dans ce chapitre, les jetés sont utilisés pour faire des boutonnières. Mais le fil de ces vêtements est épais, alors ces jetés feront de gros trous. Pour resserrer les boutonnières, vous tricoterez à l'endroit dans l'arrière des jetés. Si un jeté doit être tordu, je le précise dans les instructions.

Cela dit, vos résultats peuvent être différents des miens. Vous devriez donc toujours essayer la première boutonnière avec le bouton, pour vous assurer que tout va bien.

La maille glissée (gl.)

Les modèles vous disent parfois de *glisser* une maille. Pour ce faire, vous devez transférer une maille de l'aiguille gauche à l'aiguille droite sans la tricoter.

GLISSER DANS LE SENS DE L'ENDROIT (gl. end.)

1 Insérez l'aiguille droite dans une maille comme pour la tricoter à l'endroit.

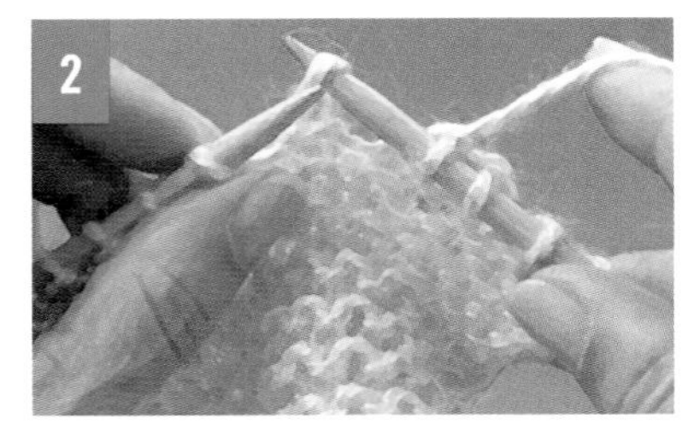

2 Glissez la maille hors de l'aiguille gauche, sur l'aiguille droite.

GLISSER DANS LE SENS DE L'ENVERS (gl. env.)

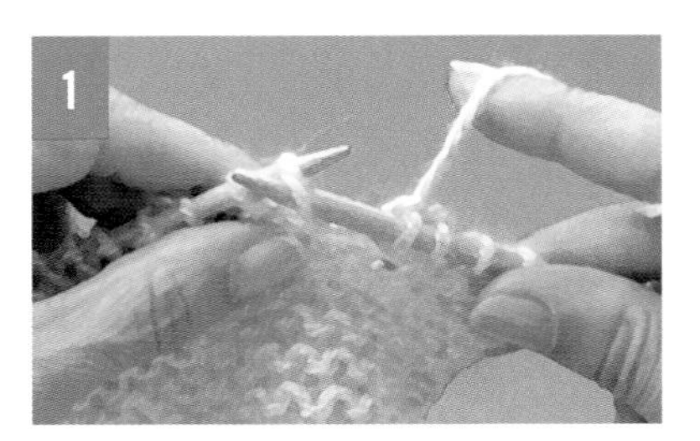

1 Insérez l'aiguille droite dans une maille comme pour la tricoter à l'envers, c'est-à-dire en insérant l'aiguille dans la direction opposée à celle utilisée pour une maille endroit.

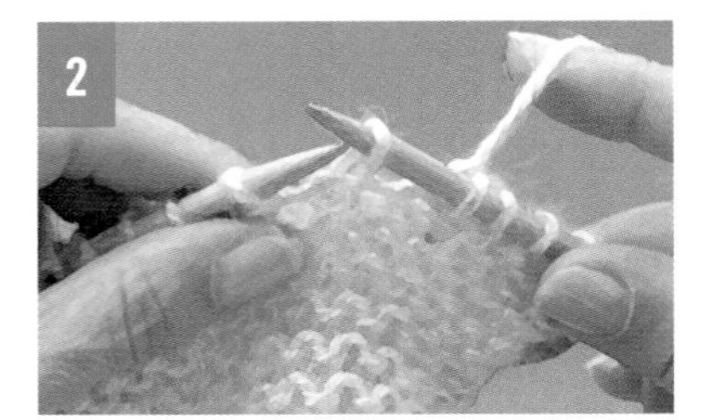

2 Glissez la maille hors de l'aiguille gauche, sur l'aiguille droite.

De nombreuses personnes consacrent beaucoup d'efforts à la standardisation des termes de tricot.

Jusqu'à ce que ce travail soit terminé, vous n'aurez peut-être pas toutes les informations nécessaires, mais on s'attendra à ce que vous sachiez quoi faire et comment le faire.

Ainsi, ces règles quant aux mailles glissées vous aideront à mieux travailler et à devenir un tricoteur plus intuitif.

Nous glissons les mailles de diverses manières pour qu'elles soient orientées adéquatement, selon les manœuvres à venir. Nous venons de vous enseigner deux méthodes. Les modèles précisent généralement le type de maille glissée à faire. Mais parfois ils ne le font pas. Voici les règles pour le glissement des mailles (si les instructions font défaut).

- Si vous transférez simplement une maille de l'aiguille gauche à l'aiguille droite — ou sur un arrêt de mailles — et que vous ne faites rien avec cette maille dans ce rang, glissez-la dans le sens de l'envers. Elle sera bien orientée lorsque vous la travaillerez plus tard.
- Si vous avez à glisser la maille pour l'utiliser dans ce rang (par exemple la passer par-dessus une autre maille), glissez-la dans le sens de l'endroit.

Le surjet simple (gl. 1, 1 end., p. m. g. p.)

Cette manœuvre est une forme de diminution qui incline vers la gauche — contrairement à la diminution effectuée en tricotant à l'endroit deux mailles ensemble, qui incline vers la droite. (Ces différences sont plus apparentes dans des points autres que le point mousse.)

Dans certains modèles, l'abréviation du surjet simple peut être *1 ss* ou *surj.*

1 Glissez 1 maille dans le sens de l'endroit.

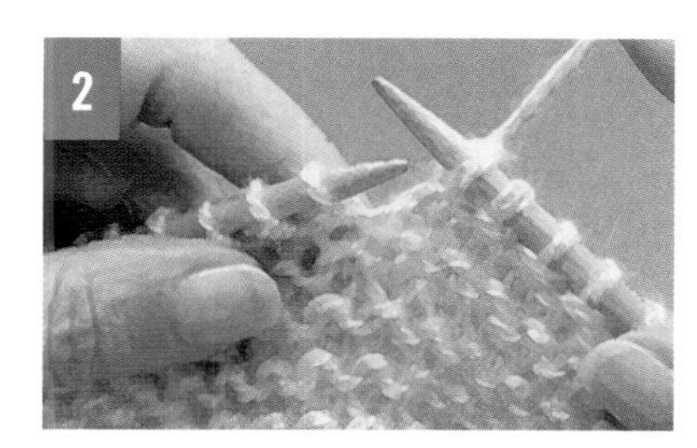

2 Tricotez 1 maille à l'endroit comme d'habitude.

3 Passez la maille glissée par-dessus celle tricotée à l'endroit, comme lorsque vous rabattez une maille.

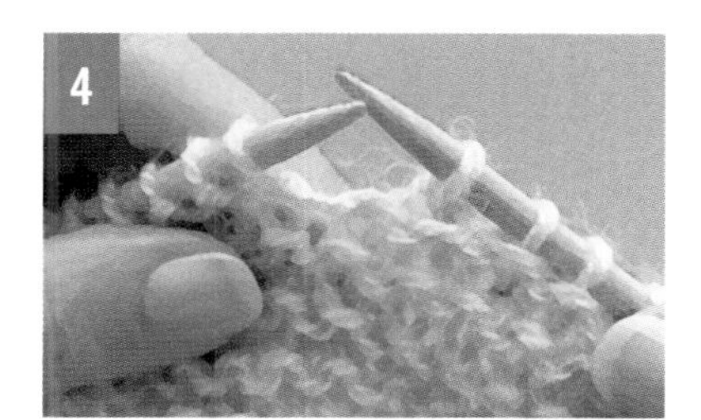

4 Le surjet simple : une diminution inclinée vers la gauche.

Oups ! J'ai oublié de faire une diminution ou une augmentation. Que dois-je faire ? Voir page 164.

Une fois que vous avez tricoté une pièce (par exemple la manche droite) à la longueur désirée, comptez le nombre de rangs (ou de côtes) qui vous a permis d'atteindre cette longueur. Puis, lorsque vous tricoterez la pièce correspondante (par exemple la manche gauche), refaites ce nombre de rangs (ou de côtes).

Compter les rangs, plutôt que de simplement tricoter jusqu'à une certaine longueur, peut sembler un surcroît de travail, mais je me fie davantage à un comptage de rangs (ou de côtes) qu'à un ruban gradué ! Si vous voulez que les pièces soient exactement de la même longueur, comptez les rangs (ou les côtes).

L'augmentation intercalaire (aj. 1)

Cette manœuvre est une autre forme d'augmentation. Elle est un peu plus resserrée et moins visible que si elle était tricotée dans l'avant et l'arrière d'une maille.

1 Avec l'aiguille droite, soulevez le fil reposant entre les deux aiguilles (ci-dessus) et placez-le sur l'aiguille gauche.

2 Tricotez à l'endroit dans l'arrière de celui-ci.

Le résultat d'une augmentation intercalaire.

Mesurer la longueur

Vous pouvez mesurer la longueur de votre pièce à plat : c'est ainsi que les mesures sont illustrées sur les schémas. Cependant, certains fils s'étireront sous l'influence de la gravité. Vérifiez toujours vos mesures en soulevant la pièce et en la mesurant telle qu'elle sera portée. Si cette mesure est significativement différente de la mesure à plat, cette dernière doit être écartée.

Tricoter dans TOUS LES SENS

Avec l'expérience, vous apprendrez d'autres techniques et d'autres points, et vous abandonnerez ce merveilleux ami qu'est le point mousse. Mais je suis contente d'avoir écrit ce livre où j'ai redécouvert le point mousse (où l'on tricote à l'endroit toutes les mailles de tous les rangs).

Une de ses caractéristiques étonnantes est le rapport du nombre de mailles pour un rang : 1 maille = 2 rangs = 1 côte au point mousse. (Si vous avez 12 mailles pour 4 po/10 cm, vous obtiendrez probablement 24 rangs et 12 côtes au point mousse.) Cela peut ne rien signifier pour vous maintenant — surtout si vous ne connaissez pas les autres points —, mais ce rapport simple est à la fois inhabituel et utile. Ce chapitre explore ce rapport, avec des pièces tricotées dans plusieurs sens.

Il existe certains tricots spectaculaires et complexes dont l'essence même est cette relation spéciale des mailles aux rangs. Tout en avançant dans l'univers du tricot, soyez attentif à ces modèles !

Petit : 22 pelotes MUENCH Touch Me, couleur n° 3634

Chapitre quatre

Les modèles

Habiletés supplémentaires

Le manteau d'Einstein

J'adore ce manteau, assez pour en avoir fait deux pour moi ! C'est vraiment un de mes tricots favoris. Son élégance semble plaire à tout le monde.
Mon amie, Esther, en a confectionné un pour elle. Elle l'a porté en voyage et un douanier lui a fait des compliments. C'est un événement capital dans la vie d'un tricoteur débutant — qu'on remarque son ouvrage, qu'on l'admire, qu'on lui demande s'il l'a tricoté lui-même, qu'on le félicite !
Il s'appelle « manteau d'Einstein » parce que vous vous sentez comme un génie une fois qu'il est terminé : l'étoffe repose sur vos cuisses pendant que vous tricotez et tournez les pièces tel qu'il est indiqué (sans nécessairement comprendre pourquoi), puis vous faites deux petites coutures, et voilà : un manteau !
Je pense aussi que cette pièce symbolise l'esthétique élégante et simple, caractéristique essentielle de l'univers selon Einstein.
Après avoir tricoté la version pour femme, il m'a semblé que les hommes et les enfants méritaient d'avoir la leur. Je ne sais pas comment le jeune garçon s'est senti avec ce vêtement, mais le mannequin adulte a voulu acheter le sien !
Un manteau pour adulte peut s'étirer d'une longueur de 3 po/8 cm.

Voici comment faire !

Il y a des lisières de mailles glissées à toutes les pièces du vêtement, ce qui lui permet de bien tomber. Sans ces mailles glissées, le manteau aurait l'air négligé. Pour bien apprendre cette technique, je vous suggère de vous exercer en tricotant votre échantillon de tension :

- *Montez 15 mailles (m.). Toutes les méthodes sont bonnes, mais vous pourriez pratiquer le montage au crochet (page 94).*
- *Travaillez au point mousse avec une lisière de mailles glissées (m. gl.) : avec le fil devant (f. dev., page 96), glissez la première m. dans le sens de l'envers (gl. 1 env., page 98), amenez le fil derrière (f. der.), end. jusqu'à la fin. Répétez ce rang jusqu'à 13 côtes au point mousse.*
- *Rabattez les m.*

M pour femme : 11 pelotes ISTEX Lopi, couleur n° 9118

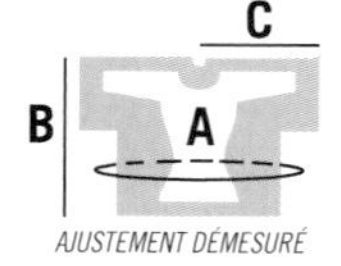

Pour enfant 2 à 4 (6 à 8, 10 à 12)
***A** 30 (34, 42) po/76 (86, 107) cm*
***B** 16 (18, 21½) po/41 (46, 55) cm*
***C** 19½ (22½, 27½) po/50 (57, 70) cm*
Pour adulte P (M, G, TG, TTG)
***A** 46 (50, 54, 58, 62) po/117 (127, 137, 147, 157) cm pour les tailles pour adulte*
***B** 26½ (27, 27½, 28, 28½) po/67 (69, 70, 71, 72) cm pour les tailles pour homme*
30½ (31, 31½, 32, 32½) po/77 (79, 80, 81, 83) cm pour les tailles pour femme
***C** 33 po/84 cm pour les tailles pour homme, 29½ po/75 cm pour les tailles pour femme*

Chapitre **QUATRE**

La pièce devrait mesurer 4 po x 4 po/10 cm x 10 cm, sans compter les mailles glissées ni les rangs de montage ou de terminaison.

1 PIÈCE DU BAS DU CORPS

Avec le montage au crochet et une aiguille plus épaisse, montez 29 (32, 38) m. pour le manteau d'enfant; 44 m. pour celui de l'homme; 56 m. pour celui de la femme.
RACCOURCISSEZ ou ALLONGEZ ici.

Pour raccourcir de 1 po (2,5 cm), montez 3 m. de moins.
Pour allonger de 1 po (2,5 cm), montez 3 m. de plus.

Travaillez au point mousse avec une lisière de m. gl. pour 1 rang du côté endroit. Tournez l'ouvrage. Suspendez un repère pour désigner le côté envers. Déplacez le repère vers le haut au besoin.
Continuez au point mousse avec une lisière de m. gl., en terminant avec un rang du côté env., jusqu'à 100 (112, 136) côtes pour le manteau d'enfant, et jusqu'à 152 (164, 176, 188, 200) côtes pour les manteaux d'adultes.

Il y a un grand nombre de côtes parce qu'il s'agit d'un vêtement d'ajustement démesuré et qu'elles en couvrent toute la circonférence. Pour ne pas avoir à recompter, suspendez quelque chose — un fil, un trombone — toutes les 50 côtes.
Les boutonnières sont du côté masculin.

Début des boutonnières pour enfant: *rang côté end. suivant* F. dev., gl. 1 env., f. der., 2 (2, 6) end., tricotez à l'endroit 2 m. ensemble (2 end. ens., page 77), 1 jeté (j., page 97), 8 (9, 8) end., 2 end. ens., j., end. jusqu'à la fin. Deux boutonnières faites.
Début des boutonnières pour adulte: *rang côté end. suivant* F. dev., gl. 1 env., f. der., 6 end., 2 end. ens., j., 12 end., 2 end. ens., j., end. jusqu'à la fin. Deux boutonnières faites.
Fin des boutonnières pour les deux: *rang suivant* En travaillant le rang du côté env. comme d'habitude, end. dans l'arrière (arr., page 77) des j. pour les resserrer.
Continuez au point mousse avec une lisière de m. gl. pour une côte de plus, en terminant avec un rang du côté envers. Rabattez les m.

2 HAUT DU DEVANT DROIT

Avec le côté end. faisant face et une aiguille plus grosse, relevez et tric. 1 end. dans le rang de montage de la pièce du bas du corps et ensuite dans l'arrière des m. gl. (page 119):

- jusqu'à 28 (31, 37) m. sur l'aiguille pour le vêtement d'enfant,
- jusqu'à 41 (44, 47, 50, 53) m. sur l'aiguille pour le vêtement d'adulte.

Tournez l'ouvrage.
Travaillez au point mousse avec une lisière de m. gl., en terminant avec un rang du côté envers:

- jusqu'à 21 (24, 30) côtes pour le vêtement d'enfant,
- jusqu'à 37 (38, 39, 40, 41) côtes pour le vêtement d'adulte.

Rabattez les m.

3 HAUT DU DOS

Avec le côté end. faisant face et une aiguille plus grosse, en débutant dans la même m. gl. que la dernière m. du rang de m. relevées pour le haut du devant droit, relevez et tric. 1 end. dans l'arrière des m. gl.:

- jusqu'à 50 (56, 68) m. sur l'aiguille pour le vêtement d'enfant,
- jusqu'à 76 (82, 88, 94, 100) m. sur l'aiguille pour le vêtement d'adulte.

Tournez l'ouvrage.
Travaillez au point mousse avec une lisière de m. gl., en terminant avec un rang du côté envers:

- jusqu'à 21 (24, 30) côtes pour le vêtement d'enfant,
- jusqu'à 37 (38, 39, 40, 41) côtes pour le vêtement d'adulte.

Rabattez les m.

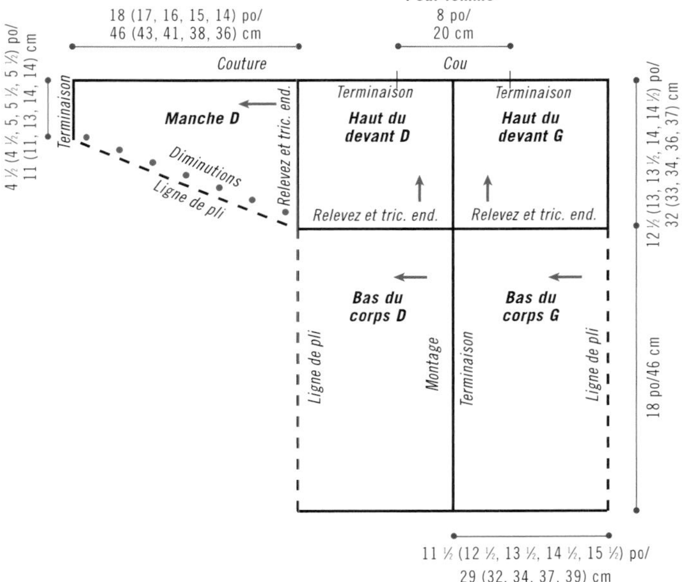

4 po/10 cm

13 × 13 — *AJUSTEZ VOTRE TENSION!*

- *mailles et côtes au point mousse*
- *avec les aiguilles plus grosses*
- *après la mise en forme*

Vous aurez besoin de

1 2 3 4 **5** 6

- *gros fil*
- *450 (550, 800) verges/ 411 (503, 731) mètres pour les tailles pour enfant*
- *1100 (1200, 1300, 1400, 1500) verges/ 1005 (1097, 1188, 1280, 1371) mètres pour les tailles pour femme*
- *les tailles pour homme peuvent exiger de 50 à 100 verges de moins*
- *laine ou mélange de laines*

- *boutons de 1 po/2,5 cm 4 (4, 5) pour les tailles d'enfant, 6 pour les tailles d'adulte (un de moins s'il n'y a pas de col)*

J'ai utilisé

- *6 mm/ É.-U. 10*
- *5 mm/ É.-U. 8*
- *5 à 6 mm/ É.-U. H - G*

4 HAUT DE DEVANT GAUCHE

Avec le côté end. faisant face et une aiguille plus grosse, en débutant dans la même m. gl. que la dernière m. du rang de m. relevées pour le haut du dos et en finissant dans le rang de terminaison de la pièce du bas du corps, relevez et tric. 1 end. dans l'arrière des m. gl. restantes :

- jusqu'à 28 (31, 37) m. sur l'aiguille pour le vêtement d'enfant,
- jusqu'à 41 (44, 47, 50, 53) m. sur l'aiguille pour le vêtement d'adulte.

Tournez l'ouvrage.
Travaillez au point mousse avec une lisière de m. gl. :

- jusqu'à 5 (6, 2) côtes pour le vêtement d'enfant,
- jusqu'à 6 côtes pour le vêtement d'adulte.

Début de la boutonnière : ***rang côté end. suivant*** F. dev., gl. 1 env., f. der., end. jusqu'à ce qu'il reste 5 m., 2 end. ens., j., 3 end. Une boutonnière faite.
Fin de la boutonnière : ***rang suivant*** En travaillant le rang du côté envers comme d'habitude, tric. end. dans l'arr. des j.
Continuez au point mousse avec une lisière de m. gl. :

- jusqu'à 13 (15, 11) côtes du début pour le vêtement d'enfant,
- jusqu'à 19 côtes du début pour le vêtement d'adulte.

Faites une boutonnière dans les deux prochains rangs tel qu'il est indiqué ci-dessus.
Continuez au point mousse avec une lisière de m. gl. :

- jusqu'à 21 (24, 20) côtes du début pour le vêtement d'enfant,
- jusqu'à 32 côtes du début pour le vêtement d'adulte.

Pour le vêtement d'enfant 2 à 4 (6 à 8) Rabattez les m.
Pour toutes les autres tailles Faites une boutonnière dans les deux prochains rangs.
Continuez au point mousse avec une lisière de m. gl. :

- jusqu'à 30 côtes du début pour le vêtement d'enfant 10 à 12,
- jusqu'à 37 (38, 39, 40, 41) côtes du début pour le vêtement d'adulte.

Rabattez les m.

5 MANCHE DROITE

Avec le côté end. faisant face et une aiguille plus grosse, relevez et tric. 1 end. dans le rang de terminaison du haut du devant droit et ensuite vers le bas dans l'arrière de chaque m. gl. du côté du haut du devant droit :

- 22 (25, 31) m. sur l'aiguille pour le vêtement d'enfant,
- 38 (39, 40, 41, 42) m. sur l'aiguille pour le vêtement d'adulte.

Insérez un repère pour désigner le centre de la manche.
En travaillant vers le haut le long du côté du haut du dos, relevez et tric. 1 end. dans l'arrière de chaque m. gl., en finissant avec le rang de terminaison du haut du dos :

- 44 (50, 62) m. sur l'aiguille pour le vêtement d'enfant,
- 76 (78, 80, 82, 84) m. sur l'aiguille pour le vêtement d'adulte.

*Tournez l'ouvrage.
Continuez au point mousse avec une lisière de m. gl. :

- jusqu'à 6 côtes du début pour le vêtement d'enfant,
- jusqu'à 6 (3, 1, 1, 1) côtes du début pour le vêtement d'adulte.

Rang (de diminution) suivant (côté end.) Travaillez jusqu'à 3 m. du repère du centre, faites un surjet simple (gl. 1, 1 end., p. m. g. p., page 99), 2 end., 2 end. ens., end. jusqu'à la fin.
Faites 3 rangs de plus.
Répétez ces 4 derniers rangs, en faisant les diminutions de chaque côté du centre de la manche tous les 4e rangs :

- jusqu'à ce qu'il reste 24 m. pour le vêtement d'enfant,
- 30 (30, 34, 36, 36) m. OU jusqu'à 16 (15, 14, 13, 12) po/41 (38, 36, 33, 30) cm du début pour le vêtement de femme (selon la première éventualité),
- jusqu'à ce qu'il reste 30 (30, 34, 36, 36) m. OU jusqu'à 19 ½ (18 ½, 17 ½, 16 ½, 15 ½) po/50 (47, 44, 42, 39) cm du début pour le vêtement d'homme (selon la première éventualité).

Pour homme
21 ½ (20 ½, 19 ½, 18 ½, 17 ½) po/ 55 (52, 50, 47, 44) cm
8 po/ 20 cm
Couture
Cou
4 ½ (4 ½, 5, 5 ½, 5 ½) po/ 11 (11, 13, 14, 14) cm
Terminaison
Manche D
Diminutions
Ligne de pli
Relevez et tric. end.
Terminaison
Haut du devant D
Relevez et tric. end.
Terminaison
Haut du devant G
Relevez et tric. end.
12 ½ (13, 13 ½, 14, 14 ½) po/ 32 (33, 34, 36, 37) cm
Bas du corps D
Bas du corps G
Ligne de pli
Montage
Terminaison
Ligne de pli
14 po/36 cm
11 ½ (12 ½, 13 ½, 14 ½, 15 ½) po/ 29 (32, 34, 37, 39) cm

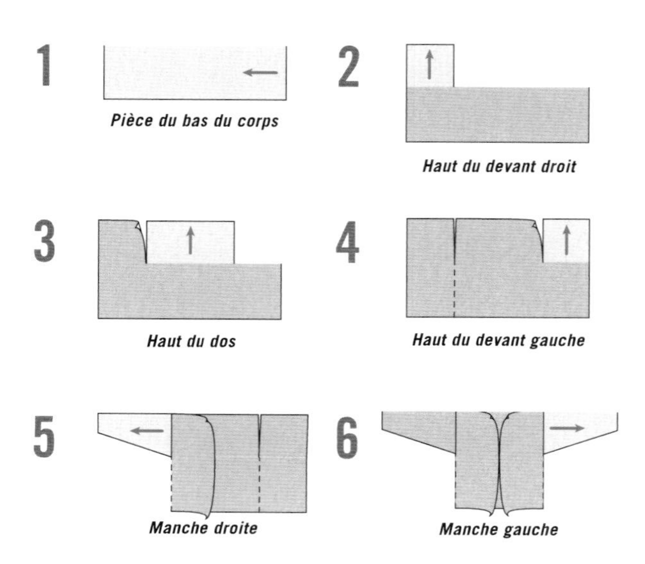

À droite, G pour homme : 12 pelotes ISTEX Lopi, couleur nº 9367
Pour enfant 6 à 8 : 5 pelotes ISTEX Lopi, couleur nº 0085

Pour le vêtement d'adulte RACCOURCISSEZ ou ALLONGEZ ici.
Pour le vêtement d'enfant Continuez au point mousse avec une lisière de mailles glissées jusqu'à 10 (12, 15) po/25 (30, 38) cm du début. RACCOURCISSEZ ou ALLONGEZ ici. Changez pour des aiguilles plus fines et continuez la manche jusqu'à 12 (14, 17) po/30 (36, 43) cm. Rabattez les m.
Pour le vêtement d'adulte S'il reste 30 (30, 34, 36, 36) m., mais que la manche n'a pas la longueur voulue, interrompez les diminutions et travaillez jusqu'à la bonne longueur.
Si la manche est de la longueur requise et qu'il reste plus que ce nombre de m., faites 1 rang côté end. comme ceci : changez pour des aiguilles plus fines et travaillez d'un bout à l'autre, en diminuant uniformément les m. (page 121) jusqu'à 30 (30, 34, 36, 36) m.
Sur les aiguilles plus fines, continuez au point mousse avec une lisière de mailles glissées jusqu'à 6 côtes.
Rabattez les m.

6 MANCHE GAUCHE

Avec le côté end. faisant face et une aiguille plus grosse, relevez et tric. 1 end. dans le rang de terminaison du haut du dos et ensuite vers le bas dans l'arrière de chaque m. gl. du côté du haut du dos :

- 22 (25, 31) m. sur l'aiguille pour le vêtement d'enfant,
- 38 (39, 40, 41, 42) m. sur l'aiguille pour le vêtement d'adulte.

Insérez un repère pour désigner le centre de la manche. En travaillant vers le haut le long du côté du haut du devant gauche, relevez et tric. 1 end. dans l'arrière de chaque m. gl., en finissant avec le rang de terminaison du haut du devant gauche :

- 44 (50, 62) m. sur l'aiguille pour le vêtement d'enfant,
- 76 (78, 80, 82, 84) m. sur l'aiguille pour le vêtement d'adulte.

Continuez avec les instructions de la manche droite, de l'* jusqu'à la fin.

FINITION

Si votre fil se rompt trop facilement, il n'est pas bon pour la couture. Utilisez quelque chose de plus résistant, d'une couleur similaire. Le fil à tapisserie est adéquat.

En débutant avec le poignet droit, cousez les m. gl. ensemble (page 120) en remontant la manche, puis cousez ensemble les m. rabattues des devant et dos droits de la même façon, d'un bout à l'autre de l'épaule.
Laissez 13 m. rabattues, non cousues, au haut du devant droit (pour l'ouverture du cou) pour le vêtement d'enfant ;
Laissez 17 m. rabattues, non cousues, au haut du devant droit pour le vêtement d'adulte.

À gauche, grandeur M pour femme : 11 pelotes ISTEX Lopi, couleur n° 9718

Renforcez le point à la fin de la couture (du côté env.) parce qu'il y aura beaucoup de tension sur ce coin du vêtement.

En débutant avec le poignet gauche, cousez la manche et l'épaule gauches de la même façon.
Cousez les boutons sur le devant droit, vis-à-vis des boutonnières.
Col (pour femme)
Avec le côté droit faisant face et une aiguille plus grosse, et en débutant à l'ouverture du cou du devant droit, relevez et tric. 1 end. dans l'arrière des 17 m. rabattues restantes le long du devant droit du cou. Relevez et tric. 1 end. dans le coin — 18 m. sur l'aiguille. Relevez et tric. 1 end. dans l'arrière de toutes les m. rabattues le long de l'ouverture du dos du cou — de 46 à 48 m. sur l'aiguille. Relevez et tric. 1 end. dans le coin. Relevez et tric. 1 end. dans l'arrière des 17 m. rabattues restantes le long du devant gauche du cou — de 64 à 66 m. sur l'aiguille.
Tournez l'ouvrage.
Travaillez au point mousse avec une lisière de m. gl. jusqu'à 2 côtes du début.
Début de la boutonnière : *rang suivant (end.)* F. dev., gl. 1 env., f. der., end. jusqu'à ce qu'il reste 5 m., 2 end. ens., j., 3 end.
Fin de la boutonnière : *rang suivant* En travaillant le rang du côté envers, comme d'habitude, tric. end. dans l'arr. des j.
Continuez au point mousse avec une lisière de m. gl. jusqu'à 11 côtes du début.
Rabattez les m.

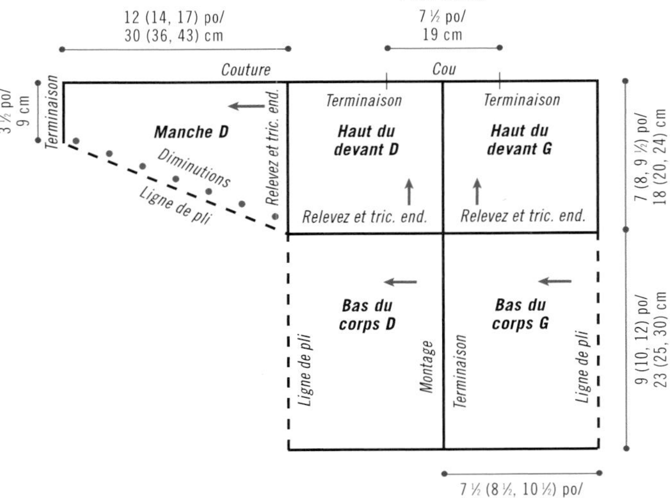

Votre sac de base

Les manteaux qui précèdent et ceux qui suivent représentent beaucoup de tricot, mais ils en valent l'effort. Et maintenant je vous propose un ouvrage plus simple : un sac à main.

Les mesures finales sont approximatives (voir le schéma de la page 109) parce que les rubans pourraient s'étirer et tomber différemment selon l'utilisation. Heureusement, l'ajustement de la tension n'est pas important ici.

Voici comment faire !

Vous devrez faire un échantillon de tension pour déterminer le format d'aiguille. Utilisez des aiguilles qui feront une étoffe ferme — probablement 1 ou 2 tailles plus petites que celle recommandée sur l'étiquette du fil.

7 pelotes LANG Kyoto, couleur n° 004

SANGLE

1 Avec votre méthode préférée (j'ai utilisé le montage au crochet, page 94), montez 14 mailles (m.).
Avec le fil devant (f. dev., page 96), glissez la première m. dans le sens de l'envers (gl. 1 env., page 98), amenez votre fil derrière (f. der.), end. toutes les m.
Tournez l'ouvrage.

Il est vraiment important de glisser la première m. de chaque rang. Omettre de faire ces mailles glissées donnerait une apparence négligée à la sangle.

Répétez ce rang jusqu'à 74 po/188 cm. Cela vous donnera une sangle double de 17 po/43 cm.

Cette sangle est ajustable ; si vous le désirez, vous pourrez faire une sangle plus longue à la finition.

Rabattez les m.

DEVANT

2 Pliez la sangle en deux pour que le centre soit au bas. À 7 po/18 cm à la droite du centre, insérez un repère. À 7 po/18 cm à la gauche du centre, insérez un autre repère. Relevez 1 m. dans chaque côte au point mousse, juste au-dessous de la lisière de m. gl. de la sangle (page 120) ; ceci est maintenant l'envers de la sangle.
Inscrivez le nombre de m. que vous avez relevées.
Avec le côté endroit faisant face, end. toutes les m. sur l'aiguille.

3 Continuez à tricoter end. toutes les m. jusqu'à 13 po/33 cm du début, en terminant avec un rang du côté envers.
Rabattez les m.

DERRIÈRE

Du côté envers de la sangle, trouvez la côte du début, puis celle de la fin du rang relevé pour le devant du sac à main. Traversez vers l'autre bordure de la sangle (toujours du côté env.) et insérez des repères qui correspondent à ces côtes. Avec le côté env. faisant face, relevez 1 m. dans chacune des côtes au point

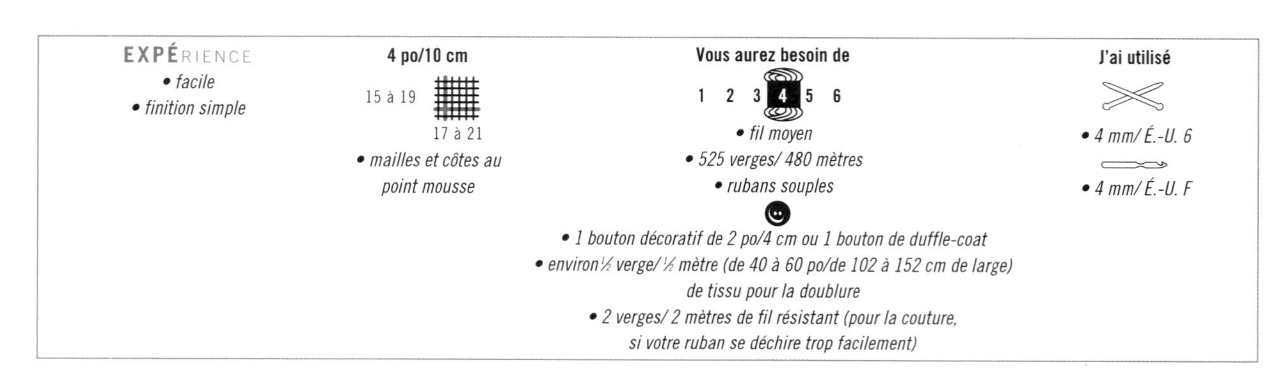

EXPÉRIENCE
- *facile*
- *finition simple*

4 po/10 cm
15 à 19 / 17 à 21
- *mailles et côtes au point mousse*

Vous aurez besoin de
1 2 3 **4** 5 6
- *fil moyen*
- *525 verges/ 480 mètres*
- *rubans souples*
- *1 bouton décoratif de 2 po/4 cm ou 1 bouton de duffle-coat*
- *environ ½ verge/ ½ mètre (de 40 à 60 po/de 102 à 152 cm de large) de tissu pour la doublure*
- *2 verges/ 2 mètres de fil résistant (pour la couture, si votre ruban se déchire trop facilement)*

J'ai utilisé
- *4 mm/ É.-U. 6*
- *4 mm/ É.-U. F*

mousse sous la lisière de m. gl. entre les repères. (Le résultat devrait être le même nombre de m. relevées que pour le devant du sac.) End. jusqu'à 13 po/33 cm tel que pour le devant, mais ne rabattez pas les m. après 13 po/33 cm.

4 RABAT DE LA BOUTONNIÈRE

Rang suivant (côté end.) Rabattez au centre 14 m., tric. 14 end., rabattez les m. restantes. Coupez le fil.
Retournez aux 14 m. sur l'aiguille, prêt pour un rang du côté env. Attachez le fil.
Rang 1 F dev., gl. 1 env., f. der., end. jusqu'à la fin.
Répétez ce rang jusqu'à 14 côtes, en terminant avec un rang du côté env.
Rang suivant (devant de la boutonnière) F. dev., gl. 1 env., 4 end., faire une boutonnière sur un rang (page 118), en rabattant 4 m. au centre du rang, puis finissez le rang.
Continuez comme au rang 1 jusqu'à 18 côtes du début, en terminant avec un rang du côté env.
Rang suivant (côté end.) Rabattez les m. et tirez le fil à travers la dernière m., mais ne coupez pas le fil.
Tournez l'ouvrage, le côté env. du rabat de la boutonnière faisant face. Relevez et tric. 14 m. end. le long du devant de la bordure de terminaison (la bordure la plus proche).
Travaillez comme au rang 1 (ci-dessus) jusqu'à 4 côtes.
Rang suivant (derrière de la boutonnière) F. dev., gl. 1 env., f. der., 4 end., faites une boutonnière sur un rang, en rabattant 4 m. au centre, puis finissez le rang.
Continuez comme au rang 1 jusqu'à 18 côtes.
Rabattez les m.

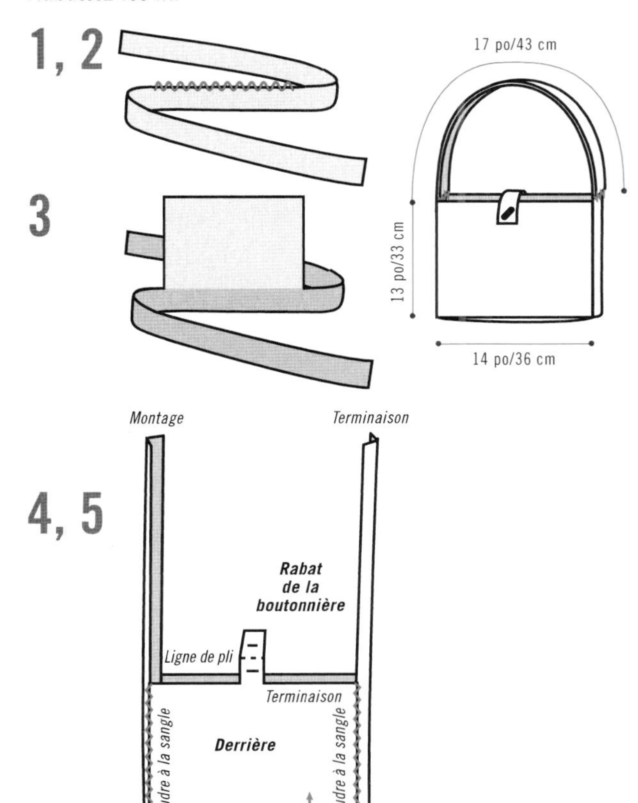

5 FINITION

7 pelotes LANG Kyoto, couleur no 98

En utilisant un fil résistant, cousez le devant et l'arrière du sac juste à l'intérieur du côté env. de la sangle (côte à côte, page 62).
Cousez ensemble sur les côtés le devant et l'arrière du rabat de la boutonnière.
Cousez la bordure de terminaison du rabat à l'intérieur de l'arrière du sac.
Cousez ensemble les bordures des boutonnières, si besoin est.
Faites chevaucher les sangles et attachez temporairement la bordure de montage au haut du sac d'un côté, et la bordure de terminaison au haut du sac de l'autre côté. Si vous aimez la longueur de la sangle, reportez-vous aux instructions de couture.
Pour une sangle plus longue, mouillez-la et étirez-la à la longueur désirée. (Sachez qu'elle s'étirera un peu plus à l'utilisation.) Laissez-la sécher.
Les sangles se chevauchant sur toute la longueur (pour une meilleure stabilité), terminez le travail ainsi :

- Attachez la bordure de terminaison de la sangle au côté end., là où elle apparaît de l'autre côté du sac.
- Attachez la bordure de montage de la sangle au côté env., là où elle apparaît de l'autre côté du sac.
- Attachez les sangles ensemble sur leur longueur.
- Lavez le sac (pour en fixer la taille avant de couper la doublure).

DOUBLURE

Si vous utilisiez ce sac à main sans doublure, il s'étirerait beaucoup et pourrait se déchirer aux coutures.

Mesurez la largeur du sac. Coupez la doublure de cette largeur + 1 po/2,5 cm (pour ½ po/1,3 cm de surplus pour la couture).
Mesurez la hauteur du sac à main. Coupez la doublure à une hauteur valant deux fois cette mesure + 1 po / 2,5 cm (pour ½ po/1,3 cm de surplus pour l'ourlet).
Avec les côtés end. joints ensemble, pliez la doublure en deux (le long de la largeur), et cousez la ligne des côtés avec ½ po/1,3 cm de surplus pour la couture.
Tournez ½ po/1,3 cm d'ourlet vers le côté env. autour de la bordure du haut et cousez à ¼ po/0,5 cm de la bordure.
Insérez la doublure dans le sac à main, le côté env. de la doublure sur le côté env. du sac.
Cousez la bordure du haut de la doublure à la bordure du haut du sac à main.
Cousez le bouton vis-à-vis de la boutonnière, en passant à travers la doublure pour s'assurer qu'il tienne bien.

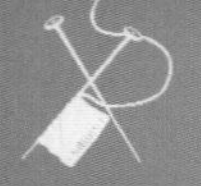

Le manteau pas trop chaud

Je portais si souvent le manteau d'Einstein que j'ai eu l'idée d'en concevoir des variations, par exemple avec des fils plus légers pour des températures plus chaudes, ou pour des occasions plus élégantes. Deux vêtements sont montrés ici. Le premier (couleur chocolat) est un adorable mélange de rayonnes. Le second (couleur bleu, page 100) est fait d'un fil des plus exquis, mais sa confection est plus complexe. (Voir toutes les notes concernant le fil Touch Me dans cette section.)

Les fils que j'ai utilisés sont riches, mais lourds. Les mesures du vêtement tricoté sont donc différentes de celles du vêtement porté, parce que des fils plus lourds tomberont pour amincir la silhouette d'environ 2 po/5 cm et ils s'étireront jusqu'à 6 po/15 cm.

Les mesures A, B et C concernent le vêtement tel que vous le porterez (et différentes longueurs sont proposées).

Les mesures sur le schéma désignent le vêtement tel que vous le tricoterez. La plus petite pièce du bas du corps est tricotée avec le fil Touch Me. Je l'ai faite plus courte, puisque ce fil est si cher !

Si vous faites ce manteau avec un fil moins lourd (voir le modèle orange, page 113), les mesures du vêtement porté seront les mêmes que les mesures du vêtement tricoté, et l'ajustement de votre manteau sera démesuré plutôt que ample.

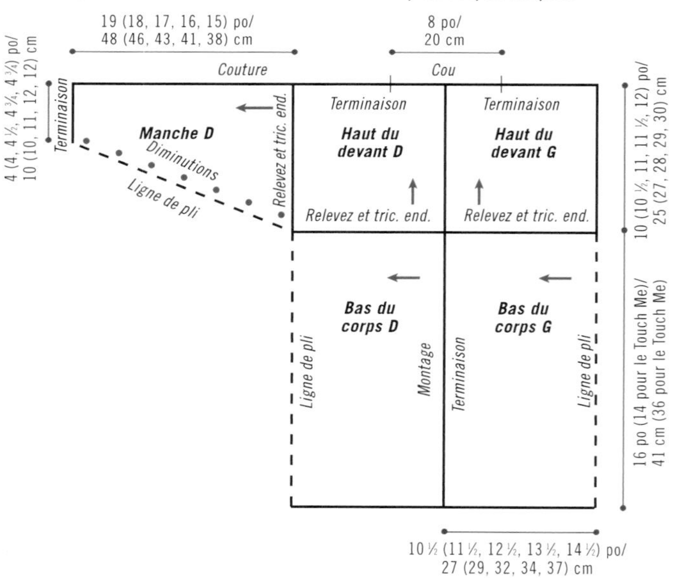

Taille M : 12 pelotes PATON'S Katrina, couleur n° 10031

EXPÉRIENCE
- très facile
- beaucoup de tricot
- finition minimale

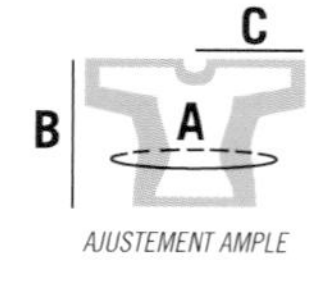

P (M, G, TG, TTG)
Mesures (tel que porté)
***A** 40 (44, 48, 52, 56) po/102 (112, 122, 132, 142) cm*
***B** 31 à 34 po/79 à 86 cm*
***C** 29 po/74 cm*

4 po/10 cm

- mailles et côtes au point mousse
- après avoir lavé et séché le Touch Me

Notes pour le fil Touch Me

Alors que vous tricotez, des boucles (appelées vers) semblent parfois apparaître de nulle part. Ne vous tracassez pas : elles disparaîtront quand vous laverez la pièce.

Voici comment faire !

Il y a des lisières de mailles glissées à toutes les pièces du vêtement, ce qui fait qu'il tombe bien et que les pièces s'assemblent harmonieusement. Omettre de faire ces mailles glissées produirait un vêtement d'apparence négligée. Pour bien apprendre cette technique, je vous suggère de vous exercer en tricotant votre échantillon de tension :

- *Montez 20 mailles (m.). Toutes les méthodes de montage sont bonnes, mais vous pourriez vous exercer au montage au crochet, page 94.*
- *Travaillez au point mousse avec une lisière de mailles glissées (m. gl.) : avec le fil devant (f. dev., page 96), glissez la première m. dans le sens de l'envers (gl. 1 env., page 98), amenez le fil derrière (f. der.), end. jusqu'à la fin.*
- *Répétez ce rang jusqu'à 18 côtes au point mousse.*
- *Rabattez les m.*
- *La pièce devrait mesurer 4 po x 4 po/10 cm x 10 cm (avec le fil Touch Me, 4 ½ po x 4 ½ po/11 cm x 11 cm), sans compter les mailles glissées ni les rangs de montage ou de terminaison.*
- *Lavez l'échantillon tel qu'il est indiqué ci-dessous, puis mesurez de nouveau.*
- *Les mesures définitives devraient être de 4 po x 4 po/ 10 cm x 10 cm.*

Notice d'entretien pour le fil Touch Me

Malgré ce que l'étiquette indique, lavez la pièce et rincez-la à l'eau chaude dans la machine. La fibre en sortira un peu rétrécie et moins souple. Séchez-la à l'air chaud, au sèche-linge, et elle s'assouplira pour former quelque chose d'extraordinairement beau.

1 PIÈCE DU BAS DU CORPS

Avec le montage au crochet et une aiguille plus grosse, montez 72 m. ***Pour le Touch Me seulement***, montez 56 m. RACCOURCISSEZ ou ALLONGEZ ici.

Pour raccourcir de 1 po/2,5 cm, montez 4 m. de moins.

Pour allonger de 1 po/2,5 cm, montez 4 m. de plus.

Travaillez au point mousse avec une lisière de m. gl. pour 1 rang du côté endroit. Tournez l'ouvrage. Mettez un repère pour désigner le côté envers et déplacez-le vers le haut au besoin.

Travaillez jusqu'à 3 côtes du début, en terminant avec un rang du côté envers.

Début des boutonnières : ***rang suivant (end.)*** F. dev., gl. 1 env., f. der., tricotez à l'endroit 2 m. ensemble (2 end. ens., page 77), 1 jeté (j., page 97), *10 end., 2 end. ens., j., répétez une fois à partir de l'*, end. jusqu'à la fin. Trois boutonnières faites.

Fin des boutonnières : ***rang suivant*** En travaillant le rang du côté env. comme d'habitude, tric. end. dans l'arrière (arr., page 97) des j. pour les resserrer.

Travaillez au point mousse avec une lisière de m. gl. jusqu'à 191 (210, 226, 245, 264) côtes du début, en terminant avec un rang du côté envers.

Il y a un grand nombre de côtes parce qu'il s'agit d'un vêtement dont l'ajustement est démesuré. Pour éviter de tout recompter, accrochez un fil ou un trombone toutes les 50 côtes.

Rabattez les m.

2 HAUT DU DEVANT DROIT

Avec le côté end. faisant face et une aiguille plus grosse, relevez et tric. 1 end. dans le rang de montage de la pièce du bas du corps, et ensuite dans l'arr. des m. gl. (page 119), jusqu'à 50 (55, 59, 64, 69) m. sur l'aiguille.

Tournez l'ouvrage.

Travaillez toute la pièce au point mousse avec une lisière de m. gl.

À 11 côtes du début, travaillez ainsi :

Début de la boutonnière : ***rang suivant (côté end.)*** F. dev., gl. 1 env., f. der., 2 end., j., 2 end. ens., end. jusqu'à la fin. Une boutonnière faite.

Fin de la boutonnière : ***rang suivant*** en travaillant le rang du côté env. comme d'habitude, tric. end. dans l'arr. des j.

Continuez jusqu'à 21 côtes du début.

Faites une boutonnière dans les 2 rangs suivants, comme ci-dessus.

Continuez jusqu'à 32 côtes du début.

Faites une boutonnière dans les 2 rangs suivants, comme ci-dessus.

Continuez jusqu'à 44 (47, 50, 52, 54) côtes du début, en terminant avec un rang du côté envers.

Pour le fil Touch Me seulement, travaillez jusqu'à 41 (44, 47, 49, 51) côtes du début.

Rabattez les m.

1

Pièce du bas du corps

2

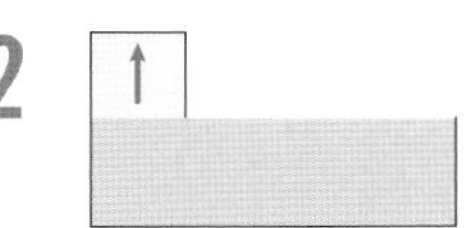

Haut du devant droit

Vous aurez besoin de

- *fil moyen*
- *1850 (1960, 2120, 2300, 2460) verges/ 1692 (1792, 1939, 2103, 2249) mètres*
- *pour le fil Touch Me seulement, 1350 (1430, 1540, 1650, 1740) verges/ 1234 (1308, 1408, 1509, 1591) mètres*
- *quelque chose de riche*

- *6 boutons de ¾ po/ 2 cm*

J'ai utilisé

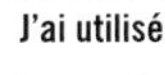

- *4 mm/ É.-U. 6*
- *3,5 mm/ É.-U. 4*

- *4 à 5 mm/ É.-U. F à H*

3 HAUT DU DOS

Avec le côté end. faisant face et une aiguille plus grosse, et en débutant dans la même m. gl. que la dernière m. du rang relevé pour le haut du devant droit, relevez et tric. 1 end. dans l'arr. des m. gl. jusqu'à 95 (104, 112, 121, 130) m. sur l'aiguille. Tournez l'ouvrage.

Travaillez au point mousse avec une lisière de m. gl. jusqu'à 44 (47, 50, 52, 54) côtes du début, en terminant avec un rang du côté envers.

Pour le fil Touch Me seulement, travaillez jusqu'à 41 (44, 47, 49, 51) côtes du début.

Rabattez les m.

4 HAUT DE DEVANT GAUCHE

Avec le côté end. faisant face et une aiguille plus grosse, en débutant dans la même m. gl. que la dernière m. du rang de m. relevées pour le haut du dos, et en finissant dans le rang de terminaison de la pièce du bas du corps, relevez et tric. 1 end. dans l'arr. des m. gl. restantes — 50 (55, 59, 64, 69) m. sur l'aiguille. Tournez l'ouvrage.

Travaillez au point mousse avec une lisière de m. gl. jusqu'à 44 (47, 50, 52, 54) côtes du début, en terminant avec un rang du côté envers.

Pour le fil Touch Me seulement, travaillez jusqu'à 41 (44, 47, 49, 51) côtes.

Rabattez les m.

5 MANCHE DROITE

Avec le côté end. faisant face et une aiguille plus grosse, relevez et tric. 1 end. dans le rang de terminaison du haut du devant droit, puis vers le bas dans l'arr. de chaque m. gl. du côté du haut du devant droit — 45 (48, 51, 53, 55) m. sur l'aiguille.

Pour le fil Touch Me seulement — 42 (45, 48, 50, 52) m. sur l'aiguille.

Insérez un repère pour désigner le centre de la manche. En travaillant vers le haut le long du côté du haut du dos, relevez et tric. 1 end. dans l'arrière de chaque m. gl., en finissant avec le rang de terminaison du haut du dos — 90 (96, 102, 106, 110) m. sur l'aiguille.

Pour le fil Touch Me seulement — 84 (90, 96, 100, 104) m. sur l'aiguille.

*Tournez l'ouvrage

Travaillez au point mousse avec une lisière de m. gl. jusqu'à 12 (8, 6, 4, 2) côtes du début.

Rang (de diminution) suivant (end.) Travaillez jusqu'à 3 m. du repère du centre, faites un surjet simple (gl. 1, 1 end., p. m. g. p., page 99), 2 end., 2 end. ens., end. jusqu'à la fin. Travaillez au point mousse avec une lisière de m. gl. pour 3 rangs de plus.

Répétez ces 4 derniers rangs, en faisant les diminutions de chaque côté du centre de la manche tous les 4e rangs jusqu'à ce qu'il reste 40 (40, 42, 44, 44) m. OU jusqu'à 17 ½ (16 ½, 15 ½, 14 ½, 13 ½) po/44 (42, 39, 37, 34) cm du début (selon la première éventualité). RACCOURCISSEZ ou ALLONGEZ ici. S'il reste 40 (40, 42, 44, 44) m., mais que la manche n'a pas la longueur voulue, interrompez les diminutions et travaillez jusqu'à la bonne longueur. Si la manche est de la bonne longueur et qu'il reste plus de 40 (40, 42, 44, 44) m., faites 1 rang comme ceci : prenez des aiguilles plus fines et travaillez d'un bout à l'autre, en diminuant uniformément les m. (page 121) jusqu'à 40 (40, 42, 44, 44) m. Sur les aiguilles plus fines, continuez au point mousse avec une lisière de m. gl. sur une distance de 1 ½ po/4 cm.

Rabattez les m.

6 MANCHE GAUCHE

Avec le côté end. faisant face et une aiguille plus grosse, relevez et tric. 1 end. dans le rang de terminaison du haut du dos, puis vers le bas dans l'arr. de chaque m. gl. du côté du haut du dos — 45 (48, 51, 53, 55) m. sur l'aiguille.

Pour le fil Touch Me seulement — jusqu'à 42 (45, 48, 50, 52) m. sur l'aiguille.

Insérez un repère pour désigner le centre de la manche.

En travaillant vers le haut le long du côté du haut du devant gauche, relevez et tric. 1 end. dans l'arr. de chaque m. gl., en finissant avec le rang de terminaison du haut du devant gauche — 90 (96, 102, 106, 110) m. sur l'aiguille.

Pour le fil Touch Me seulement — jusqu'à 84 (90, 96, 100, 104) m. sur l'aiguille.

Continuez avec les instructions de la manche droite, à partir de l'* jusqu'à la fin.

FINITION

En débutant avec le poignet droit, cousez les m. gl. ensemble (page 120) en remontant la manche, puis cousez ensemble les m. rabattues du devant et du dos droits, de la même façon d'un bout à l'autre de l'épaule, jusqu'à ce que 21 m. rabattues restent non cousues au haut du devant droit (pour l'ouverture du cou).

Renforcez le point à la fin de la couture (du côté env.) parce que la tension sera forte sur ce coin du vêtement.

En débutant avec le poignet gauche, cousez la manche et l'épaule gauches de la même façon.

Cousez les boutons sur le devant gauche, vis-à-vis des boutonnières.

Pour le fil Touch Me seulement, lavez et séchez tel qu'il est indiqué dans les notes sur l'échantillon de tension. Si les bouts se détachent au lavage, on doit les réinsérer.

3

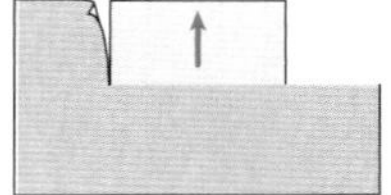

Haut du dos

4

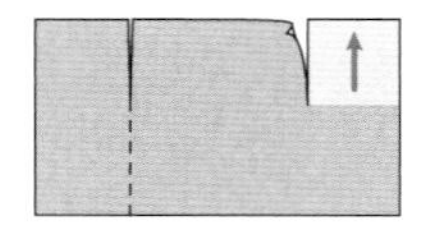

Haut du devant gauche

5

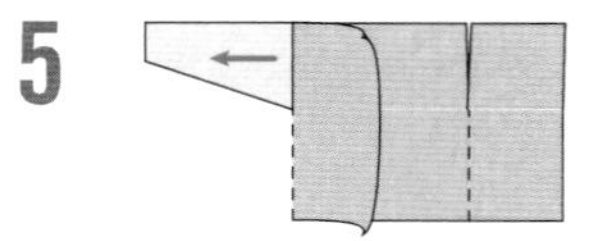

Manche droite

6

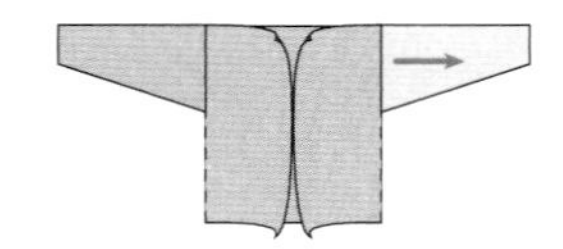

Manche gauche

Manteau, 0 à 3 mois : 3 pelotes Sandnes Smart, couleur n° 5226
Burnous : 6 pelotes de fil léger

Le manteau et le burnous de Bébé Albert

Il est toujours merveilleux de tricoter pour un bébé — nous faisons une chose précieuse pour un être précieux, et nous exerçons nos habiletés sur un petit ouvrage.
Ma première version du manteau d'Einstein était en fait destinée à un nourrisson — c'était un modèle réduit, un modèle-test —, mais le fil lourd n'était pas assez doux pour un bébé. J'ai alors pensé : « C'est tout de même mignon. Que pourrais-je faire à partir de ce vêtement ? » Le résultat fut ce burnous. N'est-ce pas génial de voir un bébé habillé de couleurs éclatantes ?

Le burnous se fait dans une seule grandeur. Les tailles plus grandes devraient être redessinées pour tenir compte des couches, mais je ne voulais pas complexifier ce modèle facile.

Voici comment faire !

Toutes les pièces du vêtement comportent des lisières de mailles glissées. Ce traitement fait que le vêtement tombe bien et que les pièces s'assemblent harmonieusement. Omettre de faire ces mailles glissées produirait un vêtement d'apparence négligée. Pour bien apprendre cette technique, je vous suggère de vous exercer en faisant votre échantillon de tension :

- *Montez 22 mailles (m.). Toutes les méthodes sont bonnes, mais vous pourriez utiliser le montage au crochet, page 94.*
- *Travaillez au point mousse avec une lisière de mailles glissées (m. gl.) : avec le fil devant (f. dev., page 96), glissez la première m. dans le sens de l'envers (gl. 1 env., page 98), amenez le fil derrière (f. der.), end. jusqu'à la fin.*
- *Répétez ce rang jusqu'à 20 côtes au point mousse.*
- *Rabattez les m.*

La pièce devrait mesurer 4 po x 4 po/10 cm x 10 cm, sans inclure les m. gl. ni les rangs de montage ou de terminaison.

EXPÉRIENCE
- très facile
- finition minimale

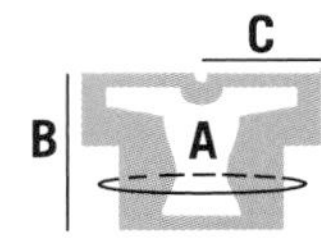

AJUSTEMENT DÉMESURÉ

0 à 3 (6 à 9, 12) mois pour le manteau
A *20 (22, 25) po/51 (56, 64) cm*
B *10½ (11½, 13) po/27 (29, 33) cm*
C *11 (13, 15¼) po/28 (33, 39) cm*
0 à 3 pour le burnous
A *19 po/48 cm*
B *14½ po/37 cm (jusqu'à l'entrejambe)*
C *11 po/28 cm*

4 po/10 cm

- mailles et côtes au point mousse

Vous aurez besoin de

- fil léger
- quelque chose de doux

Pour le manteau
- 330 (420, 550) verges/ 302 (384, 503) mètres

facultatif :
- 105 verges/ 96 mètres pour le capuchon

Pour le burnous
- 210 verges/ 192 mètres en couleur chartreuse (C1)
- 210 verges/ 192 mètres en pervenche (C2) (dont 105 verges/ 96 mètres pour le capuchon)
- 105 verges/ 96 mètres en moutarde (C3)
- 105 verges/ 96 mètres en mandarine (C4)

- 5 boutons de ¾ po/2 cm pour le manteau
- 8 boutons de ⅝ po/1,5 cm pour le burnous

J'ai utilisé

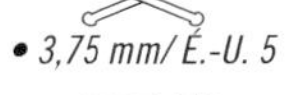

- 3,75 mm/ É.-U. 5
- 3,5 à 4 mm/ É.-U. E à F

1 PIÈCE DU BAS DU CORPS

Avec le montage au crochet, montez :

- 27 (30, 35) m. pour le manteau,
- 48 m. en C1 pour le burnous.

C1, C2, C3 et C4 désignent les couleurs utilisées. Servez-vous de la photo et de la liste des fils pour vous guider.

Travaillez au point mousse avec une lisière de m. gl. :

- jusqu'à 99 (107, 123) côtes du début pour le manteau,
- jusqu'à 95 côtes du début pour le burnous.

Ceci représente un grand nombre de côtes. Pour éviter de recompter, suspendez quelque chose — un fil, un trombone — toutes les 20 côtes.

Les boutonnières sont du côté masculin.

Début des boutonnières : ***rang suivant (côté end.)*** F. dev., gl. 1 env., f. der., 5 end., tricotez à l'endroit 2 m. ensemble (2 end. ens., page 77), 1 jeté (j., page 97), *7 end., 2 end. ens., j., end. jusqu'à la fin pour le manteau (2 boutonnières faites), répétez à partir de l'* jusqu'à 5 boutonnières pour le burnous, puis end. jusqu'à la fin.

Fin des boutonnières : ***rang suivant*** En travaillant comme d'habitude, tric. end. dans l'arrière (arr., page 97) des j. pour les resserrer. Continuez au point mousse avec une lisière de m. gl. pour 2 côtes de plus.

Rabattez les m.

2 HAUT DU DEVANT DROIT

Avec le côté end. faisant face, relevez et tric. 1 end. dans le rang de montage de la pièce du bas du corps, ensuite dans l'arr. des m. gl. (page 119)

- jusqu'à 27 (29, 33) m. sur l'aiguille pour le manteau,
- avec C3 et jusqu'à 27 m. sur l'aiguille pour le burnous.

Tournez l'ouvrage.

Travaillez au point mousse avec une lisière de m. gl., en terminant avec un rang du côté envers :

- jusqu'à *23 (26, 29) côtes pour le manteau,*
- jusqu'à 23 côtes pour le burnous.

Rabattez les m.

3 HAUT DU DOS

Avec le côté endroit faisant face et en débutant dans la même m. gl. que la dernière m. du rang relevé pour le haut du devant droit, relevez et tric. 1 end. dans l'arr. des m. gl. :

- jusqu'à 52 (56, 64) m. sur l'aiguille pour le manteau,
- avec C3 et jusqu'à 48 m. sur l'aiguille pour le burnous.

Tournez l'ouvrage.

Travaillez au point mousse avec une lisière de m. gl., en terminant avec un rang du côté envers :

- jusqu'à 23 (26, 29) côtes pour le manteau,
- jusqu'à 23 côtes pour le burnous.

Rabattez les m.

4 HAUT DU DEVANT GAUCHE

Avec le côté end. faisant face et en débutant dans la même m. gl. que la dernière m. du rang relevé pour le haut du dos, puis en finissant dans le rang de terminaison de la pièce du bas du corps, relevez et tric. 1 end. dans l'arr. des m. gl. restantes :

- jusqu'à 27 (29, 33) m. sur l'aiguille pour le manteau,
- avec C3 et jusqu'à 27 m. sur l'aiguille pour le burnous.

Tournez l'ouvrage.

Travaillez au point mousse avec une lisière de m. gl. pour toute la pièce.

À deux côtes du début, travaillez ainsi :

Début de la boutonnière : ***rang suivant (end.)*** F. dev., gl. 1 env., f. der., end. jusqu'à ce qu'il reste 5 m., 2 end. ens., j., end. jusqu'à la fin. Une boutonnière faite.

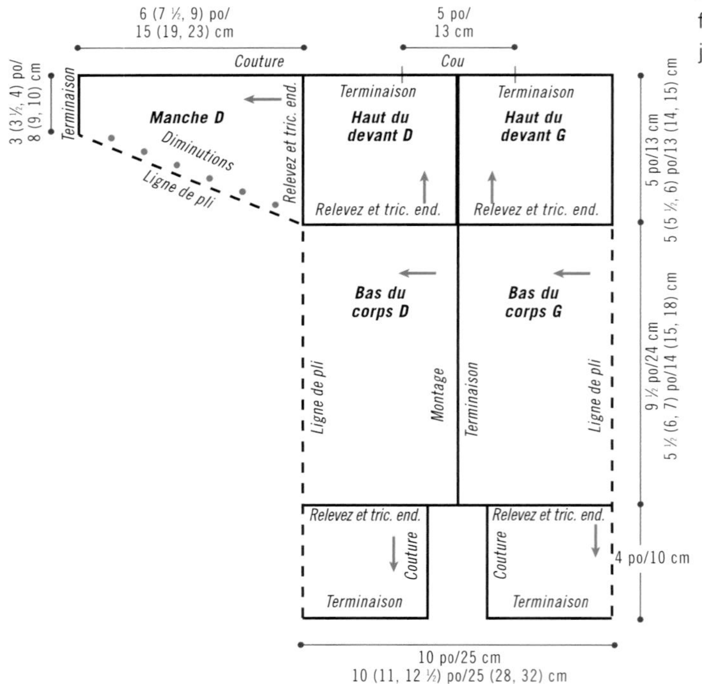

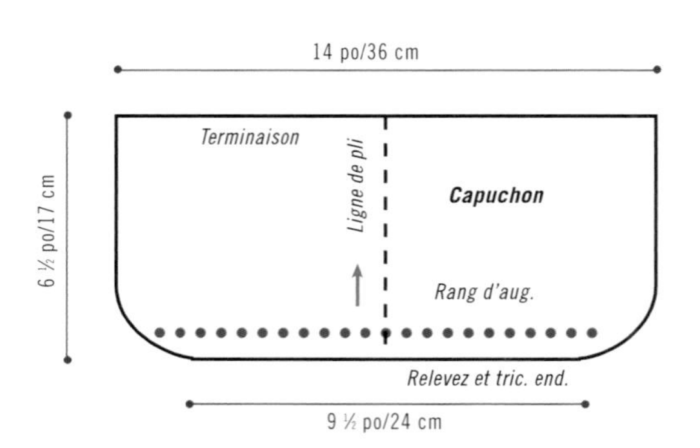

Fin de la boutonnière : ***rang suivant*** En travaillant un rang du côté env. comme d'habitude, tric. end. dans l'arr. des j.
Continuez jusqu'à 10 côtes du début.
Faites une boutonnière dans les 2 prochains rangs, comme ci-dessus.
Continuez jusqu'à 18 côtes du début.
Faites une boutonnière dans les 2 prochains rangs, comme ci-dessus.
Continuez comme ceci :

- jusqu'à 23 (26, 29) côtes pour le manteau,
- jusqu'à 23 côtes pour le burnous.

Rabattez les m.

5 MANCHE DROITE

Avec le côté end. faisant face, relevez et tric. 1 end. dans le rang de terminaison du haut du devant droit et ensuite vers le bas dans l'arr. de chaque m. gl. du côté du haut du devant droit jusqu'à 24 (27, 30) m. sur l'aiguille pour le manteau, avec C4 et jusqu'à 24 m. sur l'aiguille pour le burnous.
Mettez un repère pour désigner le centre de la manche. En travaillant vers le haut le long du côté du haut du dos, relevez et tric. 1 end. dans l'arr. de chaque m. gl., en finissant avec le rang de terminaison du haut du dos jusqu'à 48 (54, 60) m. sur l'aiguille pour le manteau, jusqu'à 48 m. sur l'aiguille pour le burnous.
*Tournez l'ouvrage.
Travaillez au point mousse avec une lisière de m. gl. jusqu'à 6 (6, 12) côtes pour le manteau, et 6 côtes pur le burnous.
Rang (de diminution) suivant (end.) Travaillez jusqu'à 3 m. du repère du centre, faites un surjet simple (gl. 1, 1 end., p. m. g. p., page 99), 2 end., 2 end. ens., end. jusqu'à la fin.
Travaillez 3 (5, 5) rangs de plus pour le manteau ; 3 rangs de plus pour le burnous.
Continuez en faisant des diminutions de chaque côté du centre de la manche tous les 4 ou 6 rangs (tel qu'il est indiqué ci-dessus) :

- jusqu'à ce qu'il reste 30 (36, 40) m. pour le manteau,
- jusqu'à ce qu'il reste 30 m. pour le burnous.

Continuez sans faire de diminution jusqu'à 6 (7 ½, 9) po/15 (19, 23) cm du début pour le manteau ; 6 po/15 cm pour le burnous.
Rabattez les m.

6 MANCHE GAUCHE

Avec le côté end. faisant face, relevez et tric. 1 end. dans le rang de terminaison du haut du dos et ensuite vers le bas dans l'arr. de chaque m. gl. du côté du haut du dos :

- jusqu'à 24 (27, 30) m. sur l'aiguille pour le manteau,
- avec C2 et jusqu'à 24 m. sur l'aiguille pour le burnous.

Insérez un repère pour désigner le centre de la manche. En travaillant vers le haut le long du côté du haut du devant gauche, relevez et tric. 1 end. dans l'arr. de chaque m. gl., en finissant dans le rang de terminaison du haut du devant gauche :

- jusqu'à 48 (54, 60) m. sur l'aiguille pour le manteau,
- jusqu'à 48 m. sur l'aiguille pour le burnous.

Continuez avec les instructions de la manche droite à partir de l'* jusqu'à la fin.

FINITION

En débutant avec le poignet droit, cousez les m. gl. ensemble (page 120) en remontant la manche, puis cousez ensemble les m. rabattues du devant et du dos droits de la même façon d'un bout à l'autre de l'épaule, jusqu'à ce que 13 m. rabattues restent non cousues au haut du devant droit (pour l'ouverture du cou).

Renforcez le point à la fin de la couture (du côté env.), parce que la tension sera forte sur ce coin du vêtement.

En débutant avec le poignet gauche, cousez la manche et l'épaule gauches de la même façon.
Cousez les boutons sur le devant droit vis-à-vis des boutonnières.

7 JAMBE GAUCHE (BURNOUS SEULEMENT)

Faites cette pièce en C4.
Tenez le vêtement à l'envers, prêt à relever des m. le long de la bordure du bas de la pièce du bas du corps.
Avec le côté end. faisant face, passez le rang de terminaison et 6 côtes le long de la bordure du devant gauche (le côté avec les boutonnières), puis relevez et tric. 1 end. dans l'arr. des m. gl. jusqu'à 40 m. sur l'aiguille.
Tournez l'ouvrage.
Travaillez au point mousse avec une lisière de m. gl. jusqu'à 19 côtes.
Rabattez les m.

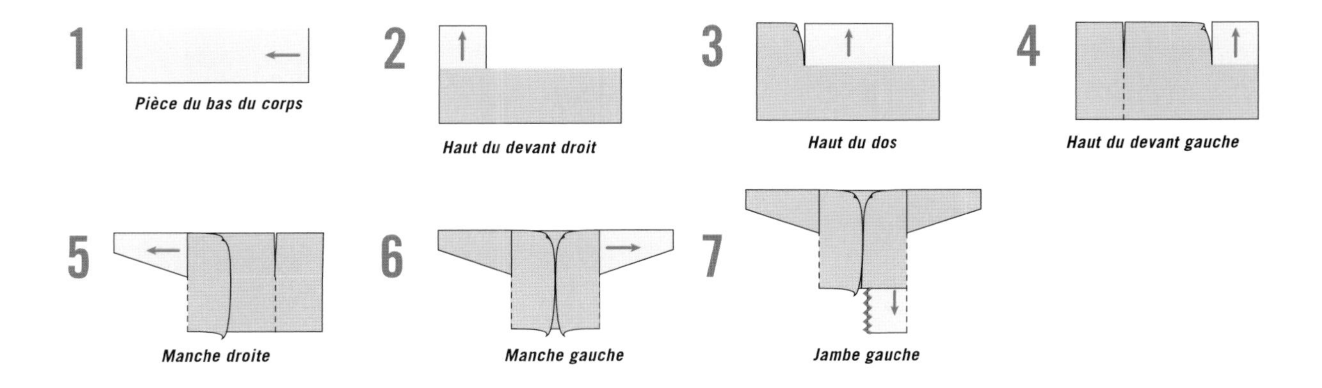

Pièce du bas du corps — *Haut du devant droit* — *Haut du dos* — *Haut du devant gauche* — *Manche droite* — *Manche gauche* — *Jambe gauche*

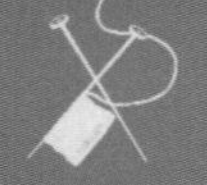

8 JAMBE DROITE (BURNOUS SEULEMENT)

Faites cette pièce en C2.
Retournez au dos du vêtement, prêt à relever des m. le long de la bordure du bas de la pièce du bas du corps.
Avec le côté end. faisant face, passez 6 côtes contiguës à la jambe gauche, puis relevez et tric. 1 end. dans l'arr. des m. gl. jusqu'à 40 m. sur l'aiguille.
Tournez l'ouvrage.
Travaillez au point mousse avec une lisière de m. gl. jusqu'à 19 côtes.
Rabattez les m.
En débutant au bas de la jambe droite, cousez les m. gl. ens. en remontant l'intérieur de la couture droite. Couvrez ce qui deviendra la bordure des boutons avec la bordure des boutonnières et cousez les m. gl. ens. d'un côté à l'autre de la fourche, puis cousez les m. gl. ens. vers le bas le long de l'intérieur de la couture gauche.

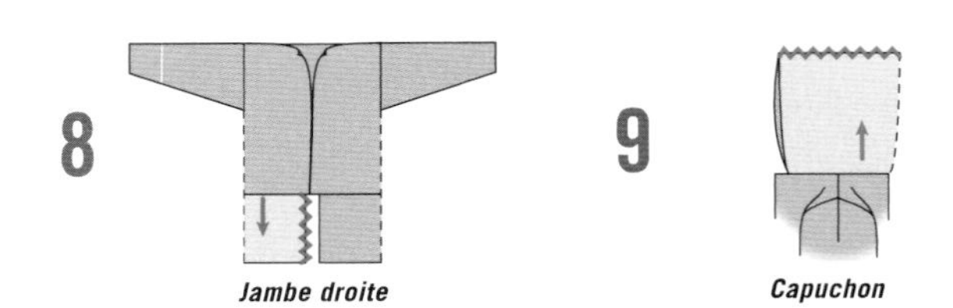

Jambe droite

Capuchon

9 CAPUCHON (BURNOUS SEULEMENT)

Faites cette pièce en C2.
Avec le côté end. faisant face, passez la lisière de m. gl. et la première m. rabattue de la bordure des boutons, puis relevez et tric. 1 end. dans l'arr. de chaque m. rabattue le long du devant droit du cou — 12 m. sur l'aiguille. Relevez et tric. 1 end. dans le coin, puis relevez et tric. 1 end. dans l'arr. de toutes les m. rabattues d'un côté à l'autre du dos du cou — 35 m. sur l'aiguille. Relevez et tric. 1 end. dans le coin, puis relevez et tric. 1 end. dans l'arr. de toutes les m. rabattues le long du devant gauche du cou, en laissant la dernière m. rabattue et la lisière de m. gl. non utilisées — 48 m. sur l'aiguille.
Travaillez au point mousse avec une lisière de m. gl. jusqu'à 3 côtes.
Rang (d'augmentation) suivant (end.) F. dev., gl. 1 env., f. der., *1 end., faites une augmentation barrée (end. av. arr., page 77), répétez à partir de l'*, 1 end. — 71 m. sur l'aiguille.
Travaillez au point mousse avec une lisière de m. gl. jusqu'à 31 côtes du début.
Rabattez les m.
Pliez le capuchon en deux, la ligne de pli au centre du dos. En travaillant du devant vers l'arrière du capuchon, cousez ensemble les bordures de terminaison.
Facultatif Pour former un sac, cousez ensemble les bordures de terminaison au bas des jambes.

Le montage câblé (ou à l'anglaise)

Voici une méthode de montage soignée, ferme et jolie.

Débutez avec un nœud coulant sur l'aiguille gauche.

1 Insérez l'aiguille droite dans le nœud coulant comme pour tricoter à l'endroit...

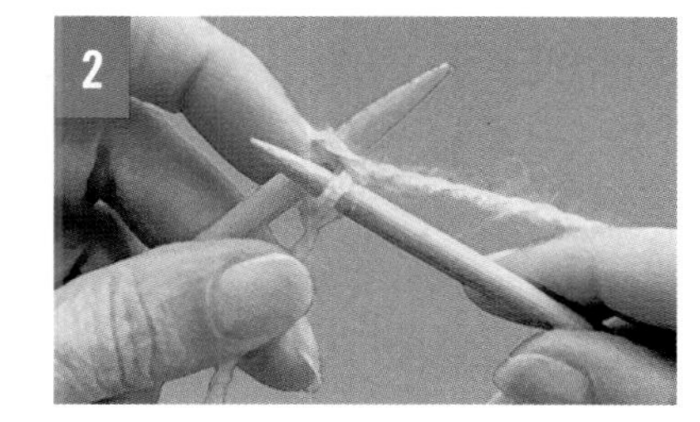

2... puis tirez une boucle à travers celui-ci (ci-dessus) et replacez la boucle sur l'aiguille gauche. (Jusqu'à maintenant, ceci est identique au montage tricoté, page 38.)

3 Pour la prochaine maille et toutes les suivantes, au lieu d'insérer l'aiguille droite dans la première m. de l'aiguille gauche, insérez-la entre cette maille et la suivante.

4 Tirez une boucle à travers, comme d'habitude...

5... puis replacez la boucle sur l'aiguille gauche (ci-dessus).

Répétez les étapes 3 à 5 jusqu'à ce que toutes les mailles soient montées.

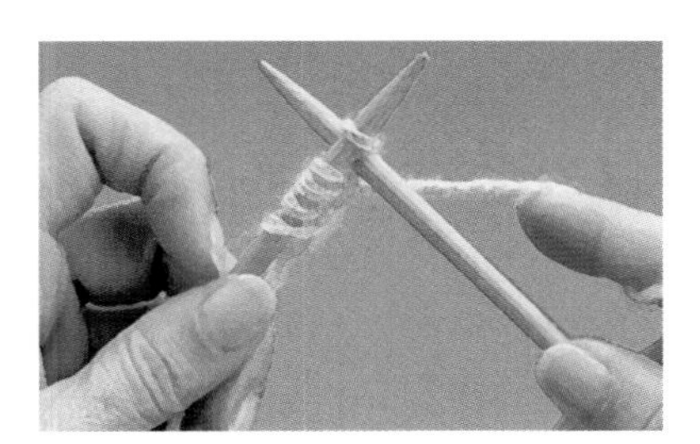

Cinq mailles montées et le début d'une sixième.

On ne commence pas les vêtements de ce chapitre avec le montage câblé, mais avec le montage au crochet pour que toutes les bordures des pièces soient similaires.

Si le montage câblé est montré ici, c'est parce qu'il est utilisé pour la boutonnière sur un rang du modèle de sac à main.

Que vous fassiez ou non ce sac à main, que vous utilisiez ou non cette boutonnière, vous devriez toujours employer le montage câblé pour monter des mailles pour une boutonnière. C'est aussi une excellente méthode de montage pour les côtes 1/1... lorsque vous aurez appris à en faire !

La boutonnière sur un rang

Voici la meilleure technique pour une boutonnière de taille ajustable.

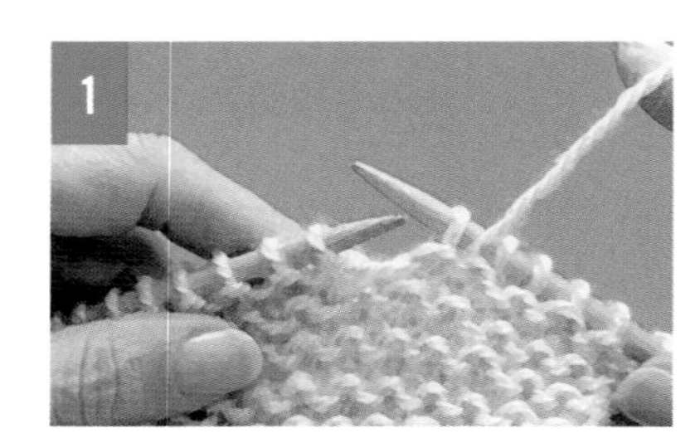

Avec le côté endroit faisant face, travaillez jusqu'à l'endroit désiré pour la boutonnière.

1 Amenez le fil devant et glissez une maille dans le sens de l'envers.

2 Amenez le fil derrière. (Laissez-le derrière : vous n'en aurez pas besoin avant l'étape 8.)

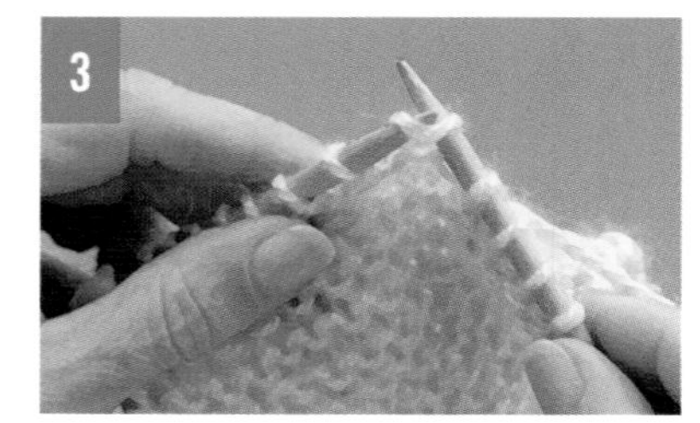

3 Glissez la maille suivante, dans le sens de l'envers, de l'aiguille gauche à l'aiguille droite.

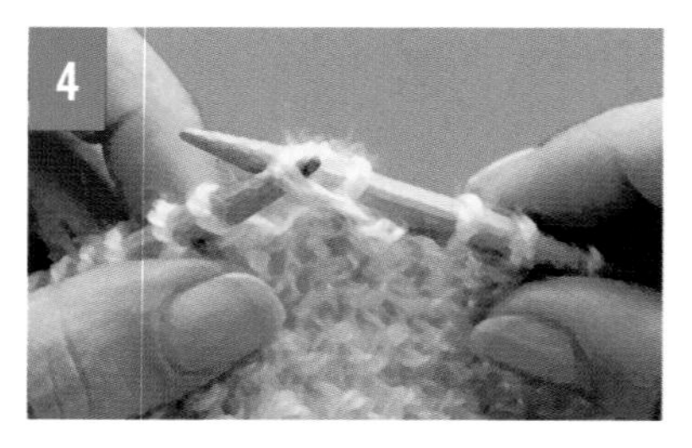

4 Passez la maille glissée précédemment par-dessus celle qui vient d'être glissée (ci-dessus) : une maille est rabattue.

Répétez les étapes 3 et 4 jusqu'à ce que vous ayez le nombre requis de mailles rabattues.

5 Il reste une maille sur l'aiguille droite.

6 Glissez cette maille restante sur l'aiguille gauche.

7 Tournez l'ouvrage. Amenez le fil derrière.

8 En utilisant la méthode de montage câblé (voir p. 117), montez une maille de moins que le nombre de mailles que vous avez rabattues...

9 ... puis tirez le fil au travers de la boucle pour la dernière maille de montage, comme d'habitude, mais juste avant de placer cette boucle sur l'aiguille gauche...

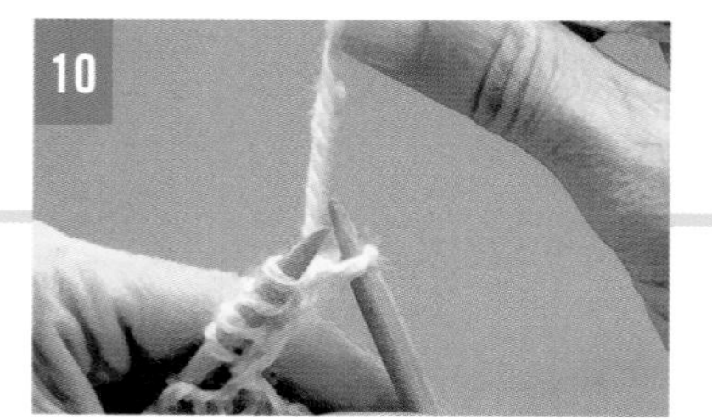

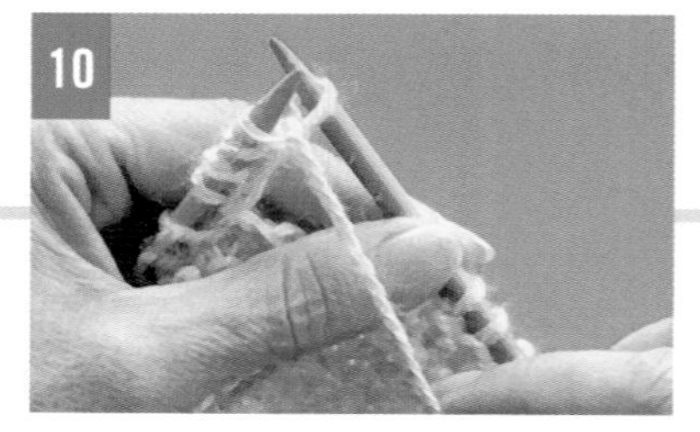

10 ... amenez le fil de travail devant, en le passant entre les deux aiguilles.

Relever et tricoter dans l'arrière d'une lisière de mailles glissées

Une lisière de mailles glissées est de même apparence que le montage au crochet et que la terminaison. Pour relever et tricoter à l'endroit à partir de l'arrière de cette bordure, suivez les étapes 1 à 3.

Faites tout ceci avec le côté endroit faisant face.

1 Insérez l'aiguille droite dans le brin arrière de la première maille glissée. (Celle-ci apparaît exactement à la bordure de montage ou de terminaison.)

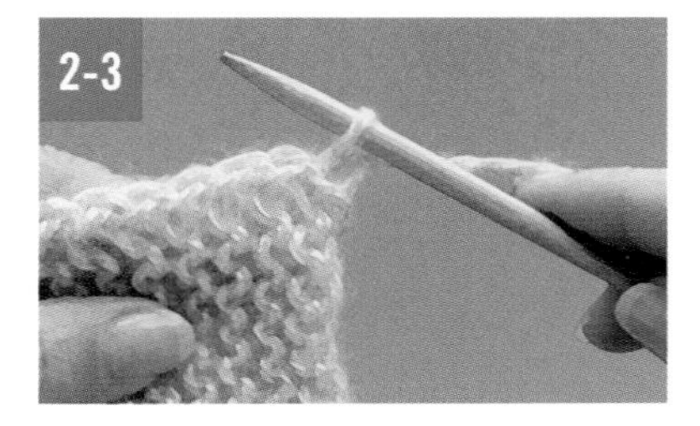

2 Tirez le fil de travail à travers celle-ci, pour former une maille (ci-dessus).

3 Insérez l'aiguille droite dans l'arrière de la maille suivante (comme à l'étape 1) et tirez le fil à travers celle-ci pour former une maille.

Répétez l'étape 3.

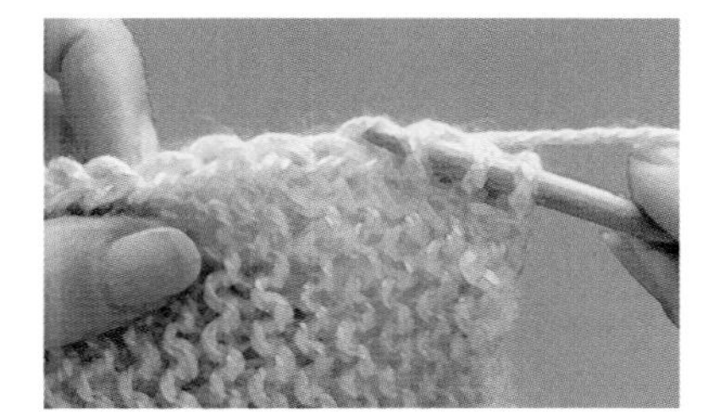

Trois mailles relevées et tricotées à l'endroit, et le début d'une quatrième.

11 Placez maintenant la dernière maille de montage sur l'aiguille gauche (ci-dessus).

12 Tournez l'ouvrage et continuez votre rang comme d'habitude.

Une boutonnière complétée, le côté endroit faisant face.

Si vous montez simplement le nombre de mailles pour la boutonnière, sans les manœuvres faites avec la dernière maille aux étapes 9 à 11, vous produirez une boucle abominable qui entravera la boutonnière.

Si la boutonnière requiert de rabattre et de monter des mailles, amenez le fil devant avec le dernier montage pour éviter une boucle problématique.

Relever sous une lisière de mailles glissées

Cette technique est similaire à celle qui consiste à relever à partir des côtes au point mousse (page 61), sauf que ces côtes étaient en bordure d'une pièce, alors que celles-ci ne le sont pas.

Faites tout ceci avec le côté envers faisant face.

1 Insérez l'aiguille gauche, de gauche à droite, à travers chaque côte au point mousse située juste à côté de la maille glissée.

Un rang entier relevé.

Le côté endroit, après quelques rangs tricotés.

Coudre une lisière de mailles glissées

Faites tout ceci avec le côté endroit faisant face.

1 Insérez une aiguille à tapisserie sous le côté extérieur de la première maille glissée.

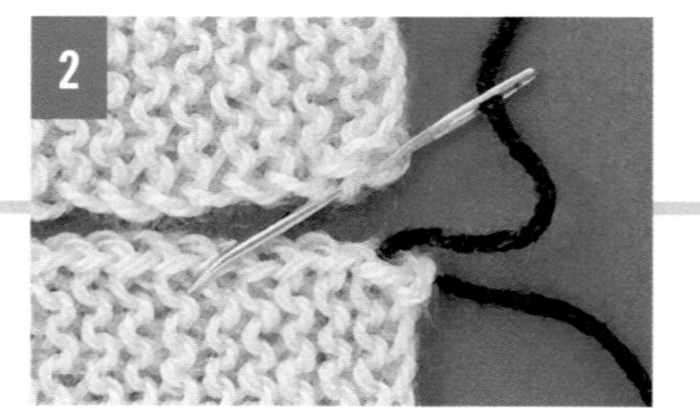

2 Allez vers la pièce opposée. Insérez l'aiguille dans le côté extérieur de la première maille glissée, puis ressortez devant, à travers le côté extérieur de la prochaine maille glissée.

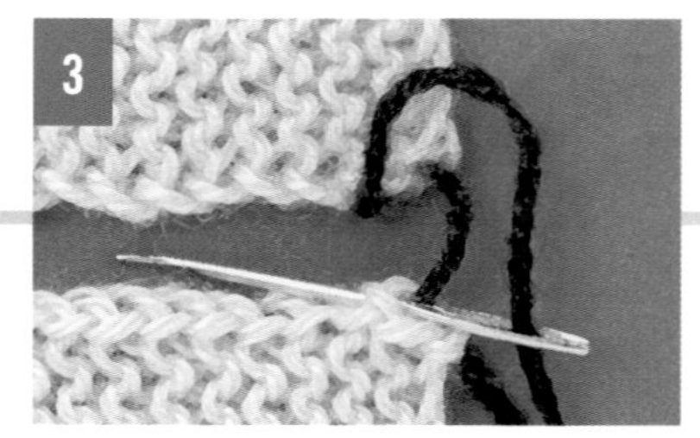

3 Allez vers la pièce opposée. Insérez l'aiguille à tapisserie à l'endroit d'où vous êtes ressorti, puis revenez vers le haut à travers le côté extérieur de la prochaine maille.
Répétez l'étape 3.

Diminuer uniformément

Lorsqu'on vous dit de diminuer uniformément, il s'agit de répartir les diminutions uniformément d'un côté à l'autre d'un rang.

1. Vous devez connaître le nombre de m. avec lesquelles vous débutez et le nombre de mailles à diminuer. *Par exemple, vous débutez avec 36 m. et vous devez vous rendre à 30 m., donc vous devrez diminuer de 6 m.*
2. Divisez le nombre de m. avec lesquelles vous débutez par le nombre de m. à diminuer : *36 ÷ 6 = 6 = le résultat.*
3. Pour diminuer uniformément d'un côté à l'autre du rang, *travaillez jusqu'à 2 m. de moins que le résultat, faites une diminution, répétez à partir de l'*.
   *Dans cet exemple : *travaillez 4 m., 2 end. ens. (ou gl. 1, 1 end., p. m. g. p.), répétez à partir de l'*.*
   Si le résultat n'est pas un nombre entier, faites exactement comme à l'étape 3, puis travaillez les m. restantes à la fin du rang.

Augmenter uniformément

Lorsqu'on vous dit d'augmenter uniformément, il s'agit de répartir les augmentations uniformément d'un côté à l'autre d'un rang.

1. Vous devez connaître le nombre de m. avec lesquelles vous débutez et le nombre de mailles à augmenter.
   Par exemple, vous débutez avec 30 m. et vous devez vous rendre à 36 m., donc vous devez augmenter de 6 m.
2. Divisez le nombre de m. avec lesquelles vous débutez par le nombre de m. à augmenter : *30 ÷ 6 = 5 = le résultat.*
3. Pour augmenter uniformément d'un côté à l'autre du rang, *travaillez jusqu'à 1 m. de moins que le résultat, faites une augmentation avec la prochaine m., répétez à partir de l'*.
   *Dans cet exemple : *travaillez 4 m., end. av. arr., répétez à partir de l'*.*
4. Ou, pour augmenter uniformément d'un côté à l'autre du rang, *travaillez jusqu'au résultat, faites une augmentation intercalaire, répétez à partir de l'*.
   *Dans cet exemple : *travaillez 5 m., aj. 1, répétez à partir de l'*.*
   Si le résultat n'est pas un nombre entier, faites exactement comme aux étapes 3 ou 4, puis travaillez les m. restantes à la fin du rang.

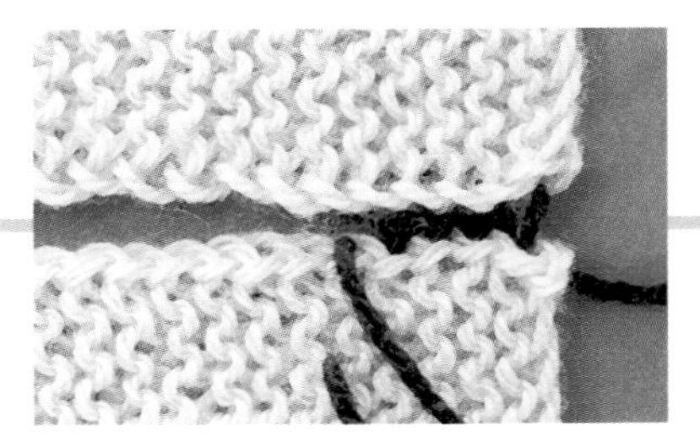

Quatre mailles cousues, avant de tirer le fil pour le tendre.

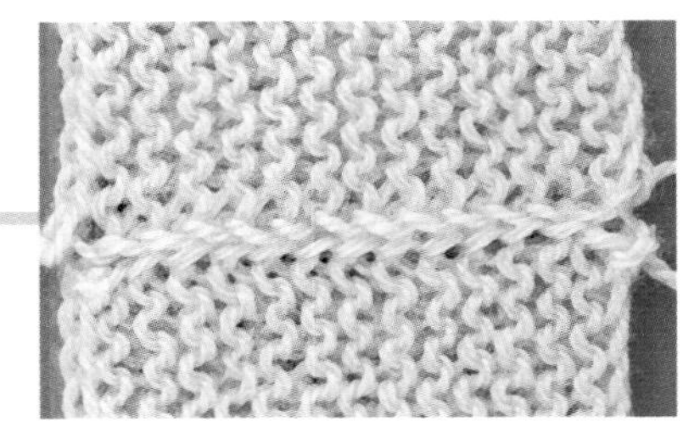

La couture terminée, une fois le fil tiré.

Pour plus de clareté, les coutures sur les photos sont faites avec un fil de couleur contrastante.

Alors que vous cousez, tirez le fil de couture pour le tendre — jusqu'à ce qu'il y ait une résistance et non jusqu'à plisser votre couture — environ tous les pouces (2,5 cm).

L'attention aux **DÉTAILS**

On pourrait croire que les projets des débutants, dans tous les domaines, sont forcément ennuyeux, simplistes, voire pas du tout à la mode. Mais qui aimerait nos créations si nous ne confectionnions que des vêtements inintéressants?

Pour notre part, nous avons choisi de magnifier l'élégance et la simplicité. Il y a bien sûr d'autres voies possibles, mais ce livre a été conçu selon cette esthétique.

Au fur et à mesure que je travaillais à cet ouvrage — à rassembler des pièces faciles à faire et agréables à porter, attentive à l'âge, au style, aux exigences et aux moyens de chacun —, j'ai découvert que:

- j'aimais beaucoup tricoter des pièces aussi simples;
- j'ai toujours porté les vêtements proposés dans ce livre;
- les tricoteurs expérimentés adorent le style des vêtements de ce livre.

Aujourd'hui, je ne suis pas certaine de vouloir refaire des tricots complexes à tout prix!

Puisque les tricots de ce livre sont simples, ils sont toujours en vogue et faciles à harmoniser avec d'autres vêtements. De plus, ils constituent une garde-robe complète. Par exemple, par une fraîche matinée de printemps, je me suis rendu compte que je portais plusieurs pièces à la fois: un manteau du chapitre quatre, une écharpe du chapitre un, le sac à main du chapitre quatre et un chandail du chapitre six. Cela m'a fait sourire!

Quand vous serez plus expérimenté, vous pourrez élaborer une esthétique personnelle à partir de vos goûts et de vos aptitudes. J'espère que toutes ces expériences vous procureront autant de plaisir que j'en ai eu moi-même à les réaliser.

Les CHANDAILS AJOURÉS et OPAQUES

Comme vous avez pu le constater, tous les fils ne sont pas faits de laine. Il existe aussi d'autres fibres aux textures fabuleuses. Pourtant, on croit encore trop souvent qu'on ne peut tricoter qu'avec de la laine. Les magasins de fil sont même parfois appelés « magasins de laine ».

Et puis nous ne voulons pas toujours porter de la laine. L'été par exemple, quand il fait chaud, nous préférons les vêtements de coton.

Le coton est indiqué pour les températures chaudes, puisqu'il laisse s'échapper la chaleur corporelle, mais les chandails de coton sont parfois lourds. Heureusement, certains mélanges de cotons sont légers, et j'ai utilisé un tel mélange pour confectionner le prochain vêtement pour enfant de ce chapitre.

Pour qu'un vêtement soit frais, il doit être fabriqué avec du fil léger. Mais il existe aussi des façons de produire des étoffes légères à partir de fils lourds, et c'est l'objet des pièces de ce chapitre — des étoffes légères et ajourées.

Ces vêtements ont des zones opaques, équilibrant les zones transparentes et couvrant le corps là où il doit être couvert. C'était mon défi de réaliser tout cela sans trahir le bon goût et en proposant des vêtements assez faciles à confectionner.

Par contre, les vêtements de coton seront plus difficiles à faire pour les débutants, parce que cette fibre est lourde et peu élastique, ce qui peut rendre l'ajustement de la tension malaisé. Préparez-vous à faire un échantillon sur des aiguilles de plus en plus petites, jusqu'au moment où vous atteindrez la tension voulue. Bien que la lourdeur du coton permette de maintenir la forme du vêtement, l'étoffe s'étirera. Mesurez fréquemment la longueur, en soulevant le vêtement plutôt qu'en le mettant à plat, et relisez bien les notices d'entretien du coton (page 41).

Chapitre cinq

Les modèles

Habiletés supplémentaires

Le chandail d'été favori de Sally

J'ai d'abord tricoté ce chandail alors que je faisais de la voile dans les Grands Lacs. Je n'avais qu'un petit miroir dans notre cabine pour examiner le résultat, mais il semblait fabuleux ! Il est devenu mon vêtement estival préféré, parce qu'il est léger et frais... et qu'il cache tous les péchés !

Si vous êtes comme moi, vous en voudrez plus d'un : un d'une couleur neutre qui s'accorde avec tout, et un autre d'une couleur qui vous va à merveille ! Personnellement, j'en ai trois et je suis en train d'en faire un quatrième — est-ce trop ?

Un mot au sujet de la taille. Ce vêtement peut paraître large, mais il s'agit d'un vêtement fantaisiste, plus grand que la moyenne. De plus, les vêtements amples m'ont toujours paru plus frais. Et puis ce chandail doit couvrir les hanches.

Pour déterminer la taille du vêtement, mesurez votre poitrine et vos hanches. Ajoutez 6 po/15 cm à la plus grande de ces deux valeurs. Voilà la taille du vêtement (ou la taille plus grande suivante). Ne vous inquiétez pas si cela semble large : la ligne à l'épaule vous amincira.

Voici comment on fabrique les étoffes ajourées et opaques. Cette méthode est facile à mémoriser ; l'apprendre à l'avance rend le modèle plus facile à lire.

ÉTOFFE AJOURÉE

Rangs du côté endroit (end.) Tricotez (tric.) à l'endroit (end.) toutes les mailles (m.) sur l'aiguille plus fine.

Rangs du côté envers (env.) End. toutes les m. sur l'aiguille plus épaisse.

ÉTOFFE OPAQUE

Tous les rangs End. toutes les m. avec les aiguilles plus fines.

Voici comment faire !

Avant de débuter, veuillez lire l'introduction de ce chapitre, page 125.

DOS

Bordure

Avec le montage câblé (page 117) et l'aiguille plus fine, montez 96 (104, 112, 120, 128, 136, 144) m. End. 2 rangs.

M pour femme : 13 écheveaux BERROCO Linet, couleur n° 3318

EXPÉRIENCE
- *très facile*
- *façonnage minimal*
- *finition minimale*

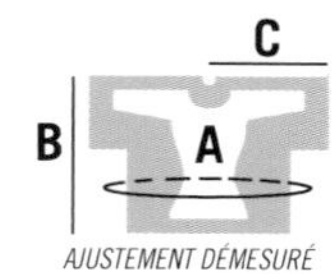

Pour enfant 6 à 8 (10 à 12, pour femme P, M, G, TG, TTG)
A 39 (42, 45, 49, 52, 56, 58) po/99 (107, 114, 124, 132, 142, 147) cm
B 22 (25, 28, 28, 28, 28, 28) po/56 (64, 71, 71, 71, 71, 71) cm
C 23 (26, 29, 29, 29, 29, 29) po/58 (66, 74, 74, 74, 74, 74) cm

Rang (de diminution) suivant (env.) Sur l'aiguille plus épaisse, *2 end., faites un surjet simple (gl. 1, 1 end., p. m. g. p., page 99), répétez à partir de l'* — 72 (78, 84, 90, 96, 102, 108) m. restantes.

La « jupe » ajourée

Dans les zones ajourées, finissez une pelote (et commencez-en une nouvelle) à la fin des rangs (page 58); rentrez les bouts dans les coutures.

En commençant avec un rang du côté end., faites de l'étoffe ajourée jusqu'à 7 (8, 9, 9, 9, 9, 9) po/18 (20, 23, 23, 23, 23, 23) cm du début, mesuré après repassage (alors que l'étoffe est toujours sur l'aiguille), et en finissant avec un rang du côté env.

Vous devez arrêter pour repasser la zone ajourée (selon les instructions de la page 40) avant de mesurer.

Rang (d'augmentation) suivant Sur l'aiguille plus fine, *1 end., faites une augmentation barrée (end. av. arr., page 77), répétez à partir de l'* — 108 (117, 126, 135, 144, 153, 162) m. sur l'aiguille.

Corps opaque

Faites de l'étoffe opaque jusqu'à 14 (16, 18, 18, 17, 16, 16) po/36 (41, 46, 46, 43, 41, 41) cm du début, en terminant avec un rang du côté env. RACCOURCISSEZ ou ALLONGEZ ici.

Former l'emmanchure

Rabattez 22 (22, 19, 24, 28, 32, 37) m. au début des 2 rangs suivants — 64 (73, 88, 87, 88, 89, 88) m. restantes.

Continuez l'étoffe opaque jusqu'à 7 ½ (8 ½, 9 ½, 9 ½, 10 ½, 11 ½, 11 ½) po/19 (22, 24, 24, 27, 29, 29) cm au-dessus du rabattement pour l'emmanchure, en terminant avec un rang du côté env.

Former le dos droit du cou

Rang écourté 1 (end.) 15 (19, 24, 23, 24, 24, 24) end., placez les 34 (35, 40, 41, 40, 41, 40) m. suivantes sur un arrêt de mailles (pour le centre du dos du cou). Tournez l'ouvrage (prêt pour un rang du côté env.), en laissant 15 (19, 24, 23, 24, 24, 24) m. derrière (sur l'aiguille) pour l'épaule gauche (page 137).

Rang 2 (et tous les rangs du côté env.) End.

Rang écourté 3 End. jusqu'à 1 m. de la fin, puis tournez.

Rang écourté 5 End. jusqu'à 2 m. de la fin, puis tournez.

Rang 7 Rabattez 13 (17, 22, 21, 22, 22, 22) m. Insérez les 2 m. en attente sur l'arrêt de mailles avec les m. du centre du dos du cou.

Former le dos gauche du cou

Retournez aux 15 (19, 24, 23, 24, 24, 24) m. laissées derrière pour l'épaule gauche, prêt pour un rang du côté end.

Rang 1 (et tous les rangs du côté end.) End.

Rang écourté 2 End. jusqu'à 1 m. de la fin, puis tournez.

Rang écourté 4 End. jusqu'à 2 m. de la fin, puis tournez.

Rang 6 Rabattez 13 (17, 22, 21, 22, 22, 22) m. Insérez les 2 m. en attente sur l'arrêt de mailles avec les m. du centre du dos du cou.

Devant

Travaillez comme pour le dos jusqu'à 6 (7, 8, 8, 9, 10, 10) po/15 (18, 20, 20, 23, 25, 25) cm au-dessus du rabattement pour l'emmanchure, en terminant avec un rang du côté env.

Former le devant gauche du cou

Rang écourté 1 (end.) 22 (26, 31, 30, 31, 31, 31) end., placez les 20 (21, 26, 27, 26, 27, 26) m. suivantes sur un arrêt de mailles. Tournez l'ouvrage (prêt pour le travail du côté env.), laissant 22 (26, 31, 30, 31, 31, 31) m. derrière (sur l'aiguille) pour l'épaule gauche.

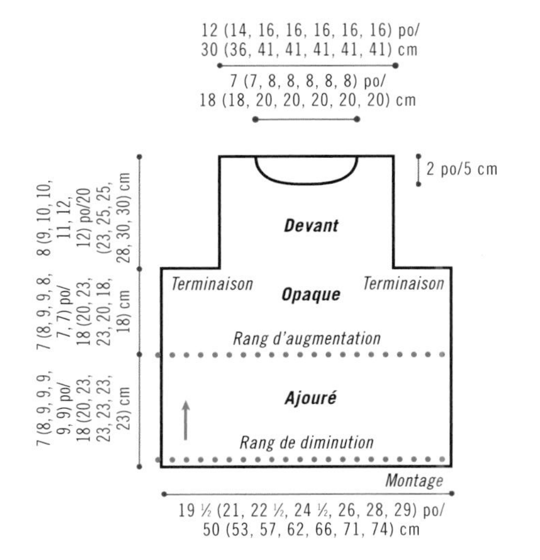

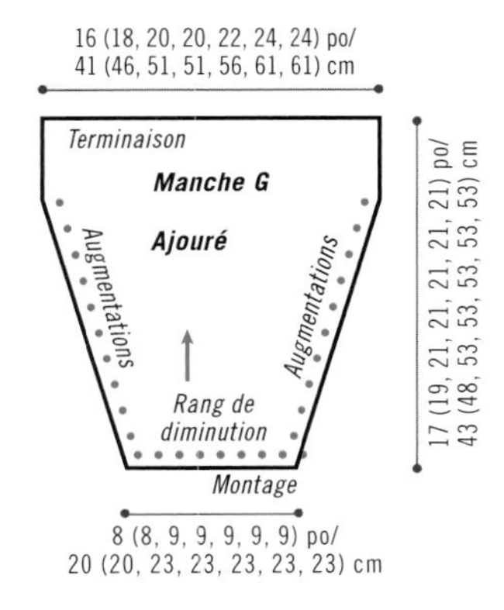

4 po/10 cm

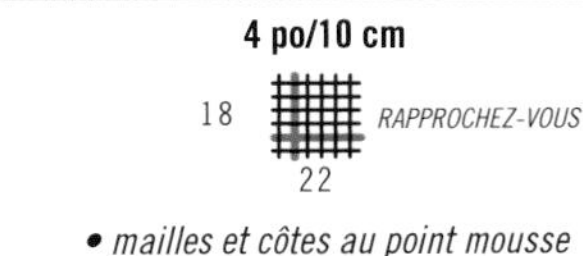

- *mailles et côtes au point mousse de l'étoffe opaque*

Vous aurez besoin de

1 2 **3** 4 5 6

- *fil léger*
- *930 (1100, 1300, 1400, 1500, 1600, 1700) verges/ 850 (1006, 1189, 1280, 1372, 1463, 1554) mètres*
- *coton ou mélange de cotons*

J'ai utilisé

- *3,75 mm/É.-U. 5*
- *7 mm/É.-U. 10½*

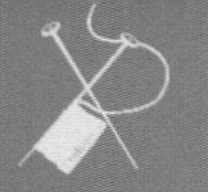

Pour enfant de 6 à 8 : 5 pelotes SIRDAR Denim Tweed DK, couleur no 553

M pour femme : 13 écheveaux TAHKI Cotton Classic, couleur no 3356

Rang 2 (et tous les rangs du côté env.) End.
Rang écourté 3 End. jusqu'à 2 m. de la fin, puis tournez.
Rang écourté 5 End. jusqu'à 4 m. de la fin, puis tournez.
Rang écourté 7 End. jusqu'à 5 m. de la fin, puis tournez.
Rangs écourtés 9, 11, 13, 15 End. jusqu'à 6, puis 7, puis 8, puis 9 m. de la fin avant de tourner.
Rangs 17 à 19 13 (17, 22, 21, 22, 22, 22) end.
Rang 20 (env.) Rabattez 13 (17, 22, 21, 22, 22, 22) m.
Placez les 9 m. en attente sur l'arrêt de mailles avec les m. du devant centre du cou.

Former le devant droit du cou

Retournez aux 22 (26, 31, 30, 31, 31, 31) m. laissées derrière pour l'épaule gauche, prêt pour un rang du côté end.
Rang 1 (et tous les rangs du côté end.) End.
Rangs 2, 4, 6, 8, 10, 12, 14 Répétez les instructions pour les rangs 3 à 15 du devant gauche du cou, en travaillant le façonnage à l'envers.

Cela signifie que vous ferez le rang 2 comme le rang 3 du devant gauche du cou ; le rang 4 comme le rang 5 du devant gauche du cou ; etc.

Rangs 16 à 20 13 (17, 22, 21, 22, 22, 22) end.
Rang 21 Rabattez 13 (17, 22, 21, 22, 22, 22) m.
Placez les 9 m. en attente sur l'arrêt de mailles avec les m. du devant centre du cou.

MANCHES

Avec le montage câblé et l'aiguille plus fine, montez 40 (40, 44, 44, 44, 44, 44) m.
End. 2 rangs.
Rang (de diminution) suivant Sur l'aiguille plus grosse, *2 end., gl. 1, 1 end., p. m. g. p., répétez à partir de l'* — 30 (30, 33, 33, 33, 33, 33) m. restantes.
Débutez avec un rang du côté end., faites de l'étoffe ajourée jusqu'à 2 (2, 3, 3, 3, 3, 3) po/5 (5, 8, 8, 8, 8, 8) cm du début, après repassage (alors que l'étoffe est toujours sur l'aiguille), en terminant avec un rang du côté env.
Rang (d'augmentation) suivant (end.) 2 end., faites une augmentation intercalaire (aj. 1, page 99), end. jusqu'à ce qu'il reste 2 m., aj. 1, 2 end.
Continuez l'étoffe ajourée sur 3 rangs de plus.
Répétez ces 4 derniers rangs en faisant des augmentations à chaque fin de manche, tous les 4e rangs, jusqu'à 58 (64, 71, 71, 77, 85, 85) m.
Continuez l'étoffe ajourée jusqu'à 17 (19, 21, 21, 21, 21, 21) po/43 (48, 53, 53, 53, 53, 53) cm du début, après repassage (alors qu'elle est toujours sur l'aiguille), en terminant avec un rang du côté end. RACCOURCISSEZ ou ALLONGEZ ici.
Rang suivant Avec les aiguilles plus grosses, rabattez les m.

FINITION

Cousez la ligne de l'épaule gauche (maille à maille, page 95).

Bordure du cou

Utilisez l'aiguille plus fine.

En débutant au dos droit du cou et avec le côté end. faisant face, relevez et tric. end., puis rabattez immédiatement, 1 m. pour chaque m. en attente, plus 1 m. pour chaque 2 rangs (ou pour chaque côte) tout autour de la bordure du cou (page 138).

Cousez la ligne de l'épaule droite.

Les manches à l'emmanchure

Pour des résultats parfaits, vous devrez faire certains calculs, mais cela en vaut la peine.

Faites vos calculs!

Le nombre de m. dans le haut de la manche est 58 (64, 71, 71, 77, 85, 85).

Le nombre de m. à la moitié du haut de la manche est 29 (32, 35, 35, 38, 42, 42).

Déterminez le nombre de m. qui correspond à votre taille et inscrivez-le: ____ m.

Comptez le nombre de côtes le long de la bordure du devant gauche de l'emmanchure — de la couture de l'épaule au rabattement sous le bras — et inscrivez-le: ____ côtes.

Avec une calculatrice, divisez le nombre de m. par le nombre de côtes. Vous obtenez une fraction inférieure à 1. (Si le résultat est plus grand que 1, vous avez commis une erreur et devez refaire la dernière étape.)

Reportez-vous au tableau des *Rapports comparatifs* (page 169) et trouvez la fraction la plus rapprochée de votre résultat. On vous indique comment coudre les m. du haut de votre manche aux côtes de l'emmanchure.

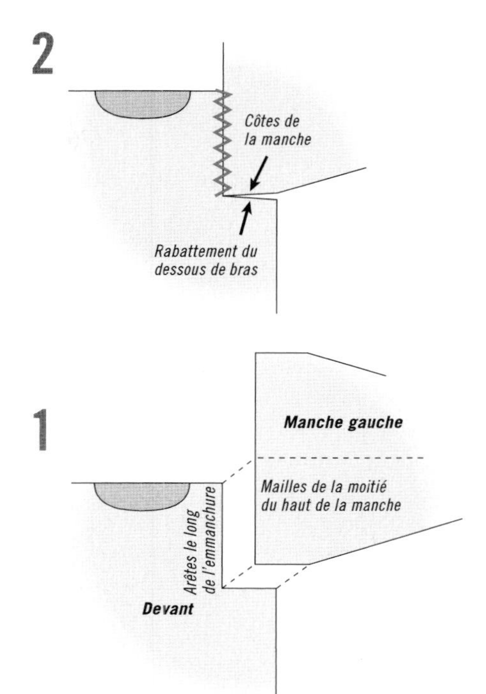

Faites la couture!

1 Ajustez le centre de la bordure du haut de la manche gauche à la couture de l'épaule gauche. Cousez vers le bas du devant gauche de l'emmanchure, en cousant les m. du haut de la manche aux côtes de la bordure de l'emmanchure (page 63), selon le résultat de vos calculs. En vous approchant du coin, ajustez-vous pour que le haut de la manche se termine sous le bras.

2 Sous le bras, tournez le coin. Cousez 2 m. rabattues du devant du dessous de bras à chaque côte de la manche gauche.

Retournez à l'épaule et cousez de la même manière la manche gauche au dos et au dessous de bras de l'emmanchure.

Cousez de la même manière la manche droite au devant droit et au dessous de bras de l'emmanchure.

Cousez les lignes des côtés et des manches (côte à côte, page 62).

Le chandail « Où est l'opaque ? »

Une idée brillante en génère habituellement d'autres — pas toujours aussi brillantes, mais ça, c'est une autre histoire ! Deux nouveaux concepts sont nés du chandail original d'ajustement démesuré (le chandail d'été favori de Sally).
D'abord, je me suis questionnée sur les parties du corps que nous devrions couvrir ou non. Ce vêtement, avec son dos ajouré, est la version « minimale ». Mais la plupart d'entre nous ne pouvons nous permettre d'être trop audacieuses, alors il y a un peu de façonnage inhabituel aux emmanchures : le devant opaque enveloppe légèrement les côtés pour mieux les couvrir.

Voici comment on fabrique les étoffes ajourées et opaques. Cette méthode est facile à mémoriser ; l'apprendre à l'avance rend le modèle plus facile à lire.

Moyen : 10 écheveaux CLASSIC ELITE Imagine, couleur no 9213

ÉTOFFE AJOURÉE

Rangs du côté endroit (end.) Tricotez (tric.) à l'endroit (end.) toutes les mailles (m.) sur l'aiguille plus fine.
Rangs du côté envers (env.) End. toutes les m. sur l'aiguille plus grosse.

ÉTOFFE OPAQUE

Tous les rangs End. toutes les m. avec les aiguilles plus fines.

Voici comment faire !

DEVANT

Bordures
Avec le montage câblé (page 117) et les aiguilles plus fines, montez 101 (110, 122, 134) m. End. 2 rangs
Rang (d'augmentation) suivant Augmentez de 10 m. uniformément d'un bout à l'autre du rang (page 121) — 111 (120, 132, 144) m. sur l'aiguille.

Corps opaque
Faites une étoffe opaque jusqu'à 9 ½ po/24 cm du début. Déterminez le rang du côté endroit de votre montage, puis terminez avec le prochain rang du côté envers. RACCOURCISSEZ ou ALLONGEZ ici.

Former l'emmanchure
Rabattez 10 m. au début des 2 prochains rangs — 91 (100, 112, 124) m. restantes.
Rang (de diminution) suivant 1 end., faites un surjet simple (gl. 1, 1 end., p. m. g. p., page 99), travaillez jusqu'à ce qu'il reste 3 m., tricotez à l'endroit 2 m. ensemble (2 end. ens., page 77), 1 end.
End. 1 rang (côté envers).
Répétez ces 2 derniers rangs, en faisant des diminutions à la fin de tous les rangs du côté end. jusqu'à 75 (78, 84, 90) m. restantes.
Continuez l'étoffe opaque jusqu'à 3 (3 ½, 4, 4 ½) po/8 (9, 10, 11) cm au-dessus de la terminaison de l'emmanchure, en finissant avec un rang du côté end.

EXPÉRIENCE
- intermédiaire facile
- façonnage de niveau moyen
- finition de niveau moyen

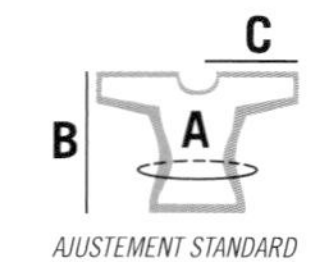

AJUSTEMENT STANDARD

P (M, G, TG)
A 36 (40, 44, 47½) po/91 (102, 112, 121) cm
B 18½ (19, 19½, 20) po/47 (48, 50, 51) cm
C 30 po/76 cm

Empiècement ajouré

Rang (de diminution) suivant Sur l'aiguille plus grosse, *1 end., gl. 1, 1 end., p. m. g. p., répétez à partir de l'* — 50 (52, 56, 60) m. restantes.

Dans les zones ajourées, terminez une pelote (et commencez-en une nouvelle) à la fin des rangs (page 58) ; rentrez les bouts dans les coutures.

Faites de l'étoffe ajourée jusqu'à 3 ½ po/9 cm, mesuré après repassage (alors qu'elle est toujours sur l'aiguille), en terminant avec un rang du côté env.

Vous devez absolument vous arrêter pour repasser la zone ajourée, selon les instructions de la page 40, avant de mesurer.

Formez le devant gauche du cou

Rang écourté 1 (end.) 16 (17, 19, 21) end. Placez les 18 m. suivantes sur un arrêt de mailles (pour le devant centre du cou). Tournez l'ouvrage (prêt pour un rang du côté env.), en laissant 16 (17, 19, 21) m. derrière pour le cou et l'épaule droits (page 137).

Rang 2 (et tous les rangs du côté env.) End.

Rang écourté 3 End. jusqu'à 3 m. de la fin, puis tournez.

Rang écourté 5 End. jusqu'à 4 m. de la fin, puis tournez.

Rangs écourtés 7, 9 End. jusqu'à 5 m., puis jusqu'à 6 m. de la fin, et tournez.

Rang 10 10 (11, 13, 15) end.

Lorsque vous rabattez les mailles avec les aiguilles plus fines sur de l'étoffe ajourée, faites-le très lâchement.

Rang 11 (end.) Rabattez 3 (3, 4, 5) m. au début du rang, end. jusqu'à la fin.

Rangs 12, 14 End.

Rang 13 Rabattez 3 (4, 4, 5) m. au début du rang, end. jusqu'à la fin.

Rang 15 Rabattez les 4 (4, 5, 5) m. restantes.

Placez les 6 m. en attente sur l'arrêt de mailles avec les m. du devant centre du cou.

Former le devant droit du cou

Retournez aux 16 (17, 19, 21) m. laissées derrière pour le cou et l'épaule droits, prêt pour un rang du côté end.

Rang 1 (et tous les rangs du côté end.) End.

Rangs écourtés 2, 4, 6, 8 Répétez les instructions pour les rangs 3 à 9 du devant gauche du cou, en travaillant le façonnage à l'envers.

Cela signifie que vous ferez le rang 2 comme le rang 3 du devant gauche du cou ; le rang 4 comme le rang 5 du devant gauche du cou ; etc.

Rang 9 10 (11, 13, 15) end.

Former l'épaule droite

Rang 10 (env.) Rabattez 3 (3, 4, 5) m. au début du rang, end. jusqu'à la fin.

Rangs 11, 13 End.

Rang 12 Rabattez 3 (4, 4, 5) m. au début du rang, end. jusqu'à la fin.

Rang 14 Rabattez les 4 (4, 5, 5) m. restantes.

Placez les 6 m. en attente sur l'arrêt de mailles avec les m. du devant centre du cou.

DOS

Bordure

Avec le montage câblé et les aiguilles plus fines, montez 80 (92, 100, 108) m.

End. 2 rangs.

Rang suivant (côté env.) Sur l'aiguille plus grosse, *2 end., gl. 1, 1 end., p. m. g. p., répétez à partir de l'* — 60 (69, 75, 81) m. restantes.

Dos ajouré

Faites de l'étoffe ajourée jusqu'à 9 ½ po/24 cm du début, mesuré après repassage (alors que l'étoffe est toujours sur l'aiguille), en terminant avec un rang du côté env.

RACCOURCISSEZ ou ALLONGEZ ici.

Former l'emmanchure

Rang (de diminution) suivant 1 end., gl. 1, 1 end., p. m. g. p., travaillez jusqu'à ce qu'il reste 3 m., 2 end. ens., 1 end.

End. 1 rang (côté env.).

Répétez ces 2 derniers rangs, en diminuant de 1 m. à la fin de chaque rang du côté end., jusqu'à ce qu'il reste 50 (51, 55, 59) m.

Continuez à faire de l'étoffe ajourée jusqu'à 7 ½ (8, 8 ½, 9) po/19 (20, 22, 23) cm au-dessus du début du façonnage de l'emmanchure, mesuré après repassage, en terminant avec un rang du côté end.

Former le dos droit du cou

Rang écourté 1 (côté end.) 12 (13, 15, 17) end., placez les 26 (25, 25, 25) m. suivantes sur un arrêt de mailles (pour le centre du dos du cou). Tournez l'ouvrage (prêt pour un rang du côté env.), en laissant 12 (13, 15, 17) m. derrière pour l'épaule gauche.

Rangs 2 et 4 End.

Rang écourté 3 End. jusqu'à 1 m. de la fin, puis tournez.

Rang écourté 5 End. jusqu'à 2 m. de la fin, puis tournez.

Rang 6 10 (11, 13, 15) end.

4 po/10 cm	Vous aurez besoin de	J'ai utilisé
18  AJUSTEZ VOTRE TENSION ! 22	 1 2 3 4 5 6	
• mailles et côtes au point mousse de l'étoffe opaque	• fil léger • 820 (930, 1040, 1150) verges/ 750 (850, 951, 1052) mètres • coton ou mélange de cotons	• 3,75 mm/É.-U. 5 • 6,5 mm/É.-U. 10½

Former l'épaule droite

Rang 7 (côté end.) Rabattez 3 (3, 4, 5) m. au début du rang, end. jusqu'à la fin.

Rangs 8 et 10 End.

Rang 9 Rabattez 3 (4, 4, 5) m. au début du rang, end. jusqu'à la fin.

Rang 11 Rabattez les 4 (4, 5, 5) m. restantes.

Placez les 2 m. en attente sur l'arrêt de mailles avec les m. du centre du dos du cou.

Former le dos gauche du cou

Retournez aux 12 (13, 15, 17) m. laissées derrière pour l'épaule gauche, prêt à faire un rang du côté end.

Rangs 1 et 3 End.

Rang écourté 2 End. jusqu'à 1 m. de la fin, puis tournez.

Rang écourté 4 End. jusqu'à 2 m. de la fin, puis tournez.

Rang 5 End.

Former l'épaule gauche

Lorsque vous rabattez les mailles avec les aiguille plus fines pour de l'étoffe ajourée, faites-le très lâchement.

Rang 6 (côté env.) Rabattez 3 (3, 4, 5) m. au début du rang, end. jusqu'à la fin.

Rang 7 End.

Rang 8 Rabattez 3 (4, 4, 5) m. au début du rang, end. jusqu'à la fin.

Rang 9 End.

Rang 10 Rabattez les 4 (4, 5, 5) m. restantes.

Placez les 2 m. en attente sur l'arrêt de mailles avec les m. du centre du dos du cou.

MANCHE GAUCHE

Bordure

Avec le montage câblé et les aiguilles plus fines, montez 36 (40, 44, 48) m. End. 2 rangs.

Rang suivant (env.) Sur l'aiguille plus grosse, *2 end., gl. 1, 1 end., p. m. g. p., répétez à partir de l'* — 27 (30, 33, 36) m. restantes.

Faites de l'étoffe ajourée jusqu'à 8 rangs, en terminant avec un rang du côté env.

Rang (d'augmentation) suivant 2 end., faites une augmentation intercalaire (aj. 1, page 99), end. jusqu'à ce qu'il reste 2 m., aj. 1, 2 end.

Continuez l'étoffe ajourée sur 5 (5, 5, 3) rangs de plus.

Répétez ces 6 (6, 6, 4) derniers rangs en augmentant à chaque fin de la manche tous les 6e (6e, 6e, 4e) rangs, jusqu'à 53 (56, 59, 64) m.

Continuez l'étoffe ajourée jusqu'à 17 ½ (17, 16, 15) po/44 (43, 41, 38) cm du début, mesuré après repassage (alors qu'elle est toujours sur l'aiguille), en terminant avec un rang du côté end. RACCOURCISSEZ ou ALLONGEZ ici.

Former la tête de manche

Continuez l'étoffe ajourée au cours du façonnage.

Rabattez 7 m. au début du rang côté env. suivant — 46 (49, 52, 57) m. restantes.

Rangs 1, 3, 5 (end.) 2 end., gl. 1, 1 end., p. m. g. p., travaillez jusqu'à ce qu'il reste 4 m., 2 end. ens., 2 end.

Rangs 2, 4, 6, 7, 8 End.

Répétez ces 8 derniers rangs, en diminuant 3 des 4 rangs du côté end. jusqu'à ce qu'il reste 22 (23, 22, 23) m.

Rabattez 2 m. au début des 2 rangs suivants.

Rabattez les 18 (19, 18, 19) m. restantes.

MANCHE DROITE

Travaillez comme pour la manche gauche jusqu'à la formation de la tête de manche, en terminant avec un rang du côté envers.

Former la tête de manche

Continuez l'étoffe ajourée au cours du façonnage.

Rabattez 7 m. au début du rang du côté end. suivant — 46 (49, 52, 57) m. restantes.

Faites 1 rang du côté env.

Travaillez comme pour la manche droite à partir du rang 1 de la tête de manche jusqu'à la fin.

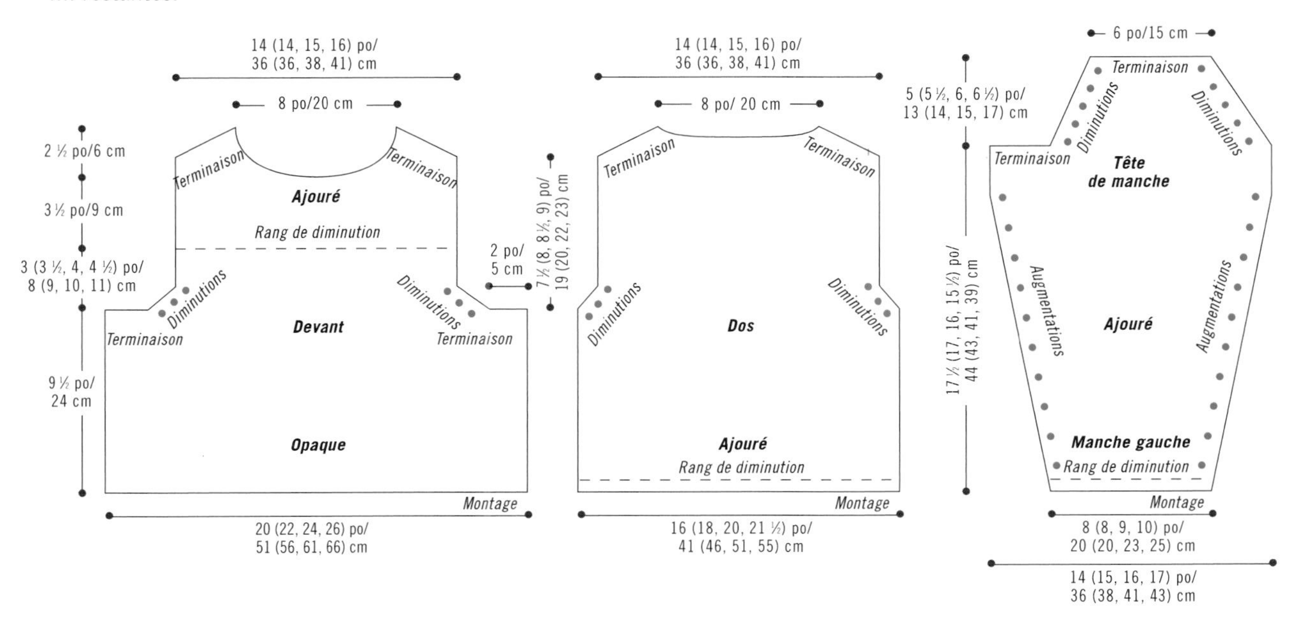

FINITION

Cousez la ligne de l'épaule gauche (maille à maille, page 95).

Bordure du cou

Utilisez l'aiguille plus fine.

En débutant au dos droit du cou, relevez et tric. end., puis rabattez immédiatement, 1 m. pour chaque m. en attente plus 1 m. pour chaque 2 rangs (ou pour chaque côte) tout autour de la bordure du cou (page 138).

Cousez la ligne de l'épaule droite.

Coudre la manche dans l'emmanchure

1 Cousez les 7 m. rabattues du dessous de bras de la manche gauche aux 10 m. rabattues du devant droit du dessous de bras.

2 Épinglez le centre de la tête de manche à la couture de l'épaule. Identifiez le point de l'emmanchure qu'atteint la bordure de terminaison de la tête de manche lorsqu'elle est étendue à plat, et épinglez la bordure de la tête de manche à cet endroit.

3 Cousez les côtes de la tête de manche aux côtes de l'emmanchure (page 62), en détendant pour assembler, du dessous de bras à la première épingle.

Puis cousez les m. rabattues de la tête de manche aux côtes restantes de l'emmanchure (page 63), en terminant à la seconde épingle.

4 Cousez de la même manière l'arrière de la tête de manche gauche à l'arrière de l'emmanchure.

Cousez de la même manière la manche droite à l'emmanchure droite.

Cousez les lignes des côtés et des manches.

1

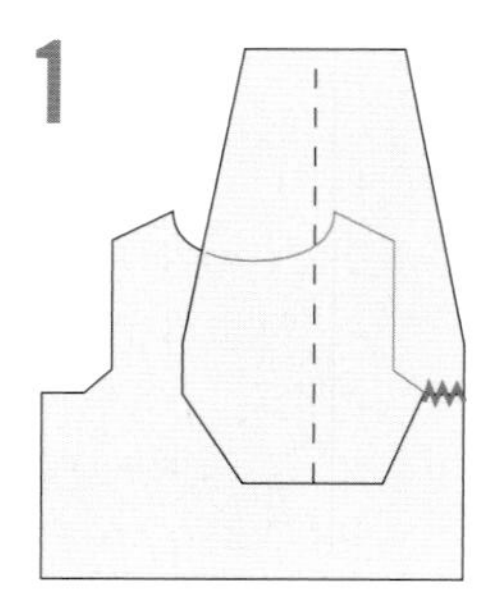

2

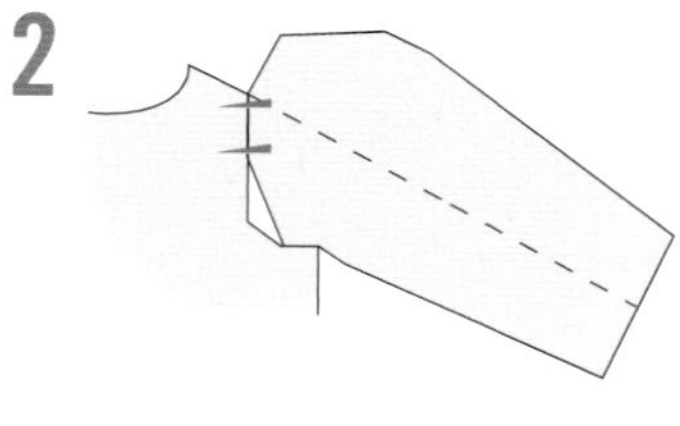

3

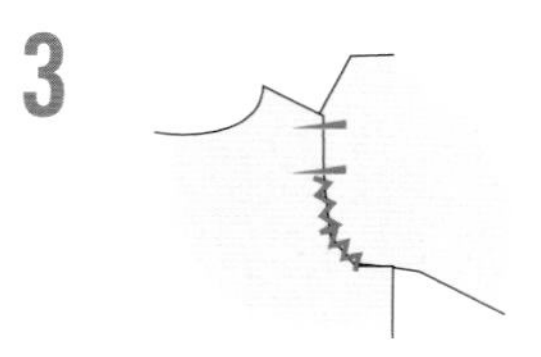

4

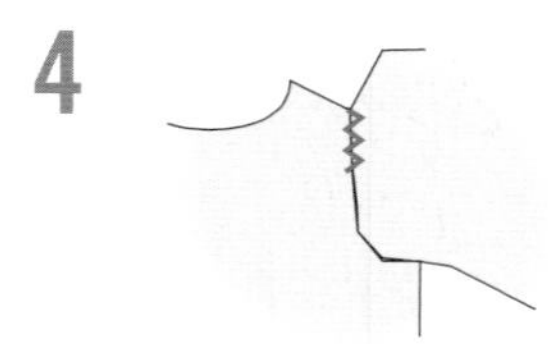

Petit : 8 pelotes REYNOLDS Cantata, couleur no 135

Le chandail de Cathy

La prochaine version de ce vêtement nous fait reculer d'un pas dans le temps vers quelque chose de moins distingué et qui couvre un peu plus le corps. (Le dos est comme le devant : opaque jusqu'à l'empiècement.) Toutes peuvent le porter. Ma fille de 24 ans l'adore, tout comme ma meilleure amie de 59 ans !

Voici comment on fabrique les étoffes ajourées et opaques. Cette méthode est facile à mémoriser ; l'apprendre à l'avance rend le modèle plus facile à lire.

ÉTOFFE AJOURÉE

Rangs du côté endroit (end.) Tricotez (tric.) à l'endroit (end.) toutes les mailles (m.) sur l'aiguille plus fine.

Rangs du côté envers (env.) End. toutes les m. sur l'aiguille plus grosse.

ÉTOFFE OPAQUE

Tous les rangs End. toutes les m. avec les aiguilles plus fines.

Voici comment faire !

DEVANT

Travaillez comme pour le chandail « Où est l'opaque ? », page 130.

DOS

Bordure

Avec le montage câblé et les aiguilles plus fines, montez 81 (88, 102, 112) m.

End. 2 rangs.

Rang (d'augmentation) suivant Augmentez uniformément de 8 m. (page 121) d'un bout à l'autre du rang — 89 (96, 110, 120) m. sur l'aiguille.

Corps opaque

Faites de l'étoffe opaque jusqu'à 9 ½ po/24 cm du début, en terminant avec un rang du côté env. RACCOURCISSEZ ou ALLONGEZ ici.

EXPÉRIENCE

- *intermédiaire facile*
- *façonnage de niveau moyen*
- *finition de niveau moyen*

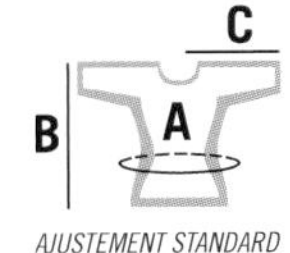

AJUSTEMENT STANDARD

P (M, G, TG)

A *36 (40, 44, 48) po/91 (102, 112, 122) cm*

B *18½ (19, 19½, 20) po/47 (48, 50, 51) cm*

C *29 po/74 cm*

4 po/10 cm

- *mailles et côtes au point mousse de l'étoffe opaque*

J'ai utilisé

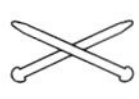

- *3,75 mm/É.-U. 5*
- *6,5 mm/É.-U. 10½*

Vous aurez besoin de

- *fil léger*
- *920 (1020, 1150, 1280) verges/ 841 (933, 1052, 1170) mètres*
- *coton ou mélange de cotons*

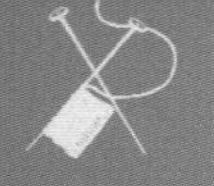

Former l'emmanchure

Rang (de diminution) suivant 1 end., glissez 1, 1 end., faites un surjet simple (gl. 1, 1 end., p. m. g. p., page 99), travaillez jusqu'à ce qu'il reste 3 m., 2 end. ens., 1 end.

Faites 1 rang (côté envers).

Répétez ces 2 derniers rangs, en diminuant à la fin de chaque rang du côté end. jusqu'à 75 (78, 84, 90) m. restantes.

Continuez à faire de l'étoffe opaque jusqu'à 3 (3 ½, 4, 4 ½) po /8 (9, 10, 11) cm au-dessus du début du façonnage de l'emmanchure, en terminant avec un rang du côté end.

Empiècement ajouré

Rang (de diminution) suivant Sur l'aiguille plus grosse, *1 end., gl. 1, 1 end., p. m. g. p., répétez à partir de l'* jusqu'à ce qu'il reste 1 m., 1 end. — 50 (52, 56, 60) m. restantes.

Continuez l'étoffe ajourée jusqu'à 7 ½ (8, 8 ½, 9) po/19 (20, 22, 23) cm au-dessus du début du façonnage de l'emmanchure, mesuré après repassage, en terminant avec un rang du côté envers.

Former le dos droit du cou

Rang écourté 1 (côté end.) 12 (13, 15, 17) end., placez les 26 m. suivantes sur un arrêt de mailles (pour le centre du dos du cou). Tournez l'ouvrage (prêt pour un rang du côté env.), en laissant 12 (13, 15, 17) m. derrière pour l'épaule gauche.

Rangs 2 et 4 End.

Rang écourté 3 End. jusqu'à 1 m. de la fin, puis tournez.

Rang écourté 5 End. jusqu'à 2 m. de la fin, puis tournez.

Rang 6 10 (11, 13, 15) end.

Former l'épaule droite

Lorsque vous rabattez les mailles avec les aiguilles plus fines pour de l'étoffe ajourée, faites-le très lâchement.

Rang 7 (côté end.) Rabattez 3 (3, 4, 5) m. au début du rang, end. jusqu'à la fin.

Rangs 8 et 10 End.

Rang 9 Rabattez 3 (4, 4, 5) m. au début du rang, end. jusqu'à la fin.

Rang 11 Rabattez les 4 (4, 5, 5) m. restantes.

Insérez les 2 m. en attente sur l'arrêt de mailles avec les m. du centre du dos du cou.

Former le dos gauche du cou

Retournez aux 12 (13, 15, 17) m. laissées derrière pour l'épaule gauche, prêt pour un rang du côté end.

Rangs 1 et 3 End.

Rang écourté 2 End. jusqu'à 1 m. de la fin, puis tournez.

Rang écourté 4 End. jusqu'à 2 m. de la fin, puis tournez.

Rang 5 10 (11, 13, 15) end.

Former l'épaule gauche

Rang 6 Rabattez 3 (3, 4, 5) m. au début du rang, end. jusqu'à la fin.

Rangs 7 et 9 End.

Rang 8 Rabattez 3 (4, 4, 5) m. au début du rang, end. jusqu'à la fin.

Rang 10 Rabattez les 4 (4, 5, 5) m. restantes.

Insérez les 2 m. en attente sur l'arrêt de mailles avec les m. du centre du dos du cou.

MANCHES

Travaillez comme pour le chandail « Où est l'opaque ? ».

FINITION

Cousez la ligne de l'épaule gauche (maille à maille, page 95).

Bordure du cou

Utilisez l'aiguille plus fine.

En débutant au dos droit du cou, relevez et tric. end., puis rabattez immédiatement, 1 m. pour chaque m. en attente plus 1 m. pour chaque 2 rangs (ou pour chaque côte) tout autour de la bordure du cou (page 138).

Cousez la ligne de l'épaule droite.

Coudre la manche dans l'emmanchure

Consultez les schémas de la page 134 pour vous aider à visualiser ce qui suit.

1 Cousez les m. rabattues du dessous de bras de la manche gauche aux m. rabattues du devant droit du dessous de bras.

2 Épinglez le centre de la tête de manche à la couture de l'épaule. Identifiez le point de l'emmanchure qu'atteint la bordure de terminaison de la tête de manche lorsqu'elle est étendue à plat, puis épinglez la bordure de la tête de manche à cet endroit.

3 Cousez les côtes de la tête de manche aux côtes de l'emmanchure (page 62), du dessous de bras à la première épingle.

4 Cousez les m. rabattues de la tête de manche aux côtes restantes de l'emmanchure (page 63), en terminant à la seconde épingle.

Cousez de la même manière l'arrière de la tête de manche gauche à l'arrière de l'emmanchure.

Cousez de la même manière la manche droite dans l'emmanchure droite.

Cousez les lignes des côtés et des manches

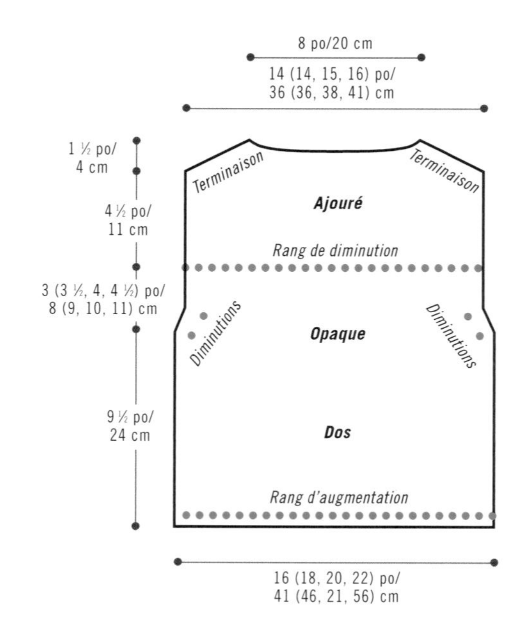

Rangs écourtés et mailles en attente

FAIRE UN RANG ÉCOURTÉ

Dans les vêtements de ce chapitre, vous aurez à façonner une courbe, puis à y relever des mailles et à tricoter à l'endroit une bordure. Il existe plusieurs méthodes pour ce faire, mais la plus simple est montrée ici.

Vous pouvez former un col en faisant des rangs écourtés. Pour ce faire, vous tournez le tricot au milieu du rang, laissant derrière des *mailles en attente* (non rabattues). Ces mailles formeront la courbe.

1 Pour laisser trois mailles en attente, tricotez à l'endroit jusqu'à trois mailles de la fin.

2 Tournez le tricot en laissant trois mailles en attente derrière.

Trois mailles en attente, laissées derrière au début d'un rang (près du pouce droit), montrées après le tricotage du rang suivant.

Rang écourté typique avec les mailles retirées de l'aiguille : trois mailles laissées une fois (étapes 1 et 2), une maille laissée un fois, puis une autre maille laissée, puis six rangs tricotés sans façonnage avec toutes les mailles restantes rabattues.

RELEVER ET TRICOTER À PARTIR D'UN RANG ÉCOURTÉ

Tricoter à partir des mailles en attente est assez facile : ce ne sont que des mailles régulières. Mais si vous tricotez seulement celles-ci, vous n'aurez pas suffisamment de mailles pour former la courbe. Vous aurez besoin de mailles supplémentaires.

Dans les vêtements qui suivent, vous tricoterez à l'endroit chaque maille en attente, puis vous relèverez et tricoterez à l'endroit une maille entre les mailles en attente.

L'espace entre les mailles en attente forme un escalier. Il provient des deux rangs tricotés entre les mailles laissées derrière. Voici deux de ces formes d'escalier : la première marche est entre les trois mailles en attente et la prochaine maille en attente ; la seconde marche est entre les mailles individuelles.

Pour relever et tricoter la bordure, travaillez avec le côté endroit faisant face.

1 Placez toutes les mailles en attente sur l'aiguille gauche, prêt pour un rang à l'endroit.

2 Tricotez à l'endroit le premier groupe de mailles, comme d'habitude, jusqu'à ce que vous arriviez à une marche de deux rangs.

3 Insérez l'aiguille droite dans la maille sous la prochaine maille de l'aiguille gauche.

4 Retirez le fil de travail à travers celle-ci pour former une maille.

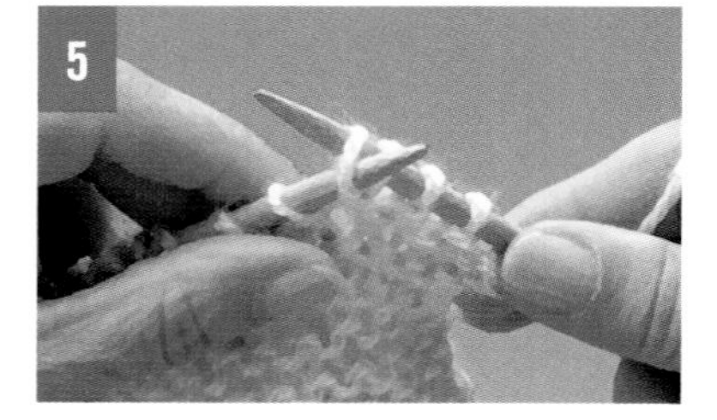

5 Tricotez à l'endroit la prochaine maille de l'aiguille gauche, comme d'habitude.

Répétez les étapes 3 à 5 pour la marche suivante.

Le résultat : au lieu des cinq mailles en attente, il y a maintenant sept mailles — une maille supplémentaire pour chaque marche de l'escalier.

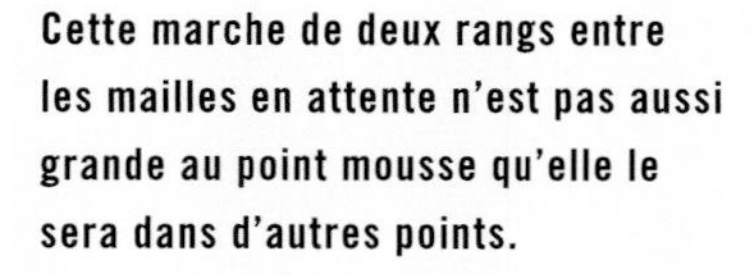

Cette marche de deux rangs entre les mailles en attente n'est pas aussi grande au point mousse qu'elle le sera dans d'autres points.

OUPS ! Malgré mes efforts pour relever et tricoter le bon nombre de mailles autour du col, la bordure finale est d'aspect négligé. Que dois-je faire ? **Voir page 163.**

Coudre les vêtements façonnés

Dans ce chapitre et le suivant, on doit coudre des vêtements façonnés. Les techniques de couture sont aux pages 62, 63 et 95. Quant aux vêtements façonnés, on doit parfois démêler certaines proportions, ménager des relâchements, assembler des pièces. Ainsi, dans les instructions de ces modèles, on vous enseignera à assembler ces pièces façonnées.

COUDRE UNE ÉPAULE FAÇONNÉE

L'épaule façonnée ne requiert pas d'instructions supplémentaires d'assemblage. (Cette forme apparaît dans les deux derniers modèles de ce chapitre et figure sur les schémas comme une ligne d'épaule en pente.) Cousez simplement les pièces maille à maille (page 95). Lorsque la maille suivante est deux rangs au-dessous, atteignez-la tout simplement. Tirez le fil de couture pour le tendre tous les 2 ou 3 po (5 ou 7,5 cm) pour tourner l'ourlet de la couture vers le côté envers.

Introduire
UN MOTIF

Il est parfois dit qu'il n'y a que deux types de maille en tricot — l'endroit et l'envers — et que toutes les merveilleuses étoffes en sont des variations.

Il est vrai que de nombreuses étoffes différentes s'offriront à vous dès que vous aurez appris la maille envers (c'est l'objet d'un prochain livre).

Pour l'instant, le présent chapitre offre une élégante étoffe texturée qui ne vous demande pas de connaître la maille envers : vous trouverez des choses pour les femmes, pour les hommes, pour les enfants ; certaines pièces sont en laine, d'autres en coton, d'autres encore sont un mélange de fibres ; il y a des cardigans, des chandails, et même un haut qui ne sait pas ce qu'il est !

Chapitre six

Les modèles

Habiletés supplémentaires

Enfant 6 à 8 : 5 pelotes REYNOLDS Cabana, couleur n° 940

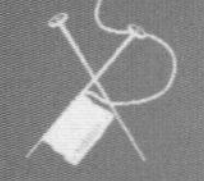

Le cardigan classique pour homme

Ce motif classique est parfait pour un duo père et fils. Les deux vêtements sont montrés dans un mélange de gros fils de coton. Avec ces fils lourds, le travail avance rapidement ; les fibres de coton contenues dans le fil lui confèrent beaucoup de corps et lui ôtent tout caractère saisonnier.

Cette étoffe a une maille glissée toutes les cinq mailles de chaque rang du côté envers. Omettre de la faire comme il faut ruinerait l'étoffe.
Pour bien apprendre le motif, je vous suggère de vous exercer en tricotant votre échantillon de tension.
Voici des instructions spéciales pour l'échantillon de tension :

- *Montez 15 mailles. Toutes les méthodes peuvent convenir, mais vous pourriez vous exercer au montage au crochet, page 94.*
- *Travaillez le motif jusqu'à 15 côtes au point mousse.*
- *Rabattez les mailles.*

La pièce devrait mesurer 4 po x 4 po/10 cm x 10 cm, sans inclure le montage ni la terminaison.

MOTIF

Rangs du côté endroit (end.) Tricotez (tric.) à l'endroit (end.) toutes les mailles (m.).
Rangs du côté envers (env.) 2 end., *avec le fil devant (f. dev., page 96), glissez 1 m. dans le sens de l'envers (gl. 1 env., page 98), passez le fil derrière (f. der.), 4 end., répétez à partir de l'* jusqu'à ce qu'il reste 3 m., f. dev., gl. 1 env., f. der., 2 end.

Voici comment faire !

DOS

Avec le montage au crochet, montez 60 (70, 80, 90, 100, 110) m. sur l'aiguille plus fine.
Faites le motif jusqu'à 3 côtes au point mousse.
Changez pour les aiguilles plus grosses et faites le motif jusqu'à 14 ½, (17 ½, 23, 23 ½, 23 ½, 24) po/37 (44, 58, 60, 60, 61) cm du début.
RACCOURCISSEZ ou ALLONGEZ ici.
Rabattez les m. au prochain rang du côté endroit.

G pour homme : 11 pelotes REYNOLDS Cabana, couleur n° 818

EXPÉRIENCE
- *facile*
- *motif répétitif*
- *façonnage simple*
- *finition simple*

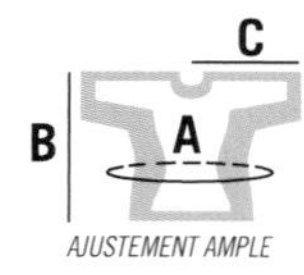

Pour enfant 6 à 8 (10 à 12, pour homme M, G, TG, TTG)
***A** 32 (36, 43, 48, 53, 59) po/81 (92, 109, 122, 135, 150) cm*
***B** 16½ (20, 26½, 27, 27, 27½) po/42 (51, 67, 69, 69, 70) cm*
***C** 21 (24, 33, 33, 33, 33) po/53 (61, 84, 84, 84, 84) cm*

DEVANT GAUCHE

Avec le montage au crochet, montez 30 (35, 40, 45, 50, 55) m. sur l'aiguille plus fine.

Faites le motif jusqu'à 3 côtes au point mousse.

Changez pour les aiguilles plus grosses et faites le motif jusqu'à 9 ½ (12, 17, 17 ½, 17 ½, 18) po/24 (30, 43, 44, 44, 46) cm du début, en terminant avec un rang du côté env.

RACCOURCISSEZ ou ALLONGEZ ici.

Former le col en V

Rang (de diminution) suivant (end.) End. jusqu'à ce qu'il reste 3 m., tricotez à l'endroit 2 m. ensemble (2 end. ens., page 77), 1 end.

Rang suivant (env.) Faites le motif tel qu'il est indiqué.

Pour faciliter le relèvement des mailles pour la bande, ne glissez pas la première m. des rangs du côté env., même lorsque le modèle le demande.

Répétez ces 2 derniers rangs, en diminuant à la bordure du cou tous les rangs du côté end., jusqu'à ce qu'il reste 20 (23, 26, 31, 36, 41) m.

Continuez le motif jusqu'à 14 ½ (17 ½, 23, 23 ½, 23 ½, 24) po/37 (44, 58, 60, 60, 61) cm du début, en terminant avec un rang du côté env.

Rabattez au rang du côté end. suivant.

DEVANT DROIT

Travaillez-le comme le devant gauche jusqu'à la formation du col en V.

Former le col en V

Rang (de diminution) suivant (end.) 1 end., glissez 1, 1 end., faites un surjet simple (gl. 1, 1 end., p. m. g. p., page 99), end. jusqu'à la fin.

Rang suivant (env.) Faites le motif tel qu'établi.

Pour faciliter le relèvement des mailles pour la bande, ne glissez pas la dernière m. des rangs du côté env., même lorsque le modèle le demande.

Répétez ces 2 derniers rangs, en diminuant à la bordure du cou tous les rangs du côté end., jusqu'à ce qu'il reste 20 (23, 26, 31, 36, 41) m.

Continuez le motif jusqu'à 14 ½ (17 ½, 23, 23 ½, 23 ½, 24) po/37 (44, 58, 60, 60, 61) cm du début, en terminant avec un rang du côté env.

Rabattez au rang du côté end. suivant.

MANCHE GAUCHE

Avec le montage au crochet, montez 30 (30, 35, 35, 40, 40) m. sur l'aiguille plus fine.

Travaillez le motif jusqu'à 3 côtes au point mousse.

Changez pour les aiguilles plus grosses.

Rang (d'augmentation) suivant 1 end., faites une augmentation intercalaire (aj. 1, page 99), travaillez jusqu'à ce qu'il reste 1 m., aj. 1, 1 end. — 32 (32, 37, 37, 42, 42) m.

Continuez le motif tel qu'établi pour 5 (3, 5, 3, 3, 3) rangs de plus.

Répétez à partir de l'*, en augmentant de 1 m. à chaque fin de manche tous les 6 (4, 6, 4, 4, 4) rangs, jusqu'à 54 (72, 81, 87, 90, 96) m.

Continuez le motif tel qu'établi jusqu'à 13 (15, 22, 21, 20, 18 ½) po/33 (38, 56, 53, 51, 47) cm du début, en terminant avec un rang du côté env.

RACCOURCISSEZ ou ALLONGEZ ici

Former la patte d'épaule large

Maintenez le motif tel qu'établi au travers des terminaisons. Rabattez 20 (27, 28, 31, 32, 35) m. au début des 2 prochains rangs — 14 (18, 25, 25, 26, 26) m. restantes.

Continuez le motif tel qu'établi jusqu'à 20 (23, 26, 31, 36, 41) côtes de la terminaison, en finissant avec un rang du côté env. — environ 5 (6, 7, 8, 9 ½, 11) po/13 (15, 18, 20, 24, 28) cm.

Terminer le devant gauche du cou

Rang suivant (end.) 7 (9, 12, 12, 13, 13) end., rabattez les 7 (9, 13, 13, 13, 13) m. suivantes. Rompez le fil.

Former le dos gauche du cou

Retournez aux 7 (9, 12, 12, 13, 13) m. restantes, prêt pour un rang du côté env.

Maintenez le motif tel qu'établi au travers des terminaisons qui suivent.

Pour faciliter le relèvement des mailles pour la bande, ne glissez pas la dernière maille des rangs du côté env., même lorsque le modèle le demande.

*Rabattez 1 m. au début du rang du côté env. suivant, travaillez jusqu'à la fin.

Travaillez 1 rang du côté end.

Répétez à partir de l'* une fois — 5 (7, 10, 10, 11, 11) m. restantes.

Continuez le motif avec les m. restantes jusqu'à 2 ½ (3, 3 ½, 3 ½, 3 ½, 3 ½) po/6 (8, 9, 9, 9, 9) cm du début du dos du cou.

Rabattez les m. au rang du côté end. suivant.

4 po/10 cm

• mailles et côtes au point mousse du motif
• avec les aiguilles plus grosses

Vous aurez besoin de

• gros fil
• 550 (790, 1250, 1360, 1470, 1600) verges/503 (722, 1143, 1244, 1344, 1463) mètres
• un mélange de cotons

• des boutons de ¾ po/2 cm, 4 (5, 6, 6, 6, 6)

J'ai utilisé

• 5 mm/É.-U. 8
• 4 mm/É.-U. 6
• 4 mm/É.-U. F

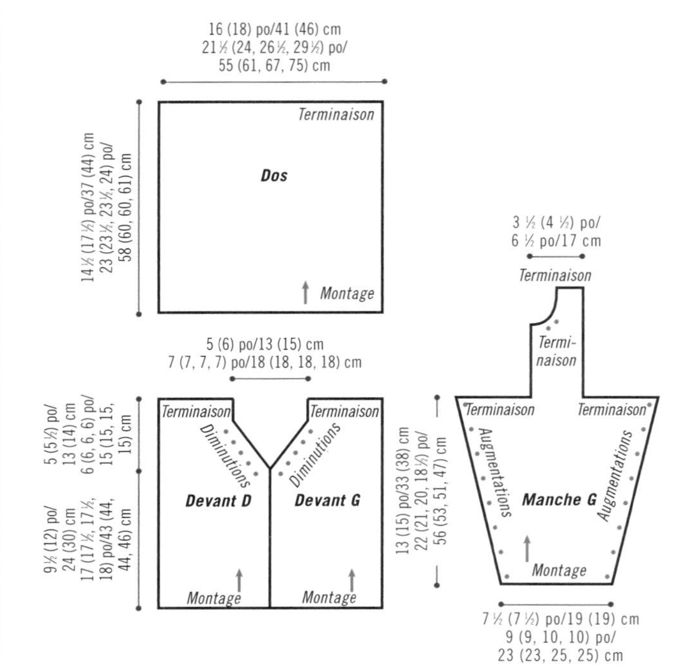

MANCHE DROITE

Travaillez comme pour la manche gauche jusqu'à 20 (23, 26, 31, 36, 41) côtes de la terminaison pour la patte d'épaule large, en terminant avec un rang du côté end. — environ 5 (6, 7, 8, 9½, 11) po/13 (15, 18, 20, 24, 28) cm.

Terminer le devant droit du cou

Rang suivant (env.) En maintenant le motif tel qu'établi, travaillez 7 (9, 12, 12, 13, 13) m., rabattez les 7 (9, 13, 13, 13, 13) m. suivantes. Rompez le fil.

Former le dos droit du cou

Retournez aux 7 (9, 12, 12, 13, 13) m. restantes, prêt pour un rang du côté end.

Maintenez le motif tel qu'établi au travers des terminaisons qui suivent.

Pour faciliter le relèvement des mailles pour la bande, ne glissez pas la dernière maille des rangs du côté env., même lorsque le modèle le demande.

*Rabattez 1 m. au début rang du côté end. suivant, travaillez jusqu'à la fin.

Travaillez 1 rang du côté env.

Répétez à partir de l'* une fois — 5 (7, 10, 10, 11, 11) m. restantes.

Continuez le motif avec les m. restantes jusqu'à 2½ (3, 3½, 3½, 3½, 3½) po/6 (8, 9, 9, 9, 9) cm du début du dos du cou.

Rabattez les m. au rang du côté end. suivant.

FINITION

1 Insérez le coin à angle droit du haut du devant gauche dans le coin à angle droit à l'avant de la patte d'épaule large de la manche gauche.

2 Débutez au coin et cousez vers le bas le long de la terminaison de la manche, en cousant les m. rabattues de la manche aux côtes (page 63) du côté du devant gauche.

3 Retournez au coin, puis cousez le long du côté avant de la patte d'épaule large, en cousant les m. rabattues du devant gauche aux côtes de l'avant gauche de la patte d'épaule large. (Faites les ajustements nécessaires pour que le devant gauche de la patte d'épaule large se termine à l'ouverture du devant gauche du cou.)

4 Insérez le coin à angle droit du haut du dos dans le coin à angle droit à l'arrière de la patte d'épaule large sur la manche gauche.

Débutez au coin et cousez vers le bas le long de la terminaison de la manche, en cousant les m. rabattues de la manche aux côtes le long du côté du dos.

5 Retournez au coin, puis cousez le long du côté arrière de la patte d'épaule large, en cousant les m. rabattues du dos aux côtes de l'arrière gauche de la patte d'épaule large. (Faites les ajustements nécessaires pour que la fin de la patte d'épaule large arrive au milieu du dos.)

Cousez de la même manière la manche droite aux devant et dos droits.

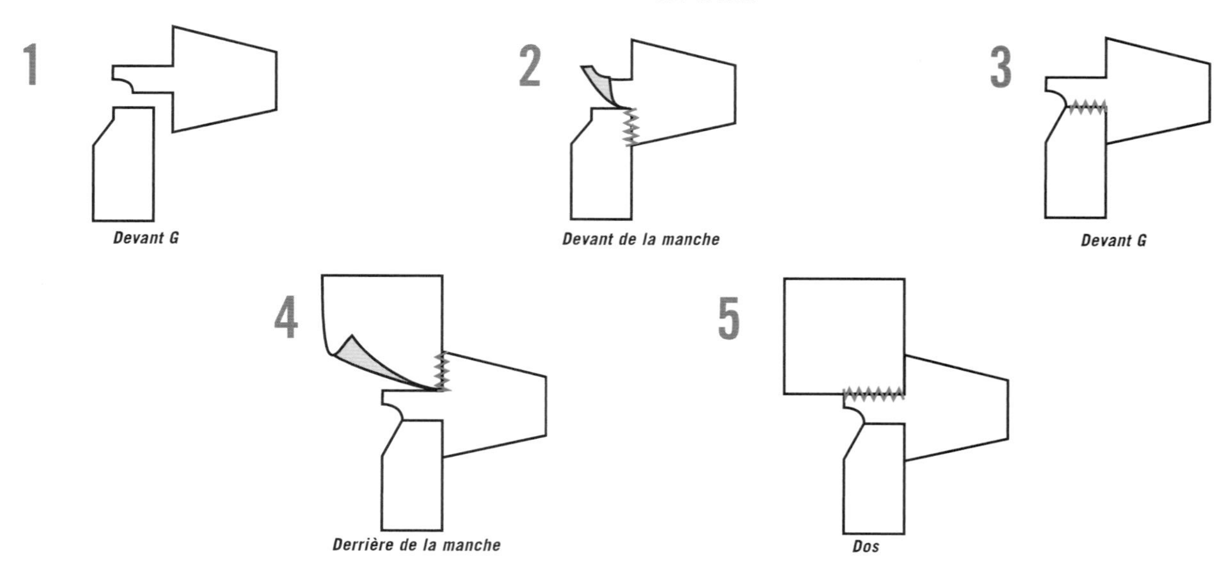

Cousez les pattes d'épaule larges gauche et droite ensemble au centre du dos du cou (maille à maille, page 95).
Cousez les lignes des côtés et des manches (côte à côte, page 62).

BANDE DES BOUTONS

Avec l'aiguille plus fine et en débutant au centre du dos du cou, relevez (page 61) 1 m. dans chaque côte au point mousse tout le long de la bordure du devant droit.
Rang 1 Avec le côté end. faisant face et en débutant à la bordure du bas du devant droit, relevez et tric. 1 end. dans chaque côte jusqu'à la pointe du V, puis faites une augmentation barrée (end. av. arr., page 77) dans la m. à la pointe du V, puis relevez et tric. end. 4 m. pour chaque 3 côtes (en relevant et tric. end. entre les côtes au point mousse, voir page 61, après chaque troisième côte) en remontant la diagonale du col en V, puis relevez et tric. 1 end. dans chaque côte en remontant la bordure droite au-dessus de la forme en V du col, puis relevez et tric. 1 end. dans chaque m. rabattue autour du coin du dos du cou, puis relevez et tric. 1 end. dans chaque côte le long de la patte d'épaule large jusqu'au centre du dos du cou, en terminant à la couture. Tournez.
Rangs 2, 4, 6 End. jusqu'à ce qu'il reste 1 m., f. dev., gl. 1 env.
Rangs 3, 5 End.
Rang 7 (end.) Rabattez toutes les m.
Placez des repères sur la bande des boutons pour 4 (5, 6, 6, 6, 6) boutons, le premier à la pointe du V, le dernier juste au-dessus de la bordure du bas, et les autres répartis également entre ces deux boutons.

BANDE DES BOUTONNIÈRES

Avec l'aiguille plus fine et en débutant à la bordure du bas gauche, relevez 1 m. dans chaque côte au point mousse le long de toute la bordure du devant gauche, jusqu'au centre du dos du cou.
Rang 1 Avec le côté end. faisant face et en débutant au centre du dos du cou, relevez et tric. end. tel qu'il est indiqué pour la bande des boutons : 1 m. dans chaque côte *à l'exception* des m. rabattues (1 m. dans chaque m. rabattue) *et* de la diagonale du col en V (relevez et tric. 1 end. entre les côtes au point mousse après chaque troisième côte), *et* à la pointe du V (faites 1 end. av. arr. dans la m.).
Rang 2 Gl. 1 env., f. der., end. jusqu'à la fin.
Rang 3 (début des boutonnières) End. jusqu'à la position du premier bouton (selon le repère sur la bande des boutons), *1 jeté (j., page 97), 2 end. ens., end. jusqu'à la position du bouton suivant (selon le repère), répétez à partir de l'* 2 (3, 4, 4, 4, 4) fois de plus, end. jusqu'à la position de la dernière boutonnière, j., 2 end. ens., end. jusqu'à la fin. 4 (5, 6, 6, 6, 6) boutonnières faites.
Rang 4 (fin des boutonnières) Gl. 1 env., f. der., end. toutes les m. restantes, end. dans le devant des j. (de façon à ne pas les tordre, page 97).
Rang 5 End.
Rang 6 Gl. 1 env., f. der., end. jusqu'à la fin.
Rang 7 (end.) Rabattez toutes les m.
Cousez les bandes ensemble au centre du dos.
Cousez les boutons sur la bande des boutons vis-à-vis des boutonnières.

Le haut « Beaucoup de choix »

Ce vêtement est-il un gilet ou un débardeur ? A-t-il un col rond ou en V ? Peu importe ! L'important est de tailler des emmanchures nettes et hautes (pour qu'on puisse le porter sans rien dessous), de former à la fois un col en rond et un col en V, puis de coudre des boutons sur le devant et sur le dos (pour qu'on puisse le porter des deux façons).

Il y a une maille glissée toutes les cinq mailles de chaque rang du côté envers. Omettre de la faire comme il faut ruinerait l'étoffe. Pour apprendre le motif, pour bien le mémoriser, je vous suggère de vous exercer en tricotant votre échantillon de tension :

- *Montez 21 mailles (m.). Toutes les méthodes peuvent convenir, mais vous pourriez vous exercer au montage au crochet.*
- *Travaillez le motif jusqu'à 19 côtes au point mousse.*
- *Rabattez les m.*

La pièce devrait mesurer 4 po x 4 po/10 cm x 10 cm, sans inclure la lisière de mailles glissées, ni le montage, ni la terminaison.

Petit : 6 écheveaux GREAT ADIRONDACK YARN CO. Caribe Irisee, couleur Leopard

MOTIF

Rangs du côté endroit (end.) Tricotez (tric.) à l'endroit (end.) toutes les mailles (m.).

Rangs du côté envers (env.) *Avec le fil devant (f. dev., page 96), glissez la première m. dans le sens de l'envers (gl. 1 env., page 98), passez le fil derrière (f. der.), 4 end., répétez à partir de l'* jusqu'à ce qu'il reste 1 m., f. dev., gl. 1 env.

Voici comment faire !

1 DEVANT ET DOS GAUCHES, SOUS L'EMMANCHURE

Pour plus de clarté, j'ai désigné un côté comme étant le devant et l'autre comme étant le dos, mais vous pouvez porter le vêtement autrement. Et puis, sans raison particulière, j'ai désigné le col rond comme étant le devant.

Avec le montage au crochet (page 94), montez 91 (101, 111, 121, 131) m.

Travaillez le motif jusqu'à 11 (11, 11, 11 ½, 11 ½) po/28 (28, 28, 29, 29) cm du début, en terminant avec un rang du côté envers. RACCOURCISSEZ ou ALLONGEZ ici.

EXPÉRIENCE

- *intermédiaire facile*
- *façonnage de niveau moyen*
- *finition minimale*
- *motif répétitif*

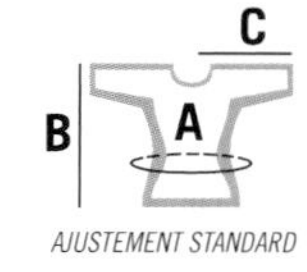

P (M, G, TG, TTG)

***A** 35 (39, 44, 48, 52) po/89 (99, 112, 122, 132) cm*

***B** 18 (18 ½, 19, 20, 20 ½) po/46 (47, 48, 51, 52) cm*

Emmanchure

Rang suivant (end.) 41 (45, 50, 54, 59) m. Insérez sur un arrêt de mailles les m. qui viennent d'être travaillées pour le dos gauche. Continuez avec le rang du côté end., rabattez les 9 (11, 11, 13, 13) m. suivantes, puis tric. end. les 41 (45, 50, 54, 59) m. restantes.

2 DEVANT GAUCHE, AU-DESSUS DE L'EMMANCHURE

Rang suivant (env.) Travaillez le motif tel qu'établi jusqu'à ce qu'il reste 1 m., f. dev., gl. 1 env.

Rang (de diminution) suivant (end.) 1 end., tricotez à l'endroit 2 m. ensemble (2 end. ens., page 77), end. jusqu'à la fin.

Répétez ces 2 derniers rangs, en diminuant de 1 m. à l'emmanchure à chaque rang du côté end., jusqu'à ce qu'il reste 31 (36, 36, 41, 41) m.

Continuez le motif sans diminution jusqu'à 4 ½ (5, 5 ½, 6, 6 ½) po/11 (13, 14, 15, 17) cm au-dessus de la terminaison de l'emmanchure, en finissant avec un rang du côté end.

3 COL EN ROND

Maintenez le motif au travers des terminaisons et gl. env. la première m. de chaque rang du côté env., même si cette première maille est de celles que vous rabattrez.

Rabattez 12 m. au début du rang du côté env. suivant — 19 (24, 24, 29, 29) m. restantes.

Rabattez 2 m. au début des 2 rangs suivants du côté env. — 15 (20, 20, 25, 25) m. restantes.

Rabattez 1 m. au début des 4 rangs suivants du côté env. — 11 (16, 16, 21, 21) m. restantes.

Continuez le motif jusqu'à 6 (6 ½, 7, 7 ½, 8) po/15 (17, 18, 19, 20) cm au-dessus de la terminaison de l'emmanchure, en finissant avec un rang du côté env.

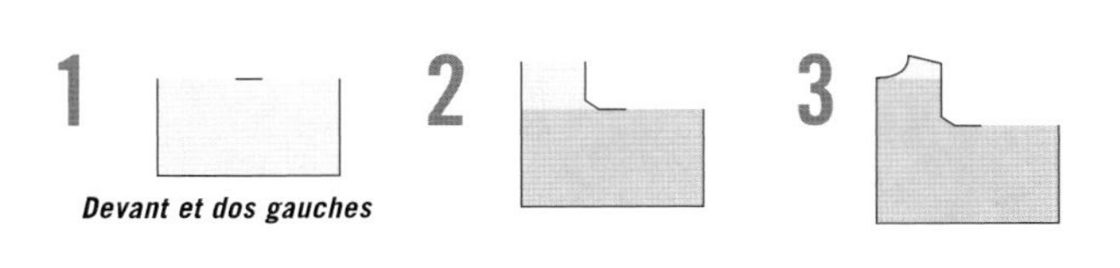

Devant et dos gauches

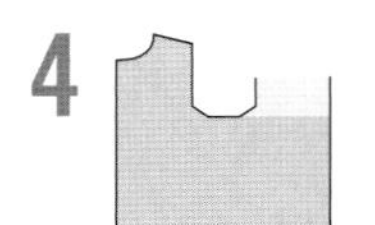

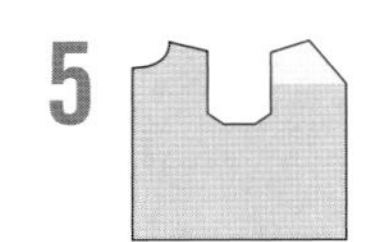

Épaule

En continuant le motif, rabattez 4 (5, 5, 7, 7) m. au début des 2 rangs suivants du côté end., puis rabattez les m. restantes au début du rang suivant du côté end.

Insérez 5 repères pour les boutons le long de la bordure du devant gauche, le premier à ½ po/1,3 cm sous la bordure du cou, le cinquième à 1 ½ po/4 cm au-dessus de la bordure du bas, et les 3 autres répartis également entre ceux-ci.

4 DOS GAUCHE, AU-DESSUS DE L'EMMANCHURE

Retournez aux 41 (45, 50, 54, 59) m. sur l'arrêt de mailles. Insérez ces m. sur l'aiguille, prêt pour un rang du côté env.

Rang suivant (env.) F. dev., gl. 1 env., continuez le motif tel qu'établi.

Rang (de diminution) suivant (end.) End. jusqu'à ce qu'il reste 3 m., faites un surjet simple (gl. 1, 1 end., p. m. g. p., page 99), 1 end.

Répétez ces 2 derniers rangs, en diminuant de 1 m. à l'emmanchure à chaque rang du côté end. jusqu'à ce qu'il reste 31 (36, 36, 41, 41) m. Continuez le motif, mais sans diminutions jusqu'à 3 (3 ½, 4, 4 ½, 5) po/8 (9, 10, 11, 13) cm au-dessus de la terminaison de l'emmanchure, en finissant avec un rang du côté env.

5 COL EN V

Rang de diminution suivant (end.) 1 end., 2 end. ens., end. jusqu'à la fin.

Rang suivant (env.) F. dev., gl. 1 env., f. der., travaillez le motif tel qu'établi jusqu'à ce qu'il reste 1 m., f. dev., gl. 1 env.

Répétez ces 2 derniers rangs, en diminuant à la bordure du cou jusqu'à ce qu'il reste 11 (16, 16, 21, 21) m.

Continuez le motif jusqu'à 6 (6 ½, 7, 7 ½, 8) po/15 (17, 18, 19, 20) cm au-dessus de la terminaison de l'emmanchure, en finissant avec un rang du côté end.

Épaule

En maintenant le motif tel qu'établi au travers des terminaisons, rabattez 4 (5, 5, 7, 7) m. au début des 2 rangs suivants du côté env., puis rabattez les m. restantes au début du rang du côté env. suivant. Insérez 5 repères pour les boutons le long de la bordure du dos gauche, le premier à ½ po/1,3 cm au-dessous du col en V, le cinquième à 1 ½ po/4 cm au-dessus de la bordure du bas, et les 3 autres répartis également entre ceux-ci.

4 po/10 cm

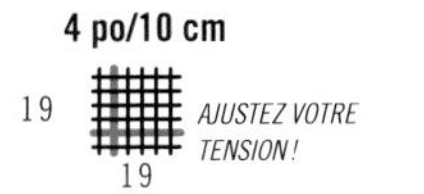

• *mailles et côtes au point mousse du motif*

Vous aurez besoin de

• *fil moyen*

• *520 (570, 620, 720, 790) verges/ 475 (521, 567, 658, 722) mètres*

• *cordon ou ruban*

• *10 boutons de 1 po/2,5 cm*

J'ai utilisé

• *4 mm/É.-U. 7*

• *4 mm/É.-U. F*

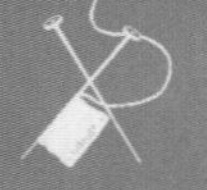

DEVANT ET DOS DROITS, SOUS L'EMMANCHURE

Cette moitié de vêtement est symétrique à la moitié gauche. Les façonnages du cou sont sur le côté opposé à celui illustré dans les schémas 1 à 5 de la page précédente. Les schémas des mesures vous aideront à le visualiser.

Avec le montage au crochet, montez 91 (101, 111, 121, 131) m.

Travaillez le motif jusqu'à 1 ½ po/4 cm, en terminant avec un rang du côté env.

Début des boutonnières : ***rang suivant (côté end.)*** 3 end., 1 jeté (j., page 97), 2 end. ens. (bordure du devant de la boutonnière faite), end. jusqu'à ce qu'il reste 5 m., 2 end. ens., j. (bordure de l'arrière de la boutonnière faite), 3 end.

Fin des boutonnières : ***rang suivant*** En continuant le motif, tric. end. dans l'arrière (arr., page 76) des j. pour les resserrer (page 97).

Continuez le motif, en faisant la bordure du devant des boutonnières (ci-dessus) au début des rangs du côté end., et la bordure de l'arrière des boutonnières (ci-dessus) à la fin des rangs du côté end., où les repères sur le devant et le dos gauches l'indiquent, jusqu'à 11 (11, 11, 11 ½, 11 ½) po/28 (28, 28, 29, 29) cm du début, en terminant avec un rang du côté env.

RACCOURCISSEZ ou ALLONGEZ ici.

Emmanchure

Rang (end.) suivant 41 (45, 50, 54, 59) end. Insérez ces mailles sur un arrêt de mailles pour le devant droit. Continuez avec le rang du côté end., rabattez les 9 (11, 11, 13, 13) m. suivantes, puis tric. end. les 41 (45, 50, 54, 59) m. restantes.

DOS DROIT, AU-DESSUS DE L'EMMANCHURE

Continuez à faire la bordure de l'arrière des boutonnières (comme ci-dessus) à la fin des rangs du côté end., où les repères l'indiquent.

Rang suivant (env.) Continuez le motif tel qu'établi jusqu'à ce qu'il reste 1 m., f. dev., gl. 1 env.

Rang (de diminution) suivant (end.) 1 end., 2 end. ens., end. jusqu'à la fin.

Répétez ces 2 derniers rangs, en diminuant de 1 m. à l'emmanchure à chaque rang du côté end., jusqu'à ce qu'il reste 31 (36, 36, 41, 41) m.

Continuez le motif, mais sans diminution, jusqu'à 3 (3 ½, 4, 4 ½, 5) po/8 (9, 10, 11, 13) cm au-dessus de la terminaison de l'emmanchure, en finissant avec un rang du côté env.

Col en V

Rang (de diminution) suivant (end.) End. jusqu'à ce qu'il reste 3 m., gl. 1, 1 end., p. m. g. p., 1 end.

Rang suivant (env.) F. dev., gl. 1 env., f. der., travaillez le motif tel qu'établi jusqu'à la fin.

Répétez ces 2 derniers rangs, en diminuant à la bordure du cou jusqu'à ce qu'il reste 11 (16, 16, 21, 21) m. Continuez le motif jusqu'à 6 (6 ½, 7, 7 ½, 8) po/15 (17, 18, 19, 20) cm au-dessus de la terminaison de l'emmanchure, en finissant avec un rang du côté env.

Épaule

En continuant le motif, rabattez 4 (5, 5, 7, 7) m. au début des 2 rangs suivants du côté end., puis rabattez les m. restantes au début du rang du côté end. suivant.

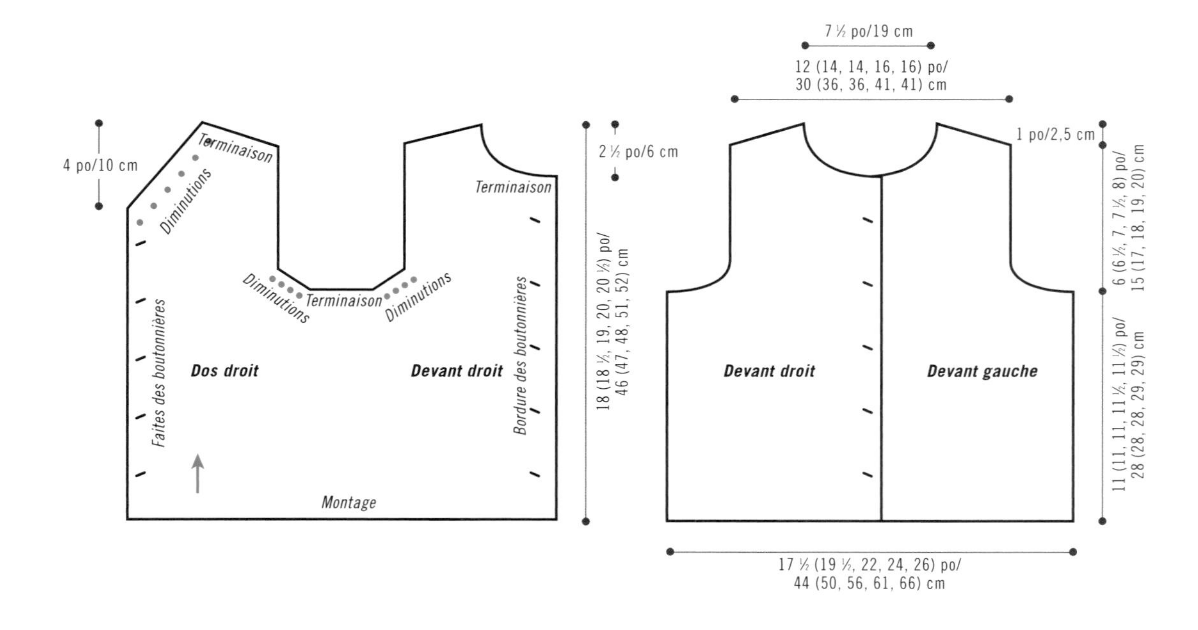

DEVANT DROIT, AU-DESSUS DE L'EMMANCHURE

Retournez aux 41 (45, 50, 54, 59) m. sur l'arrêt de mailles. Insérez ces m. sur l'aiguille, prêt pour un rang du côté env. Continuez à faire les boutonnières de la bordure de devant (tel que ci-dessus) au début des rangs du côté end., où les repères sur le devant gauche l'indiquent.

Rang suivant (env.) F. dev., gl. 1 env., continuez le motif tel qu'établi.

Rang (de diminution) suivant (end.) End. jusqu'à ce qu'il reste 3 m., gl. 1, 1 end., p. m. g. p., 1 end.

Répétez ces 2 derniers rangs, en diminuant de 1 m. à l'emmanchure à chaque rang du côté end., jusqu'à ce qu'il reste 31 (36, 36, 41, 41) m.

Continuez le motif, mais sans diminution, jusqu'à 4 ½ (5, 5 ½, 6, 6 ½) po/11 (13, 14, 15, 17) cm au-dessus de la terminaison de l'emmanchure, en terminant avec un rang du côté env.

Col en rond

Rangs du côté env. F. dev., gl. 1 env., f. der., maintenez le motif après les terminaisons.

Rabattez 12 m. au début du rang du côté end. suivant — 19 (24, 24, 29, 29) m. restantes.

Rabattez 2 m. au début des 2 rangs suivants du côté end. — 15 (20, 20, 25, 25) m. restantes.

Rabattez 1 m. au début des 4 rangs suivants du côté end. — 11 (16, 16, 21, 21) m. restantes.

Continuez le motif jusqu'à 6 (6 ½, 7, 7 ½, 8) po/15 (17, 18, 19, 20) cm au-dessus de la terminaison de l'emmanchure, en finissant avec un rang du côté end.

Épaule

En maintenant le motif au travers des terminaisons, rabattez 4 (5, 5, 7, 7) m. au début des 2 rangs suivants du côté env., puis rabattez les m. restantes au début du rang du côté env. suivant.

FINITION

Cousez la ligne des épaules (maille à maille, page 95).
Cousez les boutons aux bordures du devant et du dos gauches, vis-à-vis des boutonnières.

Grandeur moyenne : 5 pelotes GARNSTUDIO Passion, couleur n° 7

Le chandail sur mesure, tricoté vers le bas

Dans ce livre vous avez vu des vêtements tricotés à partir du bas, ou d'un côté à l'autre, ou selon des combinaisons de ces deux méthodes. Quelle possibilité reste-t-il ? Tricoter vers le bas, bien sûr !
Cette technique vous permet de tricoter jusqu'à la longueur parfaite et d'ajuster l'ouvrage à n'importe quel corps. Pourquoi ne tricotons-nous pas toujours de cette façon ? Parce que le façonnage pour le col complique les choses. Mais pour les vêtements au col en entonnoir, presque sans façonnage, c'est une méthode indiquée.
La description de ces modèles est différente des autres. Je ne propose pas de grandeurs : vous déciderez vous-même de la taille de vos vêtements — aux épaules et sous les bras. Parfois, je vous fais une suggestion, parfois plusieurs, et vous n'avez qu'à choisir la mesure la plus proche de ce que vous voulez, puis de suivre les étapes. J'espère que vous aimerez cette expérience : en progressant, vous comprendrez que vous avez toujours des choix... et que vous devez prendre des décision avec confiance !

Les mesures de poitrine (A) sont unisexes et couvrent toutes les possibilités. Vous choisirez l'une de ces tailles lorsque vous monterez des mailles sous le bras à l'étape 4.
Les mesures de la longueur (B, C) sont pour une femme de 5 pi 4 po à 5 pi 6 po (1,63 m à 1,68 m) ; pour un homme de 6 pi (1,82 m) ; et pour un enfant de taille 8.
Les mesures indiquées sur les schémas valent pour les modèles : taille 8 pour enfant (M pour femme ; G pour homme). Vous pouvez faire le vêtement de la longueur que vous désirez.

Cette étoffe a une maille glissée toutes les cinq mailles, sur chaque rang du côté envers. Omettre de la faire ruinerait l'étoffe.
Pour apprendre le motif, je vous suggère de vous exercer en tricotant votre échantillon de tension.

8 pour enfant : 9 pelotes MISSION FALLS 1824 Cotton, couleur n° 102

Voici des instructions spéciales pour votre échantillon de tension :

- Montez 15 mailles (m.). Toutes les méthodes peuvent convenir, mais vous pourriez vous exercer au montage au crochet (page 94).
- Travaillez le motif jusqu'à 16 côtes au point mousse.
- Rabattez les m.

La pièce devrait mesurer 3¾ po/9,5 cm de large et 4 po/10 cm de haut, sans inclure le montage ni la terminaison.

EXPÉRIENCE
- *intermédiaire facile*
- *motif répétitif*
- *certains calculs requis*
- *façonnage simple*
- *finition simple*

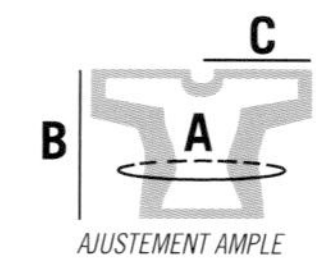

6 à 10 pour enfant
(P, M, G, TG, TTG)
***A** 32 (38, 42, 47, 52, 57) po/81 (97, 107, 119, 132, 145) cm*
***B** 16 po/41 cm pour enfant de taille 8 (20 po/51 cm pour femme ; 28 po/71 cm pour homme)*
***C** 23½ po/60 cm pour enfant de taille 8 (29 po/74 cm pour femme ; 33 po/84 cm pour homme)*

Motif

Rangs du côté endroit (end.) Tricotez (tric.) à l'endroit (end.) toutes les mailles (m.).

Rangs du côté envers (env.) 2 end., *avec le fil devant (f. dev., page 96), glissez 1 m. dans le sens de l'envers (gl. 1 env., page 98), passez le fil derrière (f. der.), 4 end., répétez à partir de l'* jusqu'à ce qu'il reste 3 m., f. dev., gl.1 env., f. der., 2 end.

Voici comment faire !

DOS

1 Col

Pour toutes les tailles Au crochet, montez 35 m. sur l'aiguille plus grosse.

En continuant sur les aiguilles plus grosses, travaillez le motif jusqu'à 1 ½ po/4 cm pour une encolure bateau ou jusqu'à 3 po/ 8 cm pour un col cheminée, en terminant avec un rang du côté env.

2 Épaules

Vous avez quatre possibilités. Mesurez la largeur réelle des épaules de la personne qui portera le vêtement, puis choisissez la valeur qui s'en rapproche le plus.

Montez avec le pouce (page 28) des m. pour les épaules comme ceci :

Pour des épaules de 13 po/33 cm Montez 2 m. au début des 8 rangs suivants — 51 m.

Pour des épaules de 15 po/38 cm Montez 4 m. au début des 2 rangs suivants, 3 m. au début des 6 rangs suivants — 61 m.

Pour des épaules de 18 po/46 cm Montez 5 m. au début des 2 rangs suivants, 4 m. au début des 4 rangs suivants, puis 5 m. au début des 2 rangs suivants — 71 m.

Pour des épaules de 20 po/51 cm Montez 5 m. au début des 2 rangs suivants, puis 6 m. au début des 6 rangs suivants — 81 m.

3 Emmanchures

Pour maintenir le motif tel qu'établi, les rangs du côté env. seront maintenant comme ceci : *gl. 1 env., f. der., 4 end., f. dev., répétez à partir de l'*, gl. 1 env.

Vous ne serez pas capable de faire un « f. dev., gl. 1 env. » dans votre dernière m. montée avec le pouce (la première m. de votre premier rang du côté env. pour l'emmanchure). Pour le premier rang seulement, tric. plutôt cette m. end.

Travaillez le motif avec une lisière de m. gl. pour tous les rangs suivants du côté env. jusqu'à la profondeur d'emmanchure désirée, en terminant avec un rang du côté env.

Des suggestions pour la profondeur de l'emmanchure pour la taille 8 pour enfant (M pour femme ; G pour homme) apparaissent sur les schémas.

4 Dessous de bras

Vous avez six possibilités. Mesurez la poitrine de la personne qui portera le vêtement, divisez cette valeur par deux, puis choisissez une largeur plus grande d'au moins 2 po/ 5 cm.

Avec la méthode de montage avec le pouce, montez des m. sous le bras comme ceci :

Pour une largeur de 16 po/41 cm (pour enfant 6 à 10) Vous avez besoin de 65 m., alors soustrayez de 65 le nombre de m. actuellement sur l'aiguille ; divisez le résultat par 2 et vous obtenez le nombre de m. que vous devez monter au début des 2 rangs suivants.

Pour une largeur de 19 po/48 cm (taille P) Vous avez besoin de 75 m., alors soustrayez de 75 le nombre de m. actuellement sur l'aiguille ; divisez le résultat par 2 et vous obtenez le nombre de m. que vous devez monter au début des 2 rangs suivants.

Pour une largeur de 21 po/53 cm (taille M) Vous avez besoin de 85 m., alors soustrayez de 85 le nombre de m. actuellement sur l'aiguille ; divisez le résultat par 2 et vous obtenez le nombre de m. que vous devez monter au début des 2 rangs suivants.

Pour une largeur de 23 ½ po/60 cm (taille G) Vous avez besoin de 95 m., alors soustrayez de 95 le nombre de m. actuellement sur l'aiguille ; divisez le résultat par 2 et vous obtenez le nombre de m. que vous devez monter au début des 2 rangs suivants.

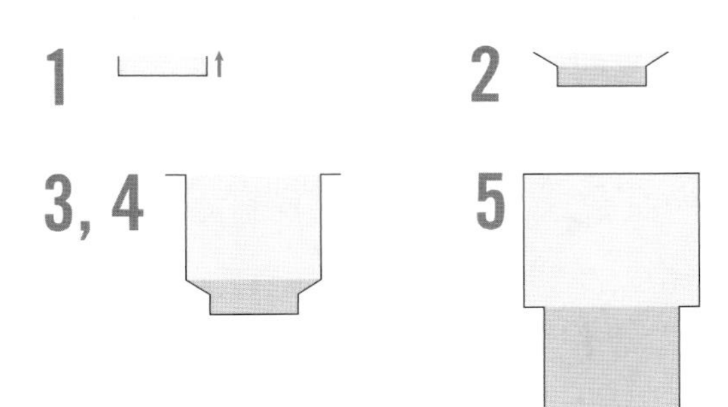

4 po/10 cm

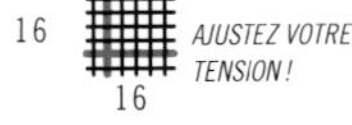

- mailles et côtes au point mousse du motif
- en utilisant les aiguilles plus grosses

Vous aurez besoin de

- fil moyen
- tailles 6 (8, 10) pour enfant : 600 (700, 800) verges/ 549 (640, 732) mètres
- pour femme : (900, 1100, 1300, 1500, 1700) verges/ 823, 1006, 1189, 1372, 1554) mètres
- pour homme : (1100, 1300, 1500, 1700, 1900) verges/ 1006, 1189, 1372, 1554, 1737) mètres
- n'importe quoi

J'ai utilisé

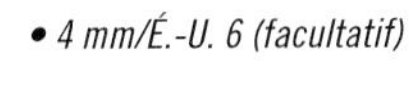

- 5 mm/É.-U. 8
- 4 mm/É.-U. 6 (facultatif)

Taille M pour femme : 13 pelotes MISSION FALLS 1824 Wool, couleur n° 13

Pour une largeur de 26 po/66 cm (taille TG) Vous avez besoin de 105 m., alors soustrayez de 105 le nombre de m. actuellement sur l'aiguille ; divisez le résultat par 2 et vous obtenez le nombre de m. que vous devez monter au début des 2 rangs suivants.

Pour une largeur de 28½ po/72 cm (taille TTG) Vous avez besoin de 115 m., alors soustrayez de 115 le nombre de m. actuellement sur l'aiguille ; divisez le résultat par 2 et vous obtenez le nombre de m. que vous devez monter au début des 2 rangs suivants.

5 Dos, sous l'emmanchure

Pour maintenir le motif tel qu'établi, travaillez-le tel qu'il est prescrit (avec 2 end. au début et à la fin de tous les rangs du côté env.).

Travaillez jusqu'à 1 po/2,5 cm de moins que la longueur désirée.

Facultatif Pour réduire légèrement la largeur du vêtement à la bordure du bas, travaillez sur les aiguilles plus fines pour le 1 po/2,5 cm final.

Rabattez les m. au rang du côté end. suivant.

DEVANT

Faites maintenant une deuxième pièce exactement comme la première.

Si vous comptez le nombre de m. gl. le long du dos de l'emmanchure et que vous faites le même nombre de m. gl. le long du devant de l'emmanchure, vos manches seront de la même taille et vous vous sentirez comme un génie !

Couture des épaules

Désignez une pièce comme étant le dos.

Faites tout ce qui suit avec le côté end. faisant face.

Raccorder les épaules droites

Sur le dos, en utilisant les aiguilles plus grosses et en débutant à la lisière de l'emmanchure droite, relevez et tric. end. (page 60) 1 m. à la lisière de m. gl. de l'épaule, 1 m. pour chaque m. de montage le long des épaules, 1 m. pour chaque côte le long du côté du cou, 1 m. pour chaque rang de montage à la bordure du cou.

Rang suivant (côté env.) End. toutes les m. Rompez le fil. Placez les m. sur une aiguille supplémentaire de n'importe quelle grosseur, avec la m. du cou à l'extrémité pointue de l'aiguille (si vous utilisez une aiguille classique).

Sur le devant, en utilisant les aiguilles plus grosses et en débutant à la bordure droite du cou, relevez et tric. end. 1 m. pour chaque rang de montage à la bordure du cou, 1 m. pour chaque côte le long du côté du cou, 1 m. pour chaque m. de montage le long des épaules, 1 m. à la lisière de m. gl. de l'épaule.

Rang suivant End.

6 *Faites une terminaison à trois aiguilles* (page 155)

Tenez le dos et le devant, les côtés envers joints ensemble. Le début du rang est du côté du cou. Avec l'aiguille plus grosse, tricotez à l'endroit 2 m. ensemble (2 end. ens., page 77), une de chaque aiguille, *puis 2 end. ens., une de chaque aiguille ; ensuite passez la deuxième maille par-dessus la première (selon la façon habituelle de rabattre les m.), répétez à partir de l'* jusqu'à ce que toutes les m. aient été rabattues. Rompez le fil et passez-le à travers la m. restante.

Raccorder les épaules gauches

Travaillez comme ci-dessus, en débutant à la bordure du cou pour le dos (avec ces m. placées sur une aiguille supplémentaires après 2 rangs) et à la lisière de l'emmanchure pour le devant. Pour cette terminaison à trois aiguilles, le début du rang est du côté des emmanchures.

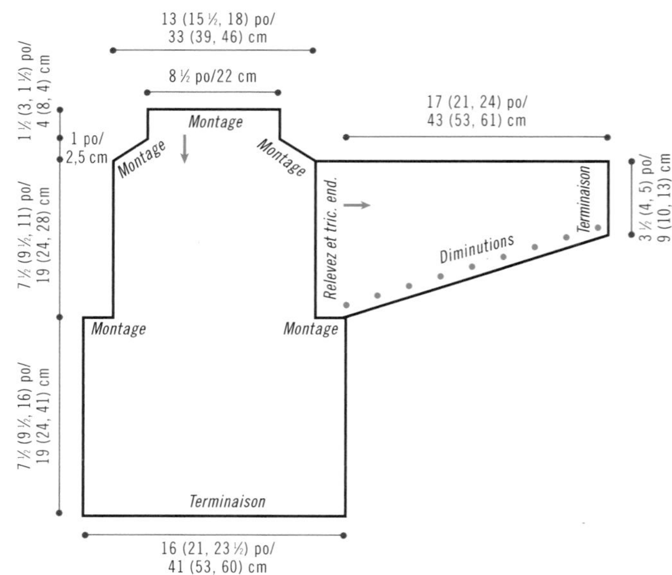

8 pour enfant (M pour femme ; G pour homme)

7 MANCHES

Faites-les une à la fois, mais pareillement.

En débutant au coin où les m. ont été montées pour le dessous de bras, avec le côté end. faisant face et l'aiguille plus grosse, relevez et tric. end. 1 m. au coin, 1 m. dans l'arrière de chaque m. gl. (page 98) le long de la lisière de l'emmanchure, 1 m. à la terminaison à trois aiguilles, 1 m. dans l'arr. de chaque m. gl. le long de la lisière de l'emmanchure, 1 m. au coin où les m. ont été montées pour le dessous de bras.

Maintenant, vous devez établir le motif pour vos manches. Prenez une tasse de thé, une grande respiration, et continuez à sourire.

Rang suivant (côté env.) Trouvez sur l'aiguille la maille qui s'aligne avec la terminaison à trois aiguilles. Pour le prochain rang (et tous les rangs suivants du côté env.), traitez cette m. comme une m. glissée (f. dev., gl. 1 env.). Toutes les cinq mailles à partir de celle-ci, et jusqu'au début de ce rang du côté env., vous devriez trouver une m. gl. (f. dev., gl. 1 env.).

Alors, comptez à rebours par tranche de 5 (en notant que ces cinquièmes mailles sont vos m. gl.) à partir de la terminaison à trois aiguilles. Il restera de 0 à 4 m.

End. ces 0 à 4 m., puis faites le premier f. dev., gl. 1 env., f. der. Faites maintenant le reste du rang: *4 end., f. dev., gl. 1 env., f. der. ; répétez à partir de l'*.

End. les 0 à 4 m. restantes à la fin du rang.

Notez combien de m. sont sur vos aiguilles pour le haut de la manche.

Travaillez le motif tel qu'établi sur 3 po/8 cm, en terminant avec un rang du côté env.

Rang (de diminution) suivant (end.) 1 end., faites un surjet simple (gl. 1, 1 end., p. m. g. p., page 99), end. jusqu'à ce qu'il reste 3 m., 2 end. ens., 1 end. — 2 m. de diminuées.

Continuez le motif sur 5 rangs.

Répétez ces 6 derniers rangs, en diminuant de 1 m. à chaque fin de manche tous les sixièmes rangs, 10 fois. (Vous aurez 20 m. de moins qu'au début de votre manche.)

Rang (de diminution) suivant (end.) 1 end., gl. 1, 1 end., p. m. g. p., end. jusqu'à ce qu'il reste 3 m., 2 end. ens., 1 end.

Continuez le motif sur 3 rangs.

Grandeur G pour homme : 18 pelotes MISSION FALLS 1824 Wool, couleur n° 30

6

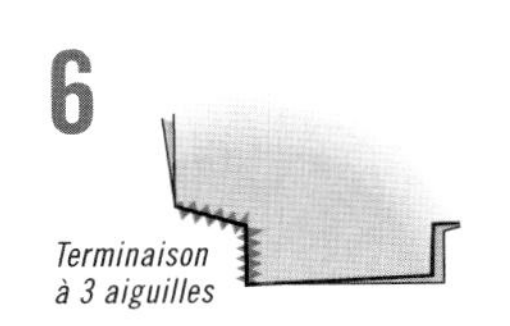

7

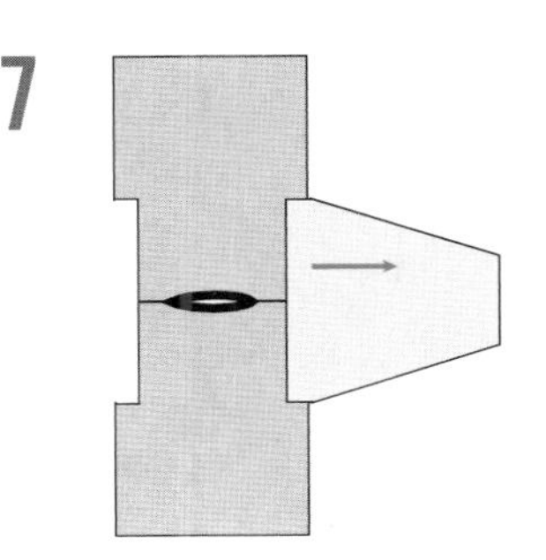

Taille G pour homme : 19 pelotes MISSION FALLS 1824 Cotton, couleur n° 102

Répétez ces 4 derniers rangs, en diminuant de 1 m. à chaque fin de manche tous les quatrièmes rangs, jusqu'au nombre de m. voulu au poignet.

Le nombre de m. pour le poignet de la manche ne dépend pas vraiment du poignet : on doit pouvoir y glisser la main. Si les mailles ne sont pas déjà sur une aiguille circulaire, glissez-les dessus et enroulez les mailles autour de la main de la personne qui portera le vêtement. Suggestions : 29 m. au poignet pour un enfant ; 33 m. pour une femme mince ; 37 m. pour un homme mince ; de 41 à 45 m. pour des tailles plus fortes.

Continuez (sans diminution) jusqu'à 1 po/2,5 cm de la longueur voulue. Travaillez sur des aiguilles plus fines pour 1 po/2,5 cm.

Rabattez au rang du côté end. suivant.

FINITION

Cousez les lignes des côtés et des manches (côte à côte, page 62), en laissant 2 po/5 cm non cousus entre le devant et le dos à la bordure du bas, si désiré.

Quand il s'agit de maintenir le motif, les rangs du côté end. sont plutôt aisés à faire : toutes les mailles sont tricotées à l'endroit, et même le façonnage (augmenter ou diminuer) n'est pas difficile. Les difficultés surviennent aux rangs du côté envers et là où toutes les cinquièmes mailles sont glissées. Ces mailles glissées sont visibles du côté endroit, mais moins évidentes du côté envers. Or, c'est du côté envers que vous devez les faire, dans la même maille chaque fois, même dans un façonnage.

Maintenir un motif

Pour faire un motif, vous devez habituellement faire quelques manœuvres en tricotant un rang. Dans ce chapitre, vous produirez des lignes verticales dans une étoffe au point mousse en glissant toutes les cinquièmes mailles du côté envers. Il s'agit de ne pas rater le motif ! Par exemple, si vous placez la maille glissée à la quatrième maille et non à la cinquième, vous briserez la ligne verticale produite par les autres mailles glissées.

Pour maintenir un motif, il est utile d'insérer des repères sur votre aiguille, à trois ou quatre endroits dans le rang, pour vous assurer que vous progressez correctement.

Maintenir un motif dans une pièce de tricot façonnée — une emmanchure, un col en V, une manche — est encore plus difficile. Après les augmentations et les diminutions, le nombre de mailles change. Dans ce chapitre, les mailles glissées sont plus près des bordures parce que vous avez diminué, ou plus loin parce que vous avez augmenté.

Voici comment maintenir un motif à travers les augmentations et les diminutions :

- Faites tout ceci sur le rang (côté endroit ou envers) pour lequel le motif est établi. Dans ce chapitre, vous travaillez sur les rangs du côté envers.
- Insérez un repère avant la maille (formant le motif) la plus rapprochée de la bordure. Dans ce chapitre, c'est avant la première maille glissée.
- Au fil des augmentations, cette maille la plus rapprochée de la bordure se trouvera éventuellement à plus d'une répétition du motif de la bordure.
- Dès que cela survient, replacez le repère avant la maille du motif qui est *maintenant* la plus rapprochée de la bordure.
- Au fil des diminutions, cette maille la plus rapprochée de la bordure disparaîtra.
- Dès que cela survient, replacez le repère avant la maille du motif qui est *maintenant* la plus rapprochée de la bordure.

La terminaison à trois aiguilles

Au cours de cette manœuvre, vous cousez les mailles aux mailles et vous les rabattez dans un même mouvement. On peut utiliser cette méthode pour la terminaison du côté envers, simplement comme couture. Ou pour la terminaison du côté endroit, comme ornement.

COMME ORNEMENT

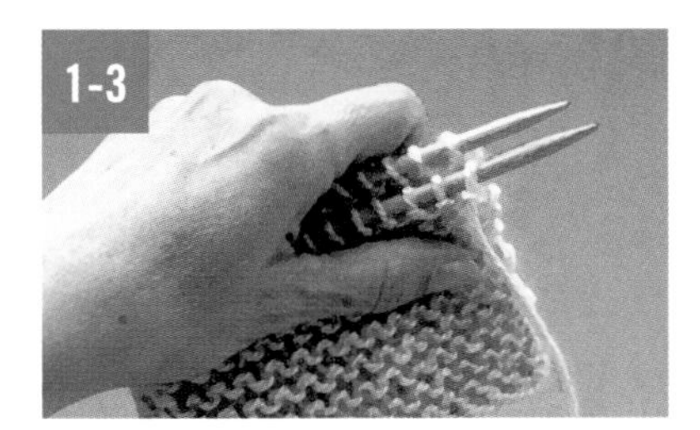

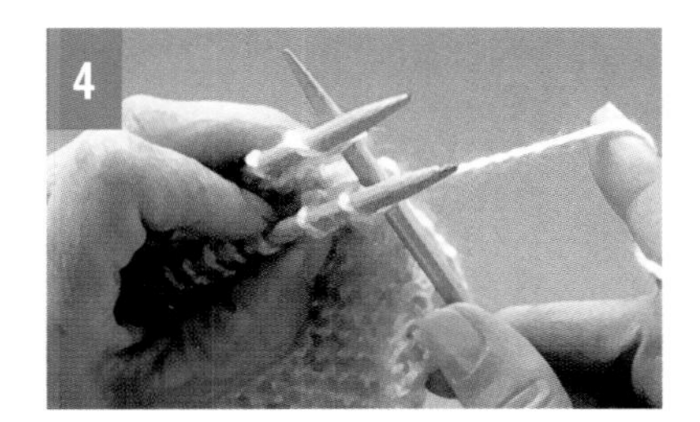

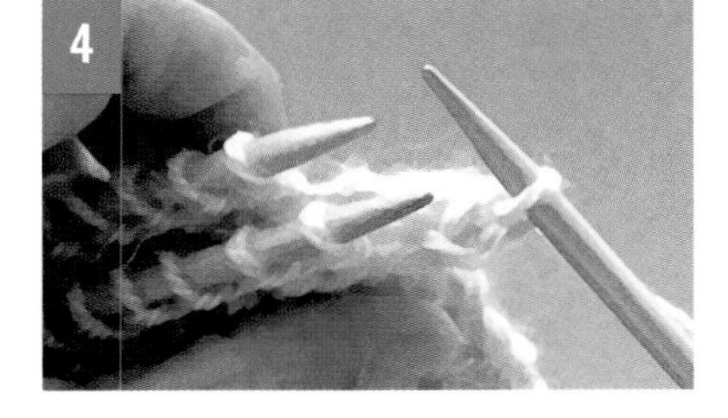

1 Laissez les mailles d'une pièce sur l'aiguille, en terminant avec un rang du côté endroit.

2 Laissez les mailles d'une autre pièce sur l'aiguille, en terminant avec un rang du côté envers.

3 Tenez les pièces avec les côtés envers ensemble.

4 Avec une troisième aiguille, tricotez à l'endroit deux mailles ensemble, une de chaque aiguille.

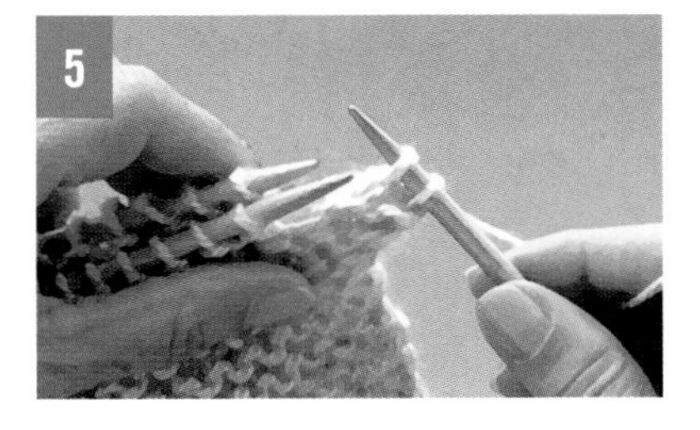

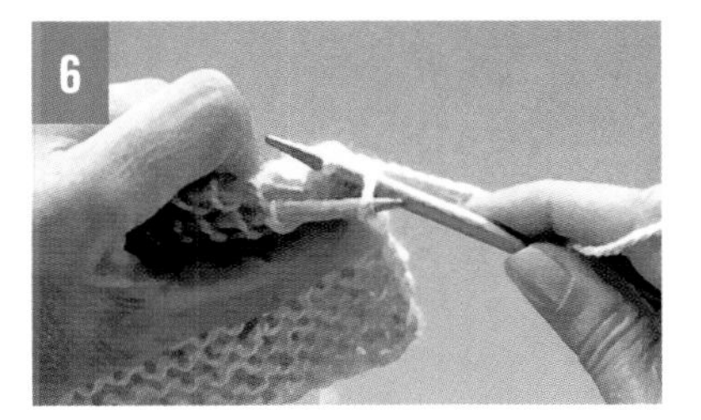

5 Tricotez de nouveau à l'endroit deux mailles ensemble, une de chaque aiguille.

6 Passez la première maille de l'aiguille droite par-dessus la seconde, rabattant ainsi une maille de la façon habituelle.

Répétez les étapes 5 et 6, jusqu'au moment où toutes les mailles sont rabattues.

La couture terminée, vue du côté endroit.

SANS ORNEMENT

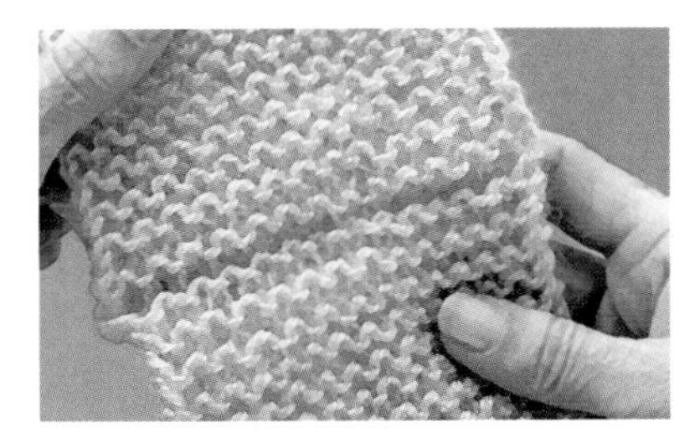

Faites les étapes 1 à 6, mais en tenant les pièces avec les côtés endroits joints ensemble.

Voici l'apparence de la couture, vue du côté endroit.

La terminaison à trois aiguilles peut être utilisée chaque fois que vous désirez coudre des mailles aux mailles. Beaucoup l'utilisent pour la ligne de l'épaule, mais, à moins d'en faire un ornement, je préfère la fermeté des lignes cousues. Quoi qu'il en soit, je suis certaine que vous trouverez toutes sortes d'applications ! Dans les vêtements de ce chapitre, j'ai utilisé cette terminaison à des fins décoratives.

Comment **CORRIGER LES ERREURS** courantes

APPRENDRE de ses erreurs

Tricoter ne sera pas agréable si vous faites des erreurs que vous n'êtes pas capable de corriger. Le problème, ce n'est pas les erreurs : c'est de ne pas les corriger.

Les techniques exposées dans le présent chapitre vous aideront à corriger vos erreurs sans que votre tricot paraisse rafistolé. Il est important de maîtriser ces techniques. Ainsi, le résultat sera toujours satisfaisant.

Plus vous serez habile, plus vous comprendrez votre tricot : sa structure, son évolution, son achèvement. Vous deviendrez aussi plus intuitif ; vous serez capable de corriger des erreurs de votre propre chef ; vous développerez votre propre style, votre propre manière de faire les choses.

Bien sûr, parfois, la seule solution est de détricoter pour tout recommencer. J'admets que je le fais souvent, que je « tricote à reculons », comme dit mon mari. Si c'est ce qu'il faut faire, faisons-le !

Une personne m'a déjà raccroché au nez après que je lui eus assuré qu'il n'y avait d'autre issue que de détricoter. Je comprends que vous n'avez pas envie de défaire votre tricot, puis de le refaire, mais sachez ceci :

1. Ce qui vaut la peine d'être fait vaut la peine d'être bien fait. (Vous deviez vous douter que j'allais dire cela !)
2. Plus tôt vous identifierez votre erreur, moins de fil vous aurez à détricoter, alors soyez rigoureux dans l'examen de votre ouvrage.
3. Quand vous détricotez, rappelez-vous que, une fois cette pièce terminée, vous auriez eu à vous trouver autre chose à tricoter. Vous venez de trouver la chose en question !

Oups!

Les problèmes de montage

Si une maille d'un montage avec le pouce tombe de l'aiguille

Parfois une maille d'un montage avec le pouce tombe de l'aiguille. Voici ce qu'il faut faire le cas échéant.

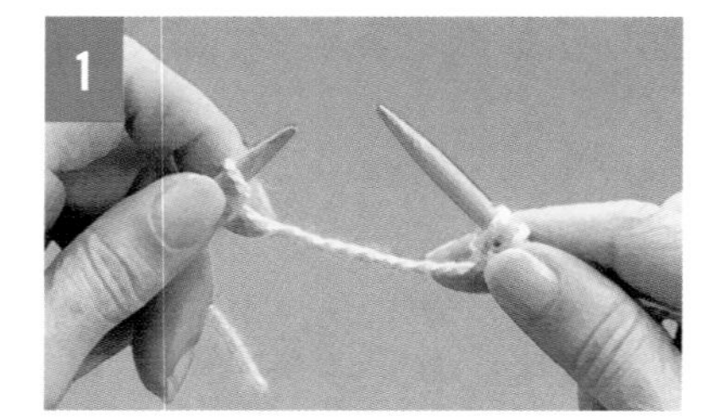

Alors que vous tricotez le premier rang,

1 si une maille de montage tombe...

Le montage avec le pouce a mauvaise réputation parce qu'il peut tomber de l'aiguille facilement et parce qu'il peut se relâcher et sembler négligé.

Vous trouverez ci-contre des solutions à ces problèmes. Étant donné sa grande utilité et la facilité avec laquelle on peut corriger les problèmes, on ne doit pas dénigrer cette méthode de montage !

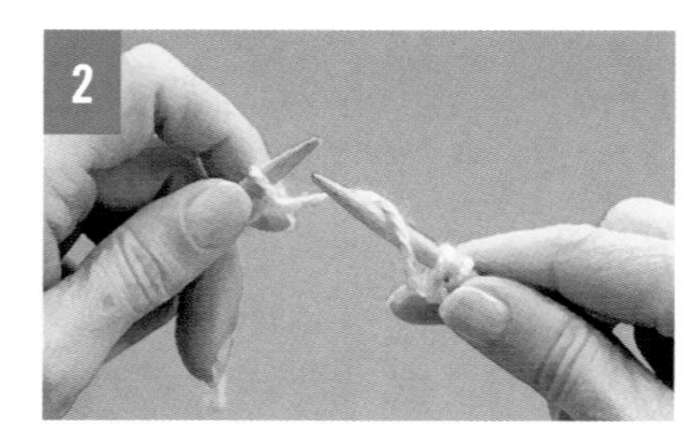

2... ramenez l'aiguille droite de l'arrière à l'avant, sous le fil détendu...

3... puis insérez l'aiguille gauche sous le fil, tel qu'il est illustré. Enroulez le fil autour de l'aiguille droite et tricotez comme d'habitude.

4 Si plusieurs mailles tombent, répétez cette manœuvre avec le fil détendu jusqu'au moment où toutes les mailles auront été récupérées.

Si vous devez resserrer un montage fait avec la méthode du pouce

Malgré vos efforts, ce montage peut bâiller. Voici comment corriger le problème.

Débutez à la fin du montage, là où il n'y a pas de bout de fil.

1 Avec une aiguille à tricot ou à tapisserie, tirez doucement la première boucle vers vous.

2 Tirez doucement la boucle suivante vers vous, en amenant l'excédent de fil de la boucle précédente.

3 Au fur et à mesure que vous avancez le long de cette bordure, l'excédent de fil s'allongera (ci-dessus). Tirez-le jusqu'à ce que vous atteigniez le début du montage.

4 Si vous avez débuté avec un nœud coulant, vous devrez le défaire (des instructions suivent) pour tirer l'excédent au travers.

5 Pour terminer, coupez le bout à la longueur voulue.

Les problèmes de maille

Se débarrasser du nœud coulant

Certaines méthodes de montage (au crochet, tricoté) doivent débuter par un nœud coulant. Mais ce nœud forme une affreuse boule qui peut déformer ce coin de votre ouvrage et gêner la couture. Voici comment le retirer.

1 Trouvez-le.

2 Défaites-le.

3 Admirez le résultat !

Si vous abandonnez votre tricot au milieu d'un rang

Parfois, des événements imprévus vous obligeront à abandonner votre tricot au milieu d'un rang.

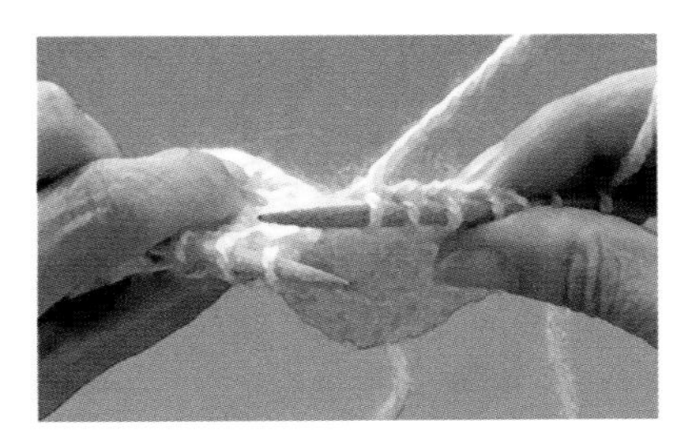

Vos anciennes mailles doivent être sur l'aiguille gauche, et vos nouvelles mailles, sur l'aiguille droite où est attaché le fil de travail. La pièce ci-dessus est correcte.

Ici, les nouvelles mailles avec le fil de travail sont sur l'aiguille gauche. Cette pièce est « à l'envers » et doit être retournée.

Ma grand-mère, une tricoteuse extraordinaire et rigoureuse, me conseillait de « toujours terminer le rang » pour ne pas créer des trous dans le tricot.

J'aime cette idée de toujours finir un rang. Et c'est un bon prétexte pour tricoter un peu plus longtemps !

Si vous tricotez à l'avant d'une maille qui repose à l'envers sur l'aiguille (voir le chapitre quatre), vous produirez une maille tordue. Une maille tordue est peu apparente au point mousse, mais peut être très visible dans d'autres motifs.

Si vous échappez une maille / L'orientation d'une maille

Ne paniquez pas ! Cela arrive souvent ! Vous devrez simplement replacer la maille sur l'aiguille gauche, mais il y a une bonne façon de le faire.

Voici la bonne orientation d'une maille.

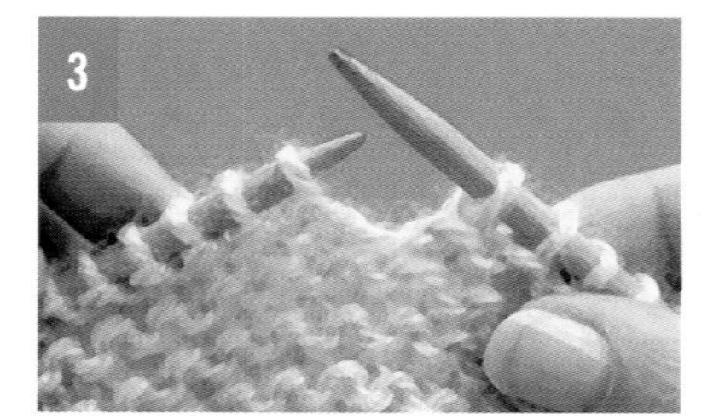

1 Voici l'apparence d'une maille échappée (ci-dessus).

2 Replacez la maille échappée sur l'aiguille gauche et regardez-la avant de tricoter.

3 Si elle a l'air de ceci, elle est orientée adéquatement : le brin de la maille le plus près de vous est plus près de la pointe de l'aiguille que le brin de la maille le plus éloigné de vous. Vous pouvez tricoter cette maille comme d'habitude.

4 Si elle a l'air de ceci, elle est mal orientée : le brin de la maille le plus près de vous est plus éloigné de la pointe de l'aiguille que le brin de la maille le plus éloigné de vous. La maille semble plus ouverte, car elle est « à l'envers » sur l'aiguille.

5 Vous pouvez la retirer, la retourner, la réinsérer, puis la tricoter comme d'habitude. Ou...

6 ... quand votre maille est posée à l'envers sur l'aiguille gauche, insérez l'aiguille droite sous le brin éloigné (l'arrière) de la maille, puis tricotez-la comme d'habitude. Tricoter dans l'arrière d'une maille l'orientera adéquatement.

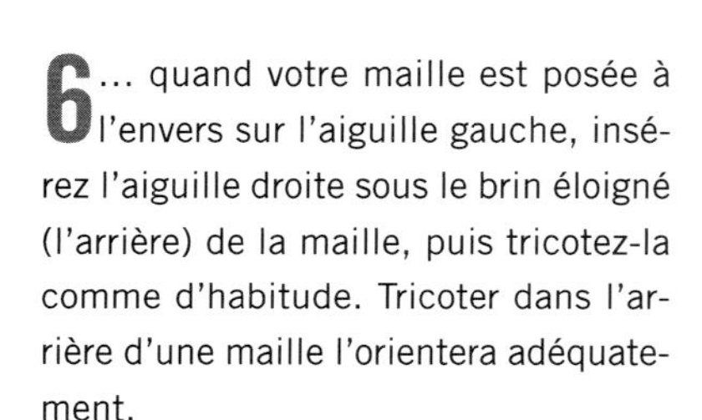

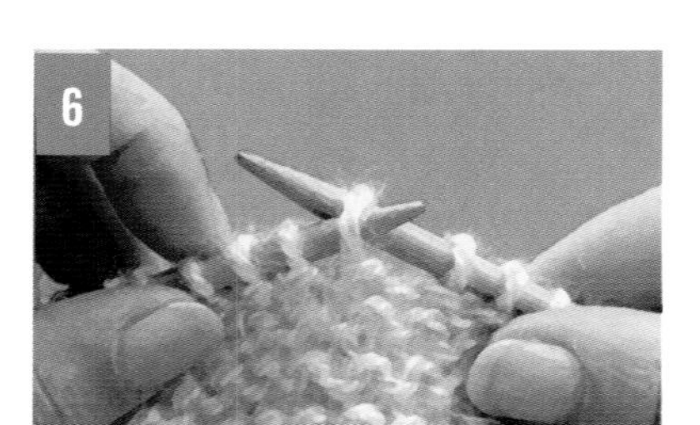

Si une maille de point jersey se détricote

Parfois nous échappons une maille et elle se défait d'un rang.

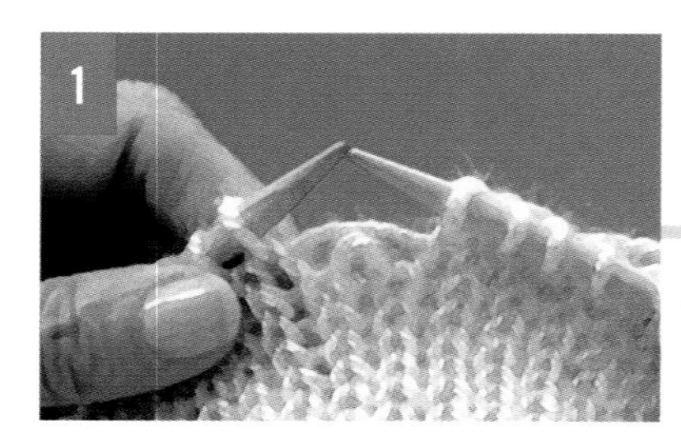

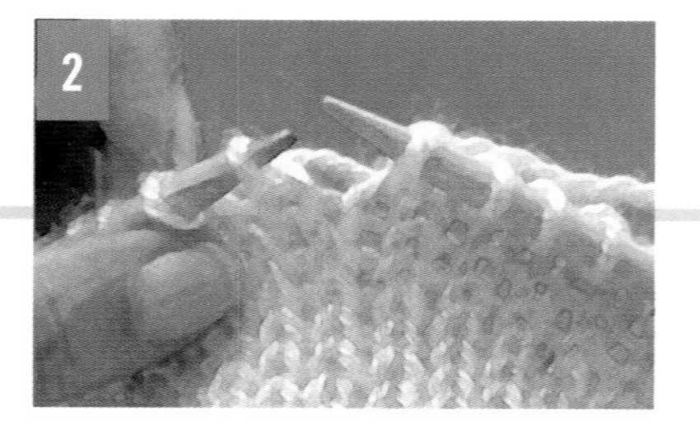

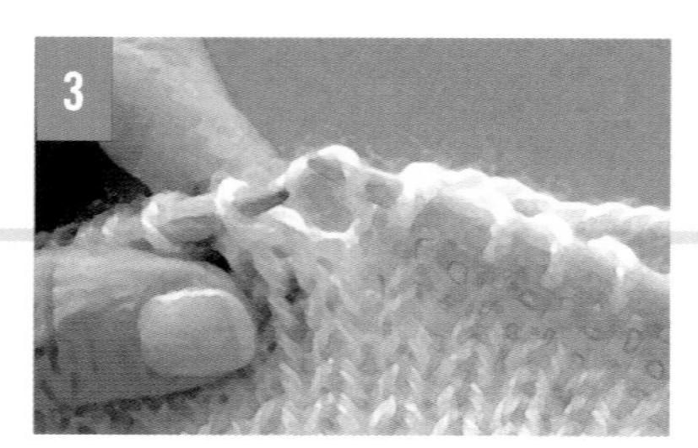

1 Lorsqu'un seul rang s'est détricoté, vous verrez un brin lâche du côté envers de l'ouvrage.

2 Insérez la maille détricotée sur l'aiguille gauche. Si vous insérez l'aiguille gauche de façon qu'elle pointe loin de vous, cela orientera la maille adéquatement.

3 Relevez le fil lâche avec l'aiguille droite...

Si une maille de point mousse se détricote

Parfois nous échappons une maille qui se défait d'un rang.

Lorsqu'un seul rang s'est détricoté, vous verrez un fil lâche, peu importe de quel côté vous tournez l'ouvrage.

1 Tenez l'ouvrage pour que le fil lâche soit du côté vous faisant face.

2 Insérez l'aiguille droite à travers la maille détricotée. Si vous insérez l'aiguille droite de manière qu'elle pointe vers vous, la maille sera orientée adéquatement.

3 Insérez l'aiguille gauche à travers la maille pour qu'elle soit derrière l'aiguille droite.

4 Insérez l'aiguille droite sous le fil lâche.

5 Avec l'aiguille droite, tirez le fil lâche à travers la maille.

6 Retirez l'aiguille gauche.

7 Placez la maille refaite sur l'aiguille gauche (photos ci-dessus). Traitez maintenant cette maille refaite comme une maille ordinaire.

Si vous venez d'échapper une maille, il y a de fortes chances pour qu'elle ne se soit pas détricotée. Examinez votre ouvrage des deux côtés. Voyez-vous un fil lâche ? Si oui, votre maille s'est détricotée d'un rang et vous devez faire les manœuvres montrées ci-dessus. Si non, suivez les étapes de la page 160.

4 ... et placez-le sur l'aiguille gauche.

5 Avec l'aiguille droite...

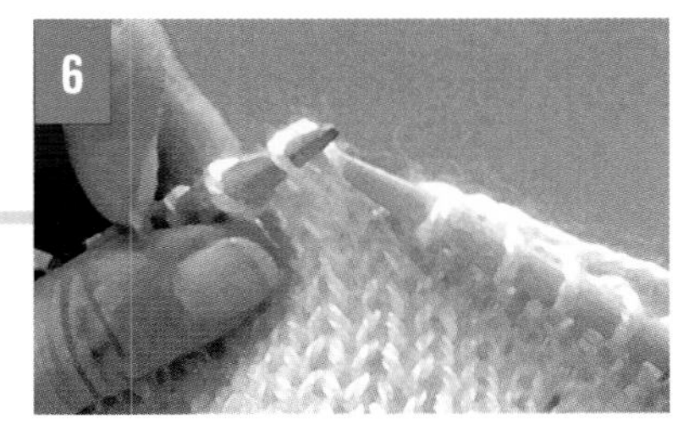

... passez la maille détricotée pardessus le fil lâche (ci-dessus).

6 Traitez maintenant cette maille refaite comme une maille ordinaire.

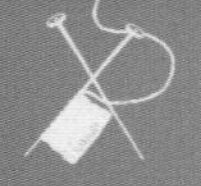

Si vous devez revenir dans un rang

Parfois, on veut corriger une erreur commise dans le rang. Voici comment détricoter jusqu'à l'endroit de l'erreur.

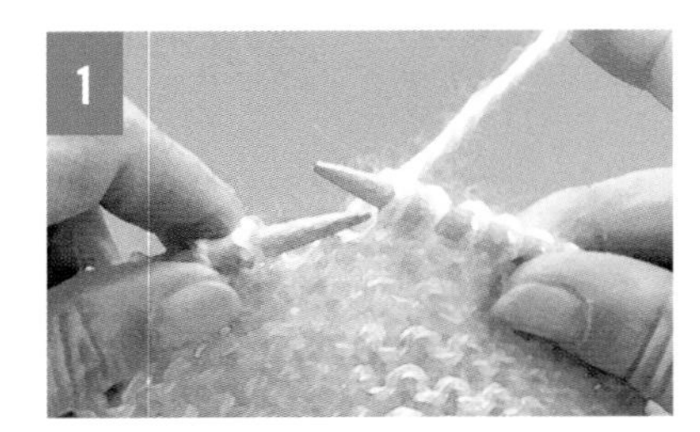

1 Ne tournez pas votre ouvrage.

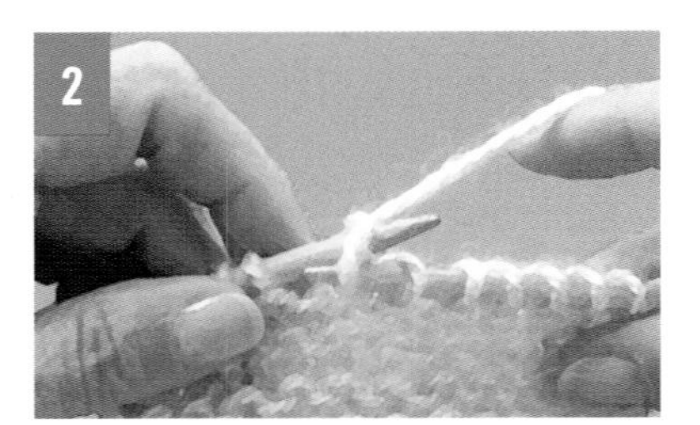

2 Insérez l'aiguille gauche, en pointant loin de vous, à travers la maille sous la première maille de l'aiguille droite.

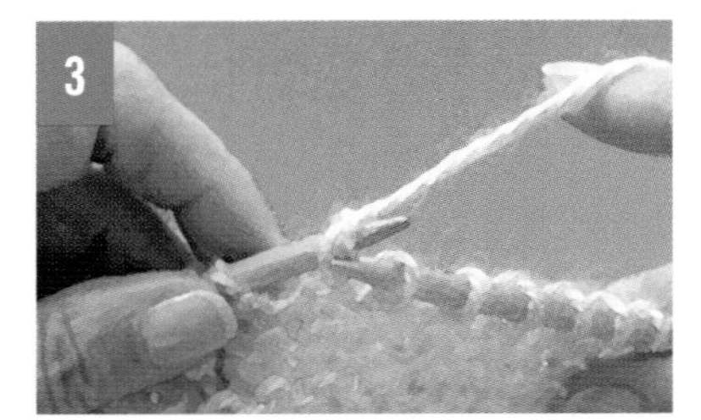

3 Retirez l'aiguille droite de cette maille (ci-dessus). Puis tirez le fil de travail pour le libérer.
Répétez les étapes 2 et 3 jusqu'au moment où vous aurez atteint l'endroit voulu.

Si vous devez revenir plusieurs rangs en arrière / défaire

Parfois, on doit absolument défaire un certain nombre de rangs. Une maille échappée peut être passée inaperçue, ou une maille glissée peut avoir été mal faite. Hélas, le seul remède est de détricoter !

Une des méthodes est de détricoter jusqu'au rang qui précède le rang problématique. Ensuite, détricotez le rang final une maille à la fois, en insérant chaque nouvelle maille disponible sur une aiguille. Puis, avant de tricoter, lisez « L'orientation d'une maille », page 160.

Une autre technique, illustrée ci-dessous, est facile à faire au point mousse.

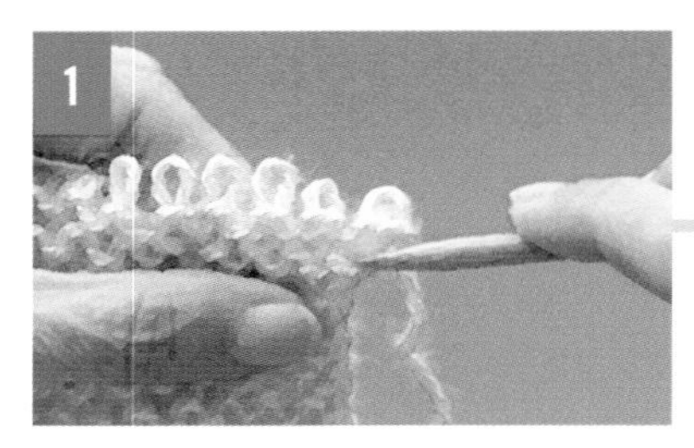

1 Trouvez le rang jusqu'où vous voulez détricoter. Insérez une aiguille à travers...

2 ... les bosses de ce rang (ci-dessus). Ensuite, défaites, et vos mailles sont déjà sur une aiguille. Tricotez-les en les orientant adéquatement.

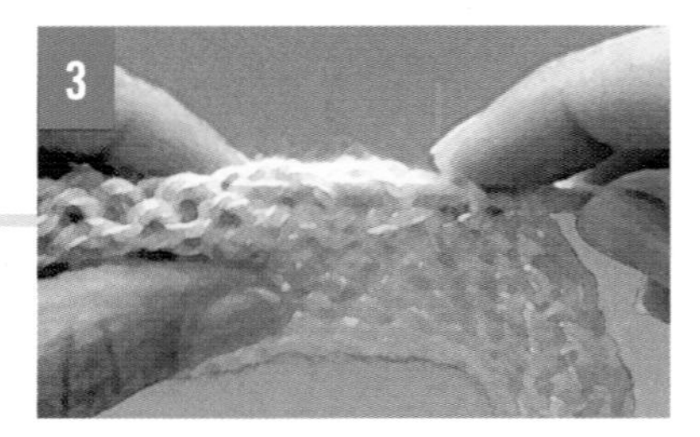

3 Cette technique est aussi possible avec le point jersey. Travaillez comme pour le point mousse. Il n'est pas aussi facile de rester dans un même rang de bosses, mais vous devez le faire. Lorsque vous tricotez les mailles, soyez attentif à leur orientation.

Les problèmes de terminaison

Si vous devez resserrer une bordure de terminaison

Parfois, notamment autour du cou, la bordure peut être un peu lâche. La bonne nouvelle est qu'on peut la resserrer !

1 Tenez l'ouvrage de manière que le bout de la terminaison soit à gauche. Examinez la terminaison : vous devriez voir des boucles enchaînées de droite à gauche. C'est ce que vous resserrerez, à partir du début du rang jusqu'au bout.

2 Insérez l'aiguille (à tricoter ou à tapisserie) sous le devant de la première maille (ci-dessus). Tirez le fil vers vous, puis retirez l'aiguille.

3 Trouvez l'arrière de cette même boucle (qui est petite, puisqu'elle a été resserrée lors de la manœuvre précédente). Insérez l'aiguille et tirez l'excédent de fil (ci-dessus), puis enlevez l'aiguille. Ensuite, insérez l'aiguille sous le devant de la maille suivante, tirez l'excédent de fil à travers la maille, puis retirez l'aiguille.

4 Répétez les étapes 3 et 4, en tirant l'excédent de fil.

Une terminaison resserrée

Voici d'autres conseils pour resserrer la terminaison.

- **Si vous restez bloqué en cours de route, utilisez vos doigts plutôt que l'aiguille.**
- **Si vous êtes vraiment piégé, vous avez peut-être divisé les brins de votre fil au cours de la terminaison. Dans ce cas, vous devrez détricoter la terminaison et la refaire.**
- **Ne resserrez pas trop, sinon vous devrez défaire et refaire la terminaison.**
- **À la fin du rang, vous pourriez avoir à défaire la dernière maille rabattue pour tirer l'excédent de fil à travers celle-ci.**

Réfléchir après coup

Diminutions alignées pour former des renfoncements en forme de pointe de tarte

Si vous avez oublié…

SI VOUS AVEZ OUBLIÉ DE FAIRE UNE AUGMENTATION OU UNE DIMINUTION

Si vous avez tricoté un rang sans faire l'augmentation ou la diminution prévue, faites-la où elle doit être la prochaine fois que vous serez au bon endroit.

SI VOUS AVEZ MAL PLACÉ UNE DIMINUTION

Une diminution mal placée est un « deux mailles tricotées à l'endroit ensemble » (voir page 77) fait avec les mauvaises mailles. Si vous observez la couronne d'un bonnet, vous voyez d'adorables renfoncements en forme de pointe de tarte, parce que les diminutions ont été faites avec les bonnes mailles. Si vous diminuez au mauvais endroit, vos renfoncements peuvent être ratés. Vous devriez détricoter (voir page 162) jusqu'à l'endroit où ces mailles ont été diminuées incorrectement, puis les refaire. Vous ne le regretterez pas !

SI VOUS AVEZ OUBLIÉ DE FAIRE UN JETÉ

Parfois, le jeté n'est qu'une forme d'augmentation (voir ci-dessus).

Mais parfois le jeté sert à faire une boutonnière et, pour la symétrie du vêtement, vous voulez faire la boutonnière au bon endroit. Si vous l'avez oublié, détricotez jusqu'à l'endroit voulu (page 162) et faites le jeté selon les indications.

S'il y a un trou dans votre tricot

Si vous avez échappé une maille sans le remarquer, vous aurez une maille perdue, un trou, et une maille de moins sur votre aiguille.

Vous pouvez détricoter jusqu'au trou (page 162). Mais l'étoffe au point mousse vous laisse une certaine latitude, alors vous pourriez essayer ceci :

1. Repérez la maille échappée.
2. Attachez-la en insérant un fil de 6 po / 15 cm à travers celle-ci.
3. Cousez les bouts du côté envers. Le résultat ne sera peut-être pas visible du côté endroit, mais vous aurez une maille de moins qu'au départ sur votre aiguille.

RENSEIGNEMENTS sur le fil

FOURNISSEURS AU CANADA

Diamond Yarn
Distribu Sirdar, Noro et Reynolds
155, Martin Ross, Unit 3
Toronto (Ontario)
M3J 2L9
www.diamondyarn.com

Mission Falls
Distribue Mission Falls
C. P. 224
Consecon (Ontario)
KOK 1TO

Needful Yarns Inc.
Distribue Lano Gatto
4476, Chesswood Dr. n°s 10, 11
Toronto (Ontario)
M3J 2B9
www.needfulyarnsinc.com

Patons Yarns
C. P. 40
Listowel (Ontario)
N4W 3H3
www.patonsyarns.com

SR Kertzer LTD
Distribue Naturally, Stylecraft et Istex
105 A, Winges Road
Woodbridge (Ontario)
L4L 6C2
www.kertzer.com

FOURNISSEURS AUX ÉTATS-UNIS

Aurora Yarns
Distribue Garnstudio
2385, Carlos St
Moss Beach, CA 94038

Berroco Inc.
C. P. 367
Uxbridge, MA 01569
www.berroco.com

Cascade Yarns
1224, Andove Park E.
Turkwila, WA 98188

Classic Elite Yarns
300, Jackson St.
Lowell, MA 01852

Great Adirondack Yarn Co.
950, Co. Hwy 126
Amsterdam, NY 12010

Knitting Fever Inc.
Distribue Noro
35, Debevoise Ave
Roosevelt, NY 11575
www.knittingfever.com

Mountain Colors Yarn
C. P. 156
Corvallis, MT 59828
www.mountaincolors.com

Muench Yarns Inc.
285, Bel Marin Keys Blvd., Unit J
Novato, CA 94949
www.muenchyarns.com

Prism
2595, 30th Ave N
St. Petersburg, FL 33713

JCA Inc.
Distribue Reynolds et Istex
35, Scales Lane
Townsend, MA 01469-1094

Schaefer Yarn Co LTD
3514, Kelly's Corners Rd
Interlaken, NY 14847

Swedish Yarn Imports
Distribue Sandnes
C. P. 2069
Jamestown, NC 27282

Tahki / Stacy Charles Inc.
8000, Cooper Ave
Bldg 1
Glendale, NY 11385
www.tahkistacycharles.com

Trendsetter
16745, Saticoy St #101
Van Nuys, CA 91406

Unique Kolours LTD
Distribue Mission Falls
1428, Oak Lane
Dowingtown, PA 19335
www.uniquekolours.com

GROSSEUR DES FILS

Système de numérotation	1	2	3	4	5	6
Grosseur des fils	*Très fin*	*Fin*	*Léger*	*Moyen*	*Gros*	*Très gros*
Aussi appelé	Fileté, chaînette, doigté, chaussette, bébé, layette, 1 fil	Sport, jacquard, layette	Double à tricoter, léger peigné	Sport, peigné, afghan, aran	Gonflant, artisanat, tweed, aran	Supergonflant, mèche, à tapis, magpie
Éventail de tensions à tricoter au point jersey pour 4 po/10 cm	27 à 32 m.	23 à 26 m.	21 à 24 m.	16 à 20 m.	12 à 15 m.	6 à 11 m.
Aiguilles recommandées (métrique)	2 à 3,25 mm	3,25 à 3,75 mm	3,75 à 4,5 mm	4,5 à 5,5 mm	5,5 à 8 mm	9 à 16 mm
Aiguilles recommandées (É.-U.)	1 à 3	3 à 5	5 à 7	7 à 9	9 à 11	13 à 19

Tous les modèles de ce livre vous indiquent la grosseur de fil à utiliser. Pour trouver votre fil, cherchez les noms par lesquels il est connu (ci-dessus), puis consultez votre modèle pour la tension sur 4 po/10 cm et la taille des aiguilles utilisées. Examinez les étiquettes pour recouper les informations.

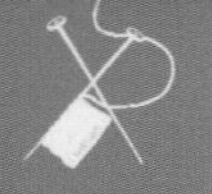

Glossaire et abréviations

aiguille(s) à deux pointes : aiguille(s) comportant une pointe à chaque extrémité.

arr. **arrière :** côté du tricot que vous ne voyez pas quand vous travaillez, que vous tricotiez un rang du côté endroit ou envers.

end. av. arr. **augmentation barrée :** maille ajoutée en tricotant à l'endroit dans l'avant, puis dans l'arrière de la même maille.

aj. 1 **augmentation intercalaire :** maille ajoutée en soulevant le brin entre les aiguilles et en tricotant à l'arrière de la maille soulevée.

aug. **augmenter ou augmentation(s) :** ajouter une maille en créant deux mailles à partir d'une seule.

av. **avant :** côté du tricot qui vous fait face quand vous travaillez, même si vous tricotez un rang du côté envers.

bout : extrémité du fil qui pend au début ou à la fin d'une pelote ou d'une pièce.

cm **centimètre :** centième partie du mètre valant 0,39 pouce (1 po = 2,54 cm).

commencer avec : ce que vous ferez ensuite.

continuer : poursuivre le travail sans façonnage (sans augmentation ni diminution, etc.).

C **côte (au point mousse) :** ligne horizontale de bosses produite quand on tricote à l'endroit sur deux rangs.

côté end. **côté endroit :** le côté visible du vêtement.

côté env. **côté envers :** la surface intérieure du vêtement.

end. **dans le sens de l'endroit :** comme pour tricoter une maille endroit.

env. **dans le sens de l'envers :** comme pour tricoter une maille envers.

der. **derrière :** partie du vêtement portée au dos du corps, ou côté du tricot que vous ne voyez pas quand vous travaillez, que vous tricotiez un rang du côté endroit ou envers.

dev. **devant :** partie du vêtement portée au devant du corps, ou côté du tricot qui vous fait face quand vous travaillez, que vous tricotiez un rang du côté endroit ou envers.

dim. **diminuer ou diminution(s) :** éliminer une maille en créant une seule maille à partir de deux mailles.

D **droit (devant ou derrière) :** partie du vêtement portée sur le côté droit du corps.

fil (fil de travail) : fil avec lequel vous formez les mailles.

f. der. **fil derrière :** fil de travail placé du côté du tricot qui ne vous fait pas face.

f. dev. **fil devant :** fil de travail placé du côté du tricot face à vous.

G **gauche (devant ou derrière) :** partie du vêtement portée sur le côté gauche du corps.

gl. **glisser :** transférer une maille de l'aiguille gauche à l'aiguille droite sans la tricoter.

gl. 1 end. **glisser une maille dans le sens de l'endroit :** glisser la prochaine maille de l'aiguille gauche, comme pour la tricoter à l'endroit.

gl. 1 env. **glisser une maille dans le sens de l'envers :** glisser la prochaine maille de l'aiguille gauche, comme pour la tricoter à l'envers.

j. **jeté :** maille produite simplement en enroulant le fil autour de l'aiguille droite.

m. **maille(s) :** boucle(s) formée(s) avec du fil sur des aiguilles à tricoter.

maille en attente : maille laissée derrière sur un arrêt de maille ou en tournant avant la fin d'un rang.

m. end. **maille endroit :** maille ayant sa « bosse » à l'arrière.

m. env. **maille envers :** maille ayant sa « bosse » à l'avant (ce livre ne traite pas de ce type de maille).

m. gl. **maille glissée :** maille formée en la transférant de l'aiguille gauche à l'aiguille droite sans la tricoter.

mettre en forme : manœuvres de finition des pièces de tricot.

monter : créer un certain nombre de mailles, habituellement en les ajoutant sur l'aiguille gauche.

point jersey : nom du côté lisse de l'étoffe produite soit en tricotant à l'endroit en rond, soit en tricotant à l'endroit toutes les mailles des rangs du côté endroit et à l'envers toutes les mailles des rangs du côté envers pour un travail à plat.

point jersey envers : nom du côté bosselé de l'étoffe produite soit en tricotant à l'endroit en rond, soit en tricotant à l'envers toutes les mailles des rangs du côté envers et en tricotant à l'endroit toutes les mailles des rangs du côté endroit pour un travail à plat.

point mousse : motif réalisé en tricotant toutes les mailles à l'endroit sur tous les rangs.

rabattre : arrêter les mailles.

rang : rang travaillé à plat, en tournant à la fin de celui-ci.

rang écourté (ou raccourci) : rang au cours duquel on laisse des mailles en attente en tournant avant la fin de ce rang.

relever et tricoter les mailles : former des mailles en insérant l'aiguille droite dans une bordure achevée, en utilisant du fil et en tricotant un nouveau rang.

relever les mailles : Former des mailles en insérant l'aiguille gauche, de gauche à droite, le long d'une bordure achevée, sans utiliser de fil et sans tricoter un nouveau rang.

gl. 1, 1 end., p. m. g. p. **surjet simple :** glisser dans le sens de l'endroit la première maille de l'aiguille gauche, tricoter à l'endroit la maille suivante de l'aiguille gauche, passer ensuite la maille glissée pardessus la dernière maille tricotée. Dans certains modèles, l'abréviation est *1 ss* ou *surj.*

terminer avec : ce que vous venez de faire.

tour(s) : rang travaillé circulairement, sans tourner à la fin de celui-ci.

tourner : tourner l'ouvrage du côté opposé, même au milieu d'un rang.

travailler à plat : tricoter un rang, tourner la pièce, puis tricoter le rang suivant.

travailler en rond : tricoter un rang, puis faire le rang suivant sans tourner la pièce (aussi appelé tricot circulaire).

tric. **tricoter :** travailler une maille ou un façonnage selon les instructions.

end. arr. **tricoter à l'endroit dans l'arrière d'une maille :** tricoter à l'endroit dans la partie de la maille située à l'arrière de l'aiguille.

end. av. **tricoter à l'endroit dans l'avant d'une maille :** tricoter à l'endroit dans la partie de la maille située à l'avant de l'aiguille.

2 end. ens. **tricoter à l'endroit deux mailles ensemble**

verge : Unité de longueur valant 36 pouces (0,914 mètre).

Rapports comparatifs

Pour convertir en centimètres les mesures en pouces

Multipliez les pouces par 2,5
Par exemple :
4 po x 2,5 = 10 cm

Tableau des rapports comparatifs

Pour les modèles de ce livre — par exemple lorsque vous cousez les manches dans les emmanchures du « chandail d'été favori de Sally » —, utilisez ce tableau. Divisez le nombre de mailles (m.) par le nombre de côtes au point mousse (C). Trouvez la fraction la plus rapprochée de votre résultat. Cousez tel qu'il est indiqué.

La fraction	*Ce que cela signifie*	*Comment coudre*
0,5 = 1/2	1 m. / 2 C	Cousez 1 m. à 2 C
0,6 = 3/5	3 m. / 5 C	(Cousez 1 m. à 2 C) deux fois, puis cousez 1 m. à 1 C une fois
0,6667 = 2/3	2 m. / 3 C	Cousez 1 m. à 2 C, puis cousez 1 m. à 1 C
0,714 = 5/7	5 m. / 7 C	(Cousez 1 m. à 2 C) deux fois, puis (cousez 1 m. à 1 C) trois fois
0,75 = 3/4	3 m. / 4 C	(Cousez 1 m. à 1 C) deux fois, puis cousez 1 m. à 2 C une fois
0,8 = 4/5	4 m. / 5 C	(Cousez 1 m. à 1 C) trois fois, puis cousez 1 m. à 2 C une fois
0,85 = 6/7	6 m. / 7 C	(Cousez 1 m. à 1 C) cinq fois, puis cousez 1 m. à 2 C une fois
0,9 = 9/10	9 m. / 10 C	(Cousez 1 m. à 1 C) huit fois, puis cousez 1 m. à 2 C une fois

Ce tableau est utile chaque fois que vous cousez des mailles à des rangs et que vous êtes aux prises avec un rapport différent de 1 pour 1.

Si vous utilisez ce tableau pour un vêtement au point mousse, C = une côte (2 rangs de tricot).

Pour les autres motifs de tricot, C pourrait valoir un rang (1 rang de tricot).

La plupart du temps, le nombre de mailles est plus petit que le nombre de côtes, alors utilisez simplement le tableau ci-contre.

Remerciements

e livre est dédicacé à toutes ces personnes au cœur
énéreux et aux mains patientes qui ont montré à tricoter à
uelqu'un, et plus particulièrement à ma mère, Dodie Melville.

on contenu est inspiré :

- de mes découvertes personnelles (non pas que je croie être la seule à avoir fait ces découvertes) ;
- de ce que j'ai appris des autres et que j'ai adapté par la suite (non pas que je sois la seule à avoir fait ces adaptations) ;
- des connaissances que certaines personnes m'ont transmises et qui font partie du vocabulaire usuel du tricot.

e suis extrêmement reconnaissante envers toutes les
ersonnes, y compris les nombreux auteurs de livres sur le
ricot, qui m'ont permis d'en apprendre davantage sur le sujet.

e remercie plus particulièrement l'extraordinaire équipe de
roduction XRX. Un merci spécial à Alexis, pour son bon sens
le l'humour et ses magnifiques photos toujours appréciés, à
ob, pour sa douce sensibilité, à David, pour son attention aux
étails et sa grande débrouillardise, à Elaine, pour ses
lécisions (parmi les meilleures de ce livre) et son amitié, à
ay, pour sa réceptivité et sa connaissance du tricot, à
latalie, pour sa patience et son dévouement, et à Rick, pour
a bienveillance face à mes demandes. Merci aussi à Carol, à
enny, à Ev, à Holly, à Jason, à Karen et à Sue.

e remercie également Gail McHugh, Jean Parker, Tricia Siemens
t Beverley Slopen pour leur enthousiasme et leurs conseils.

Merci aussi à tous les tricoteurs qui ont confectionné
ertaines pièces présentées dans ce livre ou qui ont testé les
atrons : Aggie Beynon, Mel Biggs, Heather Daymond, Barbara
lull, Caddy Ledbetter (j'aurais bien aimé ajouter Jeremy
ebetter à cette liste ; peut-être dans un prochain livre...),
eth Merikle, Lynn Philips, Laurel Thom, Jen Woolner et, par-
lessus tout, Stasia Bania, sans laquelle je n'aurais pu
onctionner.

Un grand merci également aux fournisseurs et aux marchands de fil qui m'ont aidée, notamment Bev Nimon, Josie Dolan, les deux Julia, Julie Schilthuis (Needle Emporium), Carol et Ron (The Mannings).

Enfin, j'aimerais remercier mes généreux amis qui ont fait preuve d'une confiance inébranlable dans les bons moments comme dans les mauvais : inutile de vous nommer, vous vous reconnaissez certainement ! Je vous aime tous.

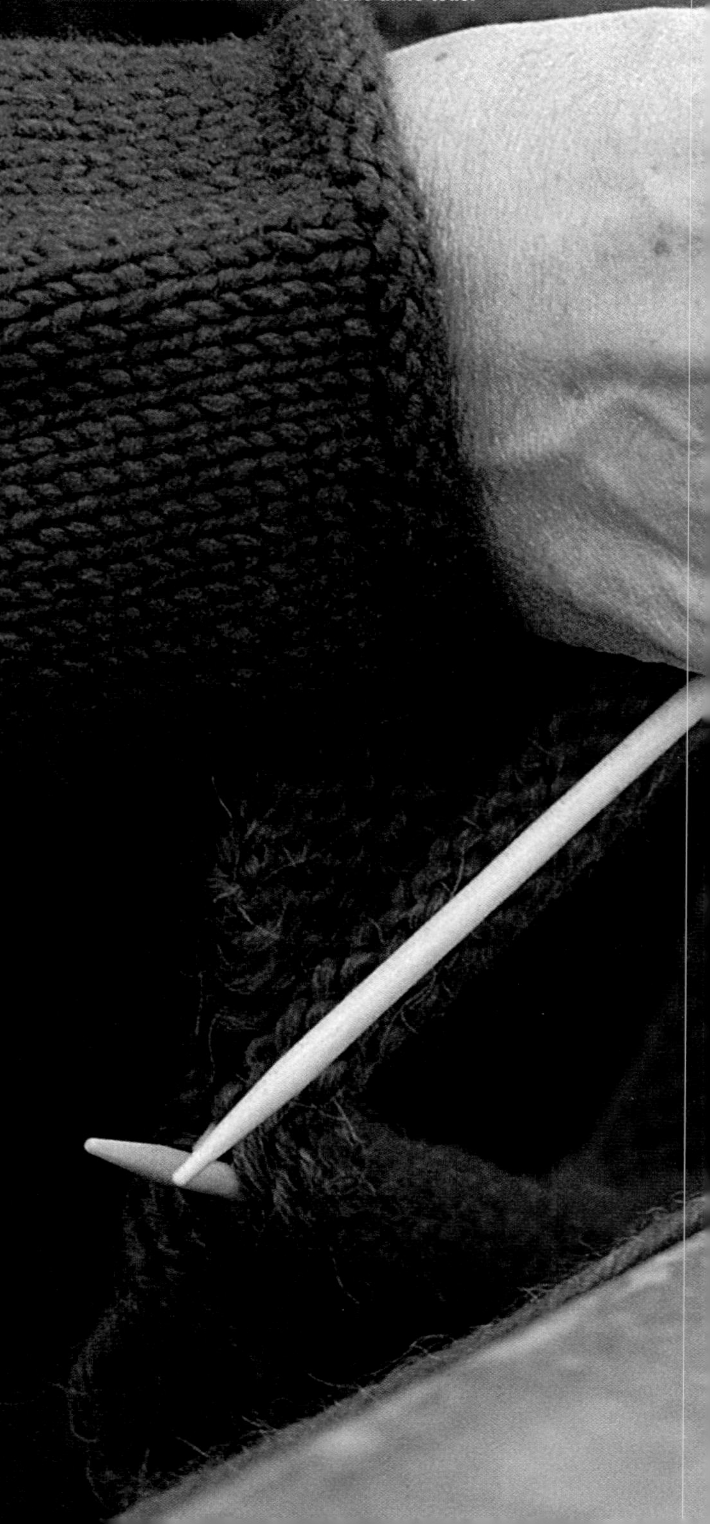